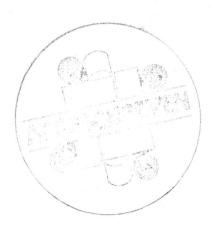

De spion

Clive Cussler

& Justin Scott

De spion

the house of books

Oorspronkelijke titel
The Spy
Uitgave
G.P. Putnam's Sons, New York
Copyright © 2010 by Sandecker RLLLP
By arrangement with Peter Lampack Agency, Inc. 350 Fifth Avenue, Suite 5300, New York, NY 10118 USA
Copyright voor het Nederlandse taalgebied © 2013 by The House of Books, Vianen/Antwerpen

Vertaling
Pieter Verhulst
Omslagontwerp
Loudmouth
Omslagillustratie
Craig White
Foto auteur
Rob Greer
Opmaak binnenwerk
ZetSpiegel, Best

ISBN 978 90 443 4207 9
ISBN 978 90 443 4208 6 (e-book)
D/2013/8899/159
NUR 332

www.thehouseofbooks.com

De Dochter van de Kanonnier

1

De marinewerf bij Washington sliep als een middeleeuwse stad, beschermd door dikke muren en de rivier. Oude mannen liepen wacht tussen de elektrische tijddetectors waarmee hun rondes langs de werkplaatsen, magazijnen en barakken geregistreerd werden. Buiten het complex rees een heuvel op met donkere woonhuizen van het personeel. Daarachter de koepel van het Capitool en het Washington Monument, glanzend als poolijs in het licht van de volle maan. Een schorre stoomfluit verbrak de stilte. Een stoomtrein naderde, sissend en met rinkelende bel.

Wachters van de Amerikaanse marine openden het hek van de Northern Railroad.

Niemand zag Yamamoto Kents die zich verstopt had onder een platte wagon van de Baltimore Ohio-maatschappij. De locomotief trok de wagon naar de werf. De wielen van de wagon knarsten onder het gewicht van de lading zware pantserplaten, afkomstig uit Bethlehem, Pennsylvania. Remmers ontkoppelden de wagon en de locomotief reed achteruit.

Yamamoto liet zich zakken op de bielzen en het grindbed tussen de rails. Hij bleef stil liggen tot hij zeker wist dat hij alleen was. Hij volgde de rails naar een verzameling gebouwen met twee verdiepingen, waarin de geschutfabriek was gehuisvest.

Maanlicht weerspiegelde in de hoge ramen en de rossige gloed van een rij smeltovens bescheen een enorme ruimte. Rijdende hijskranen torenden op in de duisternis. Kolossale kanonlopen, met een gewicht van vijftig ton, lagen verspreid op de grond, alsof een orkaan een bos van metalen boomstammen had neergemaaid.

Yamamoto, een Japanner van middelbare leeftijd met grijze strepen in zijn zwartglanzende haar en een zelfverzekerde, waardige houding, zocht zich doelbewust een weg langs de routes die de bewakers moesten controleren en hij keek aandachtig naar de machines en onderdelen waarmee het geschut werd gemaakt. Hij had vooral aandacht voor de diepe putten in de vloer, met wanden van baksteen, waar de kanonlopen werden gemaakt. Zijn waarneming was scherp, en ervaren door eerdere bezoeken aan Vickers en Krupp – de Britse en Duitse wapenfabrieken, en aan de arsenalen van de Russische tsaar bij St. Petersburg.

Met een ouderwets Yale-hangslot was de deur naar een magazijn met laboratoriummaterialen voor de ingenieurs en wetenschappers afgesloten. Behendig maakte Yamamoto het slot open. In het magazijn zocht hij in de kasten naar jodium. Hij schudde zes ons van de glanzende zwartblauwe kristallen in een envelop. Daarna schreef hij 'jodiumkristallen, zes ons' op een magazijnbon en ondertekende met de initialen 'A.L.', Arthur Langner, de befaamde chef van de ontwerpafdeling van de wapenfabriek.

Yamamoto liep naar een vleugel van het grote gebouw met het bassin waarin torpedoaanvallen werden gesimuleerd om de effecten van explosies onder water te bestuderen. Hij doorzocht de voorraadkasten. De grote zeemogendheden hielden een internationale wapenwedloop om steeds modernere slagschepen te bouwen en er werd intensief geëxperimenteerd met torpedo's die geladen werden met TNT. Maar Yamamoto zag dat de Amerikanen vooral proeven deden met explosieve mengsels gebaseerd op schietkatoen. Hij pakte een zijden zak gevuld met Cordite MD, rookloos buskruit.

Toen hij de deur van een werkkast opende om een fles ammoniak te pakken hoorde hij een bewaker naderen. Hij verborg zich in de kast tot de oude baas voorbij gesjokt was en verdween tussen de kanonnen.

Snel en zonder geluid klom Yamamoto de trap op.

Arthur Langners kamer was niet afgesloten en vertoonde de aanblik van het atelier van een excentrieke geleerde die oorlogstuig en kunst met elkaar verenigt. Blauwdrukken en visionaire schetsen van projectielen die ongekende verwoestingen kunnen aanrichten lagen overal verspreid, en er stond een schildersezel, een boekenkast, en een cello naast een vleugel.

Yamamoto zette het cordiet, de jodiumkristallen en de fles ammoniak op de vleugel en bestudeerde een uur lang de ontwerptekeningen. 'Wees de ogen van Japan,' doceerde hij op de spionnenschool tijdens de weinige gelegenheden dat hij in zijn vaderland was. 'Grijp elke kans om te observeren, ongeacht of het doel van je missie misleiding, sabotage of een moordaanslag is.'

Wat hij zag boezemde hem angst in. De 30cm-kanonnen op de vloer van de geschutfabriek konden patronen wel vijftien kilometer afvuren en de dikste pantserplaten doorboren. Maar hier in de tekenkamer werden nieuwe ideeën uitgebroed, en de Amerikanen hadden ontwerpschetsen van enorme kanonlopen en zelfs een vijfentwintig meter lang wapen dat een explosieve lading van duizend kilo tot voorbij de horizon kon lanceren. Niemand wist hoe een dergelijk wapen nauwkeurig gericht kon worden, als de afstand te groot was om de gemiste inslagen te zien. Maar de stoutmoedige verbeelding die Yamamoto in de ontwerpen herkende waren een duidelijke waarschuwing dat de Amerikanen binnen afzienbare tijd over een moderne marine zouden beschikken die het probleem van zorgvuldig richten had opgelost.

Yamamoto stopte een stapel bankbiljetten in een bureaulade van de wapenontwerper: vijftig biljetten van twintig dollar aan goudcertificaten, en samen aanzienlijk meer waard dan een geschoolde werkman in het arsenaal per jaar verdiende.

De Amerikaanse oorlogsvloot stond na de Engelse en Duitse marine op de derde plaats. De Noord-Atlantische vloot was herdoopt in de 'Grote Witte Vloot' en overal op de wereldzeeën wapperde de nationale vlag. Maar Engeland, Duitsland, Rusland en Frankrijk waren geen vijanden van Amerika. De werkelijke taak van de Grote Witte Vloot was het keizerlijke Japan bedreigen met gepantserd staal. Amerika wilde de Grote Oceaan beheersen, van San Francisco tot Tokio.

Dat zou Japan niet tolereren, bedacht Yamamoto met een trotse glimlach.

Drie jaar eerder werd een nieuwe uitdager tijdens de Russisch-Japanse oorlog in bloed gesmoord. Het machtige Rusland had getracht Japan te verslaan, maar nu heerste Japan over Port Arthur. En de Baltische vloot van Rusland lag honderd meter onder water op de bodem van de Straat van Tsushima, wat grotendeels te danken was aan de infiltratie van Japanse spionnen in de Russische marine.

Toen Yamamoto de bureaulade met het geld sloot, kreeg hij het onheilspellende gevoel dat iemand naar hem keek. Hij keek over het bureau en zag de foto met de starende blik van een mooie jonge vrouw. Om de foto zat een zilveren lijst. Hij herkende Langners dochter met het donkere haar en hij had bewondering voor de fotograaf die haar dwingende ogen zo goed vastgelegd had op de gevoelige plaat. Bij de foto was met een sierlijk handschrift geschreven: 'Voor vader, die niets vreest'.

Yamamoto richtte zijn aandacht op de boekenkast van Langner. Ingebonden boeken met patentaanvragen deelden de planken met romans. De recent ingediende aanvragen waren met een typemachine geschreven. Yamamoto pakte telkens een boek en bladerde terug tot het laatste jaar dat de aanvragen met pen geschreven waren. Hij legde een van die boeken op het bureau van de ontwerper en pakte een vel papier uit een lade en een Watermanvulpen. Telkens vergelijkend met de oude tekst deed hij het handschrift na en schreef een korte verwarde brief, eindigend met de woorden: 'Vergeef me'. Daaronder krabbelde hij Arthur Langners handtekening.

Hij pakte de jodiumkristallen en de fles ammoniak en liep ermee naar de wasbak. Met de kolf van zijn Nambu-zakpistool wreef hij de kristallen fijn in de marmeren wasbak en hij deed het poeder in een scheerkom. Met een handdoek veegde hij het pistool schoon, zodat een paarse streep op de handdoek verscheen. Daarna goot hij ammoniak op het jodiumpoeder en roerde met Langners tandenborstel tot het mengsel een dikke pasta van nitrogeen jodium werd.

Hij opende de klep van de vleugel en smeerde de pasta op de kortste snaren aan de rechterkant. Als de pasta gedroogd was zou het explosieve mengsel instabiel zijn en door schokken meteen ontbranden. Een lichte vibratie zou een lichtflits en een harde knal veroorzaken. De explosie zou in de vleugel weinig schade aanrichten, maar als ontsteker een verwoestende uitwerking hebben.

Hij legde de zijden zak op het gietijzeren frame boven de snaren. In de zak zat genoeg cordiet om een twaalfponds projectiel drie kilometer weg te schieten.

* * *

Yamamoto Kenta verliet de wapenfabriek via dezelfde route als hij gekomen was. Zijn ogen prikten nog van de ammoniakdamp. Opeens ging alles verkeerd. Het hek van de North Railroad werd geblokkeerd door een plotselinge uitbarsting van nachtelijke activiteit. Rangeerlocs trokken wagons heen en weer, omringd door een groep rangeerders en remmers. Hij dook weg tussen de gebouwen van het arsenaal, langs de energiecentrale, door een doolhof van stegen en paden tussen de magazijnen en loodsen. Hij oriënteerde zich op de schoorstenen van de centrale en enkele experimentele zendmasten die afstaken tegen de maanverlichte hemel. Hij doorkruiste een park tussen fraaie huizen waarin de gezinnen van de commandant en de officieren sliepen.

Het terrein was hier hoger. In het noordwesten zag hij een glimp van het Capitool oprijzen boven de stad. Dat was ook een symbool van Amerika's geduchte macht. Welke andere natie was in staat de grootste gietijzeren koepel ter wereld te bouwen tijdens het uitvechten van een bloedige burgeroorlog? Hij was bijna bij een zijpoort toen een wachter hem verraste op het smalle pad.

Yamamoto kon nog net op tijd wegduiken tussen de struiken.

Als hij gearresteerd werd zou dat een schande voor Japan zijn. Hij was opvallend aanwezig in Washington, om te helpen bij het catalogiseren van de recente aanwinsten van de Freer Collectie van Aziatische kunst in het Smithsonian Instituut. Die dekmantel gaf hem de mogelijkheid zich te bewegen in kringen van het corps diplomatique en invloedrijke politici, vooral dankzij hun echtgenotes die zichzelf als kunstzinnig beschouwden en aandachtig naar elk woord over Japanse

11

kunstwerken luisterden. Echte deskundigen van het Smithsonian hadden hem al twee keer betrapt op onnozele uitspraken, maar beide keren kon hij zijn gezicht redden door te verwijzen naar zijn gebrekkige beheersing van de Engelse taal die hij overhaast had moeten leren. Dat excuus werd geaccepteerd door de experts, maar er was geen aannemelijke verklaring als de Japanse curator van Aziatische kunst 's nachts werd aangetroffen op de marinewerf van Washington.

De bewaker kwam over het pad aanlopen, zijn laarzen knersten op het grind. Yamamoto dook nog verder weg in de struiken en hij trok zijn pistool, om dat in het uiterste geval te gebruiken. Een pistoolschot zou de bewakers van het complex alarmeren, ze zouden meteen uit hun barakken naar buiten komen. Hij duwde tegen de struiken en tastte naar een opening om aan de andere kant van de heg weg te komen.

De bewaker had geen reden om de heg te controleren toen hij voorbij liep. Maar Yamamoto werkte zich nog verder naar achteren tegen de verende takken en een dorre tak brak af. De bewaker bleef met een ruk staan. Hij tuurde in de richting van het geluid. Op dat moment werden hun beide gezichten helder beschenen door de maan.

De Japanse spion zag de bewaker duidelijk: een voormalig zeeman, die zijn schamele pensioen aanvulde met een bijbaan als nachtwaker. Zijn gezicht was getaand, zijn ogen waren bleek door jarenlang verblijf in de tropen en zijn rug was licht gebogen. Hij ging meer rechtop staan toen hij de slanke gedaante tussen de struiken zag. De gepensioneerde zeeman was opeens niet meer een oude man die om hulp zou roepen, maar hij leek meteen weer de gespierde en breedgeschouderde zeebonk die hij jaren geleden geweest moest zijn. Met luide stem die ooit tot de toppen van de masten reikte vroeg hij: 'Wat voor de duivel gebeurt daar?'

Yamamoto werkte zich los uit de takken en rende weg. De bewaker liep de heg in en raakte meteen verstrikt tussen de takken. Hij brulde als een leeuw en Yamamoto hoorde kreten in de verte. Hij veranderde van richting en draafde langs een hoge muur. Tijdens de voorbereiding van zijn verkenningstocht had hij gelezen dat de muur was opgetrokken nadat plunderaars tijdens overstromingen van de Potomac naar de werf waren gekomen. De muur was te hoog om overheen te klauteren.

Laarzen kraakten op het grind. Oude mannen schreeuwden. Elektrische zaklantaarns flitsten aan. Opeens zag Yamamoto zijn kans: er stond een boom dicht bij de muur. Hij klom langs de stam omhoog, zich afzettend met de rubberzolen onder zijn schoenen, langs de dikke takken steeds verder naar boven. Hij sprong op de muur. Achter hem werd geschreeuwd. De straat voor hem was verlaten. Behendig sprong hij naar beneden en zijn gebogen knieën vingen de harde landing op.

* * *

Bij Buzzard Point, onder aan First Street, stapte Yamamoto aan boord van een zes meter lange motorboot, aangedreven door een stille 2PK Pierce-motor. De schipper stuurde de boot naar het midden van de rivier en voer met de stroom mee. De nevels boven het water sloten zich rond de boot en Yamamoto slaakte een zucht van opluchting.

Hij zocht onder de buiskap beschutting tegen de kou en dacht terug aan zijn gewaagde ontsnapping. Zijn missie was niet in gevaar gekomen, want het pad waar de nachtwaker hem bijna aangehouden had was bijna een kilometer verwijderd van de wapenfabriek. En het was ook niet erg dat de bewaker zijn gezicht had gezien: Amerikanen kijken neer op Aziaten en maar weinigen zien het verschil tussen een Japans en een Chinees gezicht. Omdat er veel meer immigranten uit China komen zou de bewaker rapporteren dat hij een minderwaardige Chinese indringer had betrapt, een opiumsnuiver, dacht hij opgelucht. Grinnikend bedacht hij dat de bewaker ook zou kunnen denken dat de ongewenste bezoeker op zoek was naar de dochters van de commandant van de marinewerf.

Acht kilometer stroomafwaarts stapte Yamamoto van boord in Alexandria, Virginia. Hij wachtte even tot de boot weer wegvoer van de aanlegsteiger en liep snel langs de oever naar een donkere loods vol afgedankt scheepsmateriaal, bedekt met een dikke laag stof en overal spinnenwebben.

Een jongeman die door Yamamoto spottend de 'De Spion' werd

13

genoemd wachtte hem op in een schemerig verlichte achterkamer die als kantoor diende. De onopvallende man was twintig jaar jonger dan Yamamoto. In het kantoortje waren oude militaire zaken uit eerdere oorlogen: gekruiste degens aan de wanden, een gietijzeren voorlader-kanon uit de periode van de Burgeroorlog, zo zwaar dat de vloer door-boog, en achter het bureau stond een groot ouderwets zoeklicht met een koolspitslamp. Yamamoto zag zijn eigen gezicht weerspiegeld in de bestofte lens.

Hij meldde dat zijn missie geslaagd was. Terwijl de jongere man aantekeningen maakte vertelde hij gedetailleerd wat hij gezien had in de wapenfabriek. 'Veel ziet er tamelijk ouderwets uit,' besloot hij.

'Dat verbaast me niet.'

De wapenfabriek was overbelast en beschikte over te weinig kapi-taal bij de productie van ammunitie tot torpedobuizen voor de Grote Witte Vloot op zee. Als de oorlogsbodem uitgevaren waren, moesten vanuit de fabriek wagonladingen reserveonderdelen naar San Fran-cisco worden vervoerd. Over een maand zou de vloot daar arriveren na de veertienduizend mijl lange zeereis om Kaap Hoorn en bij de marinebasis van Mare Island uitgerust worden voor de vaart over de Grote Oceaan.

'Toch zou ik dat niet onderschatten,' zei Yamamoto ernstig. 'Ver-sleten mechanieken kunnen vervangen worden.'

'Als ze daar de moed voor hebben.'

'Ik kreeg de indruk dat ze zeker moed hebben. En ze maken plan-nen. Ze houden nu alleen de adem in.'

De man achter het bureau besefte dat Yamamoto Kenta beheerst werd door zijn vrees voor de Amerikaanse marine. Hij had dit al eer-der gehoord en besloot van onderwerp te veranderen door de Japanner uitvoerig te prijzen voor zijn werk.

'Ik heb nooit getwijfeld aan jouw scherpe waarneming. Maar ik heb vooral bewondering voor al je andere vaardigheden: chemie, werk-tuigbouw, vervalsen. Met een snelle actie heb je de ontwikkeling van nieuwe Amerikaanse wapens gehinderd en het Congres duidelijk ge-maakt dat hun marine gebrekkig is.'

Hij zag een trotse uitdrukking op Yamamoto's gezicht verschijnen.

Zelfs de meest bekwame geheim agent heeft een achilleshiel. En bij Yamamoto was dat zijn ijdelheid.

'Ik heb inderdaad veel ervaring met dit werk,' beaamde Yamamoto met gespeelde bescheidenheid.

De man achter het bureau bedacht dat het recept voor de ontsteker met jodium een simpele formule was die in elke jeugdencyclopedie te vinden is. Maar dat deed niet af aan de andere kwaliteiten van Yamamoto, en hij had ook een grondige kennis van de oorlogvoering op zee.

Na de vleiende woorden besloot hij de Japanner op de proef te stellen. 'Verleden week, aan boord van de Lusitania ontmoette ik de Britse attaché. Je kent zulke types wel: ze beschouwen zichzelf als "gentlemanspion".'

Hij kon heel goed stemmen imiteren en sprak met een geaffecteerd Engels accent verder. '"De Japanners," verklaarde deze Engelse diplomaat voor iedereen die het wilde horen in de rooksalon, "hebben de aangeboren neiging te spioneren, en ze beschikken over een zelfbeheersing en sluwheid die in het Westen nergens te vinden is".'

Yamamoto lachte. 'Dat doet me denken aan admiraal Abbington-Westlake van de marine-inlichtingendienst. Hij werd vorige zomer gezien toen hij een aquarel schilderde van de Long Island Sound, waar toevallig ook de nieuwste onderzeeboot van de Viper Klasse lag. Denk je dat die blaaskaak het als een compliment bedoelde?'

'De Franse marine, waar hij een maand geleden zo succesvol infiltreerde zou Abbington-Westlake geen blaaskaak noemen. Heb je het geld zelf gehouden?'

'Hoe bedoel je?'

'Het geld dat in Arthur Langners bureau gelegd moest worden. Heb je dat zelf gehouden?'

De Japanner verstijfde. 'Nee, natuurlijk niet. Ik heb het in een la gelegd.'

'Dan moeten de tegenstanders van de marine in het Congres wel denken dat hun topontwerper steekpenningen heeft aangenomen. Dat geld was nodig om de Congresleden duidelijk te maken dat ze zich moeten afvragen wat er nog meer is aan corruptie en misstanden binnen de marine. Heb jij dat geld zelf gehouden?'

'Eigenlijk verbaast het me niet dat je deze beledigende vraag stelt aan een loyaal persoon zoals ik. Zoals de waard is, vertrouwt hij zijn gasten.'

'Heb je het geld zelf gehouden?' herhaalde de spion nog eens. Hij bleef onverstoorbaar en maskeerde de kracht van zijn tengere gestalte.

'Voor de laatste keer: nee, ik heb dat geld niet gehouden. Moet ik je overtuigen door te zweren op de nagedachtenis van mijn goede vriend – jouw vader?'

'Ja!'

Yamamoto keek hem strak en hatelijk aan. 'Ik zweer het bij de herinnering aan mijn oude vriend, jouw vader.'

'Ik denk dat ik je wel kan geloven.'

'Jouw vader was een echte patriot,' antwoordde Yamamoto koel. 'Jij bent eerder een huurling.'

'Jij staat bij mij op de loonlijst,' kaatste de spion terug. 'En als je de waardevolle informatie die je in de wapenfabriek op de marinewerf van Washington heb verzameld rapporteert bij jouw regering, terwijl je voor mij werkte, dan zul je door hen nog eens betaald worden.'

'Ik spioneer niet voor geld. Ik spioneer voor het Keizerlijke Japan.'

'En voor mij.'

* * *

'Een goede zondagochtend gewenst voor iedereen die de muziek prefereert boven een preek,' begroette Arthur Langner zijn vrienden bij de wapenfabriek.

Gekleed in een kreukelig kostuum, zijn dikke haardos warrig en met zijn onderzoekende ogen grinnikte de sterontwerper opgewekt. Langner werd 'De Kanonnier' genoemd, hij was vegetariër en overtuigd agnost, met grote belangstelling voor de theorieën over het onderbewuste van de Weense psychiater Sigmund Freud.

Langner had patenten op zijn uitvinding van de elektrische stofzuiger, omdat hij met zijn vruchtbare verbeeldingskracht meende dat huishoudelijke apparaten vrouwen konden verlossen van hun geïsoleerde bestaan. Hij vond ook dat vrouwen kiesrecht moesten krijgen, buitenhuis konden werken en zelfs aan geboortebeperking mochten doen. Er werd geroddeld dat zijn knappe dochter, die graag in het nachtleven van Washington en New York was, daar als een van de eersten van kon profiteren.

'Hij is een eigenaardige krankzinnige geleerde,' klaagde de commandant van de marinebasis. Maar nadat hij de schietproeven met Langners laatste geesteskind, een 30cm .50 kaliber kanon had gezien bij Sandy Hook, verklaarde hij hartgrondig: 'Goddank werkt hij voor ons, en niet voor de vijand.'

Het gezelschap kamermuzikanten dat elke zondagochtend bijeen kwam, bestond uit een aantal werknemers bij de wapenfabriek en iedereen lachte toen Langner aankondigde: 'Voor het geval we worden afgeluisterd door godvrezende collega's, en om duidelijk te maken dat we geen heidenen zijn, beginnen we met *Amazing Grace*, in g.'

Hij ging aan zijn vleugel zitten.

'Graag eerst een a,' vroeg de cellist, een expert in projectielen die pantserplaten doorboren.

Langner sloeg een a aan, zodat de instrumenten gestemd konden worden. Hij rolde gespeeld ongeduldig met zijn ogen, terwijl de muzikanten de snaren op hun instrumenten stemden. 'Proberen jullie soms weer van die atonale muziek uit?'

'Nog een keer de a, Arthur. En graag wat luider.' Langner sloeg de middelste A harder aan, telkens weer. Eindelijk waren de strijkers tevreden.

De cellist begon de eerste maten van *Amazing Grace* te spelen.

Bij de tiende maat vielen de violisten in – een technicus die gespecialiseerd was in de voortstuwing van torpedo's, en een gezette machinist. Ze speelden het stuk door en begonnen aan de herhaling.

Langner hief zijn grote handen boven de toetsen en trapte het pedaal in bij een krachtig g-akkoord.

In de piano was Yamamoto Kenta's nitrogeenpasta gedroogd tot een harde korst. Langners vingers bewogen de toetsen en vilten hamers brachten de g-, b- en d-snaren in trilling. In de vleugel begonnen alle g-, b- en d-snaren mee te trillen toen het pedaal was ingedrukt en dat activeerde de explosieve pasta.

17

Er volgde een knal en een paarse wolk steeg op boven de vleugel, de zak met cordiet ontbrandde en de vleugel explodeerde in duizend stukken, splinters hout, metaal en ivoor die Arthur Langners hoofd en borst met vernietigende kracht raakten. Hij was op slag dood.

2

In 1908 had detectivebureau Van Dorn in elke belangrijke Amerikaanse stad een vestiging, passend bij de plaatselijke situatie. Het hoofdkantoor in Chicago was gehuisvest in een suite in het luxueuze Palmer House. In de stoffige stad Ogden, Utah, was het bijkantoor een eenvoudige gehuurde kamer met aan de wanden opsporingsposters. Het kantoor in New York was gevestigd in het chique Knickerbocker Hotel in 42th Street. En in Washington DC, belangrijk en dicht bij het ministerie van justitie – een voorname bron van inkomsten – werkte Van Dorn op de tweede verdieping van het beste hotel in de hoofdstad: het nieuwe Willard aan Pennsylvania Avenue, twee straten verwijderd van het Witte Huis.

Joseph Van Dorn had daar zijn eigen kantoor, een ruim vertrek gelambriseerd met notenhout en voorzien van de modernste apparatuur om leiding te geven aan zijn transcontinentale bedrijf. Behalve een eigen telegraaftoestel beschikte hij over drie telefoons met verbinding tot aan Chicago, een DeVeau-dicteertoestel, en een elektrische interlokale telefoon van Kellogg. Een kijkgaatje in de deur maakte het mogelijk klanten en informanten te observeren in de wachtkamer. De vensters in de erkers boden zicht op de entree van het Willard Hotel en de zijingangen.

Een week na de tragische dood van Arthur Langner in de Gun Factory keek Van Dorn door deze ramen aandachtig naar twee dames die uit een tramwagon stapten en snel over het drukke trottoir naar de entree van het hotel liepen.

De intercom zoemde.

'Miss Langner is gearriveerd,' meldde de hoteldetective van het Willard. De man was in dienst bij Van Dorn.

'Ja, dat dacht ik al.' Hij verheugde zich niet op het bezoek.

De oprichter van Van Dorn Detective Agency was een stevig gebouwde kalende veertiger. Hij had een forse Romeinse neus, rossige bakkebaarden en de houding van een advocaat of zakenman die zijn fortuin op jonge leeftijd vergaard had en daar trots op was. Zijn diepliggende ogen maskeerden een alerte intelligentie en veel gedetineerden in de nationale gevangenissen hadden de grote man argeloos zo dichtbij laten komen dan hij hen met een snelle beweging handboeien om kon doen.

Beneden trokken de twee dames de aandacht van de heren toen ze door de lobby met marmer en verguldsel liepen. De jongste van het tweetal, een tenger roodharig meisje, achttien of negentien jaar oud, was elegant gekleed en had een levendige blik in haar ogen. Haar gezelschap was een rijzige dame met ravenzwart haar en een sombere verschijning in haar donkere rouwkleding. Haar hoed was versierd met zwarte veren en haar gezicht was deels gesluierd. Het roodharige meisje hield haar elleboog stevig vast, alsof ze haar wilde bemoedigen.

Maar toen het tweetal door de lobby was gelopen nam Dorothy Langner het initiatief. Ze wenkte dat het meisje op een sofa moest gaan zitten, onder aan de hoteltrap.

'Wil je echt niet dat ik mee naar boven ga?'

'Nee, dank je, Katherine. Ik ga liever alleen.'

Dorothy Langner trok haar lange rokken wat hoger en ze liep de trap op.

Katherine Dee rekte haar hals en ze zag Dorothy pauzeren op de overloop om haar sluier op te slaan en haar voorhoofd even tegen een koele marmeren pilaar te drukken. Daarna vermande ze zich en verdween uit het zicht van Katherine naar het kantoor van Van Dorn Detective Agency.

Joseph Van Dorn tuurde even door het kijkgat in de deur. De receptionist was een stevige kerel – want anders zou hij nooit deze functie bij Van Dorn hebben – maar hij leek even verbluft door de knappe dame die haar visitekaartje aan hem toonde. Van Dorn besefte verongelijkt dat een horde dieven nu naar binnen kon stormen en al het meubilair roven, zonder dat de receptionist het zou opmerken. 'Ik ben Dorothy Langner,' zei ze met een welluidende stem. 'Ik heb een afspraak met Joseph Van Dorn.'

Van Dorn haastte zich naar de ontvangstruimte en begroette haar hartelijk.

'Mevrouw Langner,' zei hij met een licht Iers accent dat de harde klanken van de manier van spreken in Chicago verzachtte, 'mag ik u mijn innige deelneming betuigen?'

'Dank u, meneer Van Dorn. Ik waardeer het zeer dat u mij wilt ontvangen.'

Van Dorn leidde haar naar zijn heiligdom.

Dorothy Langner wimpelde zijn aanbod af om een kop thee of een glas water te laten brengen en kwam meteen ter zake.

'De marine heeft een verklaring uitgegeven dat mijn vader zelfmoord heeft gepleegd. Ik wil uw recherchebureau inhuren om zijn naam te zuiveren.'

Van Dorn had zich zo goed mogelijk voorbereid op het moeilijke gesprek. Er was alle reden om te twijfelen aan de geestelijke gezondheid van haar vader. Maar omdat zijn aanstaande echtgenote Dorothy al kende sinds haar schooljaren op Smith College was hij wel verplicht naar haar te luisteren.

'Uiteraard wil ik u graag van dienst zijn, maar...'

'De marine beweert dat hij de explosie waardoor hij gedood werd zelf heeft veroorzaakt, maar men wil mij niet vertellen hoe ze dat weten.'

'Daar zou ik niet argwanend over zijn,' zei Van Dorn. 'De marine is gewend informatie zoveel mogelijk geheim te houden. Het verbaast me niets.'

'Mijn vader heeft de Gun Factory weloverwogen zo opgericht dat het bedrijf meer civiel dan militair is,' antwoordde Dorothy. 'Het is een zakelijke onderneming.'

'En toch,' reageerde Van Dorn behoedzaam, 'heb ik begrepen dat veel van de productie recent is verplaatst naar echt civiele bedrijven.'

21

'Welnee! Misschien geldt dat voor het kleinere geschut, maar zeker niet voor de kanonnen die op de nieuwe oorlogsbodems worden geplaatst.'

'Ik vraag me af of uw vader moeite had met die veranderingen?'

'Mijn vader was gewend aan veranderingen,' antwoordde ze kortaf, en ze voegde er met een vage glimlach aan toe: 'Hij zei altijd dat positieve of negatieve besluiten het resultaat zijn van de willekeur in het Congres en van lokale belangen. Hij had gevoel voor humor, meneer Van Dorn. Hij lachte graag, en zulke mannen plegen geen zelfmoord.'

'Vanzelfsprekend,' zei Van Dorn ernstig.

De intercom zoemde weer.

Gered door mijn Bell, dacht Van Dorn. Hij liep naar de wand waar de intercom was gemonteerd, pakte de hoorn en luisterde.

'Laat hem binnen komen.'

Tegen Dorothy Langner zei hij: 'Ik heb Isaac Bell, mijn beste agent, gevraagd zijn onderzoek naar een grote bankoverval te onderbreken om de omstandigheden van uw vaders dood te inventariseren. Hij komt nu rapporteren.'

De deur zwaaide open. Een rijzige man gekleed in een wit kostuum kwam het kantoor in. Hij bewoog zich met een elegantie die men van een dergelijk lange gestalte niet zou verwachten. Isaac Bell was bijna twee meter lang – zijn slanke lichaam woog amper 85 kilo – en hij leek ongeveer dertig jaar oud. De dikke snor die zijn bovenlip bedekte was goudblond, evenals zijn dikke, keurig geknipte haardos. Zijn gezicht had de gezonde teint van iemand die veel buiten is en gewend aan zon en wind.

Zijn grote handen hingen langs zijn lijf. Zijn vingers waren lang en goed verzorgd, al zou een oplettender waarnemer dan de rouwende Dorothy Langner opmerken dat de knokkels van zijn rechterhand rood en gezwollen waren.

'Miss Langner, mag ik u voorstellen aan Isaac Bell, mijn belangrijkste detective?' zei Van Dorn.

Isaac Bell keek even indringend naar de jonge vrouw. Hij schatte haar ergens halverwege de twintig. Ze leek intelligent en zelfbewust.

Aangeslagen door verdriet, maar toch buitengewoon aantrekkelijk. Ze beantwoordde zijn blik bedeesd.

Bells felle blauwe ogen werden meteen zachter en er verscheen een tedere uitdrukking in zijn scherpe blik. Hij nam zijn breedgerande hoed zwierig af en zei: 'Het spijt mij vreselijk dat u zo'n groot verlies heeft geleden, miss Langner.' Met een onopvallende beweging veegde hij met een witte zakdoek een kleine druppel bloed van zijn hand.

'Meneer Bell, heeft u iets gevonden wat de naam van mijn vader kan zuiveren?' vroeg ze.

Bell antwoordde langzaam en medeleven klonk door in zijn stem. 'Helaas staat wel vast dat uw vader een ontvangstbewijs tekende voor een hoeveelheid jodium uit de laboratoriumvoorraad.'

'Maar hij was wetenschapper,' protesteerde Dorothy. 'Hij deed experimenten en hij had elke dag chemicaliën nodig waarvoor hij moest tekenen.'

'Jodium in poedervorm was een essentieel ingrediënt van het explosief dat het rookloze buskruit in de piano deed ontbranden. En er werd ook ammoniak gebruikt. De portier zegt dat een fles ammoniak uit zijn werkkast is verdwenen.'

'Iedereen kan een fles ammoniak wegnemen.'

'Ja, uiteraard. Maar er zijn aanwijzingen dat hij de stoffen mengde in zijn wasbak. Vlekken op een handdoek, een vluchtig poeder op zijn tandenborstel en resten in zijn scheerkom.'

'Hoe weet u dat allemaal zo zeker?' vroeg Dorothy terwijl ze boos haar tranen wegknipperde. 'De marine liet me niet eens in de buurt van zijn werkkamer komen. Mijn advocaat werd weggestuurd. Zelfs de politie werd niet toegelaten in de Gun Factory.'

'Maar ik kon daar wel naar binnen,' zei Bell.

Een secretaris met een vest en een vlinderdas boven zijn hemdsmouwen en een Colt in zijn schouderholster kwam haastig binnen. 'Neem me niet kwalijk, mijnheer Van Dorn, maar de commandant van de marinewerf in Washington is aan de telefoon. En hij is zeer ontstemd.'

'Vraag de telefonist het gesprek door te verbinden naar dit toestel. Excuseer mij even, miss Langner... Ja, met Van Dorn? Goedemiddag, commandant Dillon. Hoe maakt u het?... Ach, u meent het...' Van Dorn luisterde even en keek met een geruststellende glimlach naar Dorothy.

'...Vergeef me, maar zo'n algemene omschrijving past bijna bij elke rijzige man in Washington. Dat signalement past zelfs bij een heer die nu naast mij staat. Maar ik kan u verzekeren dat hij zo te zien niets met de Amerikaanse mariniers had.'

Isaac Bell stak een hand in zijn zak.

Toen Joseph Van Dorn weer tegen de commandant sprak was er een welwillende glimlach op zijn gezicht, maar als de man aan de andere kant van de lijn de kille blik in zijn ogen had kunnen zien zou hij meteen inbinden.

'Nee, commandant. Ik stuur niet een van mijn medewerkers naar u omdat de bewakers veronderstellen dat ze een privédetective op heterdaad betrapt en opgepakt hebben. En de man die naast mij in mijn werkkamer staat is nooit opgepakt, anders zou hij hier niet zijn. Ik zal uw klacht doorgeven aan de minister van defensie, als ik morgen met hem lunch in de Cosmos Club. En doet u vooral mijn hartelijke groeten aan uw vrouw.'

Van Dorn legde de hoorn op de haak. 'Kennelijk heeft een lange blonde kerel met een snor enkele bewakers van de marinewerf neergeslagen toen ze probeerden hem te arresteren.'

Bell grijnsde een rij witte tanden bloot. 'Ik denk dat hij zich gewillig had overgegeven als ze niet eerst geprobeerd hadden hem een aframmeling te geven.' Hij wendde zich naar Dorothy Langner en keek haar zachtmoediger aan. 'Er is iets wat ik u moet laten zien.'

Bell haalde een fotografische afdruk te voorschijn, nog vochtig van het ontwikkelproces. Het was een uitvergroting van het afscheidsbriefje dat Langner had achtergelaten. Bell had de foto genomen met een opvouwbare 3A Kodakcamera, die zijn verloofde – werkzaam in de filmindustrie – hem gegeven had. Bell bedekte het grootste deel van de tekst met zijn hand om Dorothy de verwarde zinnen te besparen.

'Is dit het handschrift van uw vader?'

Ze aarzelde even en keek aandachtig voordat ze met tegenzin knikte. 'Het lijkt inderdaad op zijn handschrift.'

'U weet het niet zeker?' vroeg Bell. Hij keek haar onderzoekend aan.
'Het lijkt een beetje... Ik weet het niet... Maar het is wel zijn handschrift.'

'Ik heb begrepen dat uw vader onder grote druk stond om de productie te versnellen. Collega's die veel respect voor hem hebben verklaarden dat hij werd opgejaagd, en misschien wel meer dan hij kon verdragen.'

'Onzin!' reageerde Dorothy fel. 'Mijn vader was geen klokkengieter. Hij leidde een kanonnenfabriek. Hij eiste snelheid van anderen. En als hem dat te veel werd, dan zou hij dat tegen mij gezegd hebben. We hadden heel goed contact met elkaar, na de dood van mijn moeder.'

'Maar het tragische bij zelfmoord,' onderbrak Van Dorn haar, 'is dat iemand geen uitweg meer ziet omdat het leven ondraaglijk wordt. Het is de eenzaamste dood.'

'Hij zou zichzelf nooit op deze manier van het leven beroven.'

'Hoezo niet?' vroeg Isaac Bell.

Dorothy Langner zweeg voordat ze antwoordde. Ondanks haar verdriet zag ze dat de rijzige detective ongewoon aantrekkelijk was, met een elegantie die getemperd werd door zijn ruige kracht. Dat was een eigenschap die ze in mannen zocht maar slechts zelden vond.

'Ik heb die piano zelf voor hem gekocht, zodat hij weer muziek kon maken. Om zich te ontspannen. Hij hield te veel van mij om het instrument dat ik hem geschonken had te gebruiken om zichzelf te doden.'

Isaac Bell keek naar haar dwingende blauwe ogen terwijl ze haar argumenten noemde. 'Mijn vader was veel te gelukkig met zijn werk om een einde aan zijn leven te maken. Twintig jaar geleden is hij begonnen met het kopiëren van Britse 12cm-kanonnen. En nu bouwt zijn fabriek de beste 30cm-kanonnen van de wereld. Stel je voor: scheepsgeschut ontwerpen dat nauwkeurig gericht kan worden op een doelwit op twintigduizend meter afstand. Twintig kilometer, meneer Bell!'

Bell spitste zijn oren of hij een verandering in haar stem hoorde omdat ze begon te twijfelen.

Hij keek scherp naar haar gezicht, speurend naar aanwijzingen dat ze onzeker was over haar lyrische beschrijving van het werk van haar overleden vader.

'Hoe groter het kanon, des te meer kracht is nodig om het te beheersen. Er is geen ruimte voor fouten. De kanonloop moet feilloos recht als een lichtstraal geboord worden. De doorsnee mag geen millimeter afwijken. Kanonnen ontwerpen vereist het vakmanschap van een Michelangelo en de precisie van een horlogemaker. Mijn vader hield van zijn kanonnen, zoals elke wapenmaker. Een expert op het gebied van stoomaandrijving, zoals Alasdair MacDonald houdt van zijn turbines. Ronnie Wheeler in Newport houdt van zijn torpedo's. En Farley Kent van zijn steeds snellere rompvormen. Het is heerlijk om zo toegewijd te zijn, en zulke mannen plegen heus geen zelfmoord.'

Joseph Van Dorn onderbrak haar weer. 'Ik kan u verzekeren dat Isaac Bell zijn onderzoek heel grondig gedaan heeft, en...'

'Maar stel eens dat miss Langner gelijk heeft?' merkte Bell op.

Zijn chef keek hem verbaasd aan.

Bell voegde eraan toe: 'Met de goedkeuring van Van Dorn zal ik de zaak verder onderzoeken.'

Dorothy Langners gezicht klaarde hoopvol op. Ze keek de oprichter van het detectivebureau aan. Van Dorn spreidde zijn handen wijd uit. 'Uiteraard zal Isaac Bell verder speuren, met alle steun van het bureau.'

Haar dankbare antwoord klonk eerder als een uitdaging. 'Meer kan ik niet vragen, heren. Alle feiten moeten grondig geanalyseerd worden.' Een glimlach verscheen op haar gezicht als een zonnestraal en het was duidelijk dat ze een levendige en zorgeloos jongedame was geweest voor de tragedie. 'Dat is toch het minste wat ik mag verwachten van een detectivebureau met als motto: "Wij geven niet op. Nooit!"'

'Kennelijk heeft u ook onderzoek naar ons gedaan,' merkte Bell glimlachend op.

Van Dorn begeleidde haar naar de deur en herhaalde nog eens zijn condoleances.

Isaac Bell liep naar het venster met uitzicht op Pennsylvania Avenue. Hij zag Dorothy Langner uit het hotel komen, vergezeld van de roodharige jonge vrouw die hij eerder in de lobby had gezien. In een ander gezelschap zou de roodharige als een ravissante schoonheid worden gezien, maar naast de dochter van de wapenmaker was ze gewoon aantrekkelijk.

Van Dorn keerde terug in zijn werkkamer. 'Wat deed jou van gedachten veranderen, Isaac? Dat ze zoveel van haar vader hield?'

'Nee, dat zij zoveel van zijn werk houdt.'

Hij zag het tweetal haastig naar de halte lopen toen een tram naderde. Ze tilden hun rokken wat op en stapten in. Dorothy Langner keek niet om. De roodharige wel, en ze wierp een keurende blik naar het venster van Van Dorns kantoor, alsof ze precies wist waar ze moest kijken.

Van Dorn bestudeerde de foto. 'Ik heb nooit eerder zo'n scherpe afdruk van een negatief gezien. Bijna zo scherp als van een goede glasplaat.'

'Marion gaf me een 3A Kodak. Die camera past in mijn jaszak en je moet die tot standaarduitrusting maken.'

'Niet zolang elk toestel vijfenzeventig dollar kost,' bromde Van Dorn. 'Voorlopig wordt er gewerkt met wat we hebben. Waar denk je aan, Isaac? Je kijkt bezorgd.'

'Ik denk dat we de jongens van de boekhouding grondig naar de financiële zaken van haar vader moeten laten kijken.'

'En waarom zou dat moeten?'

'In zijn bureaulade lag een stapel bankbiljetten zo dik dat een koe erin zou stikken.'

'Steekpenningen?' riep Van Dorn uit. 'Geen wonder dat de marine zo zwijgzaam is. Langner was gemachtigd om namens de regering te kiezen waar het staal werd ingekocht.' Hij schudde meewarig zijn hoofd. 'Het Congres is de ophef van drie jaar geleden nog niet vergeten: toen bleek dat de staalfabrikanten een kartel hadden gevormd over de prijs van pantserplaten.'

'Het lijkt wel of een intelligente man iets doms heeft gedaan,' zei Isaac Bell. 'En dat hij de gedachte dat hij ontmaskerd zou worden niet kon verdragen. Daarom pleegde hij zelfmoord.'

'Mij verbaasde het dat je toch verder wil met het onderzoek.'

'Ze is een gepassioneerde jongedame.'

Van Dorn keek hem argwanend aan. 'Jij bent al verloofd, Isaac.'

Isaac Bell keek zijn chef glimlachend aan. Joe Van Dorn was een man van de wereld, maar opmerkelijk gereserveerd als het om harts-aangelegenheden ging. 'Dat ik verloofd ben met Marion Morgan maakt mij niet blind voor schoonheid. En ik ben ook niet immuun voor passie. Het valt me alleen op dat de bijzonder aantrekkelijke Dorothy Langner onvoorwaardelijk in haar vader gelooft.'

'De meeste moeders en alle dochters weigeren te geloven dat hun zoon of vader zich met criminele zaken bezighoudt,' merkte Van Dorn op.

'En dat handschrift: ze vond dat er iets vreemd aan was.'

'Hoe heb je dat afscheidsbriefje gevonden?' vroeg Van Dorn.

'De marine wist niet wat er moest gebeuren. Daarom lieten ze alles onaangeroerd, alleen het lichaam werd afgevoerd. Daarna werd de deur afgesloten met een hangslot, om de politie buiten te houden.'

'Hoe kwam jij in die kamer?'

'Dat hangslot was een ouderwetse Polhem.'

Van Dorn knikte. Bell was behendig met sloten. 'Nou, het verbaast mij niet dat de marine geen idee had hoe te reageren op de situatie. Ik denk dat men verlamd van schrik was. Ze hebben president Roosevelt overgehaald nog achtenveertig nieuwe oorlogsbodems te bouwen, maar er zijn genoeg Congresleden die dat aantal willen beperken.'

'Ik vind het vervelend om John Scully en het onderzoek naar die Frye Boys in de steek te laten, maar kan ik mijn aandacht nu hele-maal op deze zaak richten?'

'John Scully redt zich wel,' bromde Van Dorn. 'Al vind ik hem te eigengereid.'

'Toch is hij een bijna helderziende onderzoeker,' verdedigde Bell zijn collega.

Scully was een agent die zich niet bepaald regelmatig op kantoor meldde, hij volgde het spoor van een drietal gewelddadige bankrovers over de grens tussen Ohio en Pennsylvania. De bandieten waren be-rucht omdat ze briefjes achterlieten die met bloed van hun slacht-offers geschreven waren: 'Vrees de Frye Boys'. Ze hadden een jaar eerder in New Jersey hun eerste bankroof gepleegd en op de vlucht naar het westen meer banken overvallen. Tijdens de winter hielden ze zich gedeisd, maar nu trokken ze vanuit Illinois naar het oosten en lieten een spoor van bloedige overvallen op bankfilialen in kleine steden achter. Ze maakten heel innovatief gebruik van gestolen automobielen om grenzen te passeren zodat de lokale sheriffs machteloos stonden.

'Je houdt wel de leiding over de zaak Frye, Isaac,' zei Van Dorn ernstig. 'Tot het Congres geld beschikbaar stelt voor een nationaal rechercheburo zal het ministerie van justitie ons blijven betalen voor het opsporen van criminelen die naar andere staten vluchten.'

'Zoals u wilt,' antwoordde Bell vormelijk. 'Maar u beloofde Dorothy Langner de steun van ons hele bureau.'

'Ja, ja. Ik zal een paar mensen naar Scully sturen, voorlopig. Maar jij houdt de eindverantwoordelijkheid en het zal toch niet lang duren voordat je zekerheid hebt dat het afscheidsbriefje van Langner inderdaad door hem geschreven is.'

'Kan uw vriend, de minister van marine, voor mij een toegangspasje regelen? Ik wil met het personeel op de werf praten.'

'Wat is de bedoeling?' glimlachte Van Dorn. 'Ga je op herhaling?'

Bell lachte ook maar werd meteen weer ernstig.

'Als Langner geen zelfmoord pleegde, dan heeft iemand anders veel moeite gedaan om hem te doden en zijn reputatie te besmeuren. De bewakers van de marinewerf moeten gezien hebben dat iemand het complex verliet.'

3

'**M**eer kalk!' brulde Chad Gordon, begerig kijkend naar het gesmolten metaal dat als vloeibaar vuur uit de smeltoven stroomde. 'Hull 44, er komt weer een lading,' mompelde de metallurg triomfantelijk.

Chad Gordon kreeg geregeld het verwijt dat hij veel meer risico nam dan verstandig was met 1650 graden Celsius heet gesmolten metaal.

Maar iedereen vond ook dat de briljante metaalkenner zijn eigen hoogoven verdiende in een afgelegen hoek van de staalfabriek in Bethlehem, Pennsylvania, waar hij wel achttien uur per dag experimenteerde met legeringen om van ruw ijzer pantserplaten te maken die een torpedoaanval konden weerstaan. De directie van de staalfabriek had hem zelfs twee aparte werkploegen toegewezen omdat zelfs de armste immigranten, die toch gewend waren hard te zwoegen, het tempo van Chad Gordon niet konden bijhouden.

Op deze besneeuwde avond in maart gaf Bob Hall, een Amerikaan, leiding aan de tweede ploeg arbeiders met verschillende nationaliteiten: vier Hongaren en een sombere Duitser die een afwezige Hongaar verving. Voor zover Bob Hall het taaltje van de arbeiders kon verstaan was hun verdwenen kameraad in een put gevallen of overreden door een locomotief, al wist hij dat niet zeker.

De Duitser heette Hans. Hij beweerde dat hij bij de Kruppfabriek in de Roervallei had gewerkt. Dat kon de voorman wel waarderen. Hans was sterk, hij had kennelijk ervaring met het werk en hij verstond Engels beter dan de vier Hongaren bij elkaar. En al kwam de Duitser rechtstreeks uit de hel, dat maakte voor Gordon niets, uit als de man maar hard werkte.

Toen de ploeg zeven uur aan het werk was vormde zich een 'hanger' van gedeeltelijk gestold metaal aan de bovenkant van de smeltoven, waardoor het ventilatiegat waar de hete gassen door verdwenen verstopt dreigde te raken. Voorman Hall riep dat het brok metaal weggehaald moest worden, voordat het nog groter werd. Maar Chad Gordon commandeerde hem bruusk opzij. 'Ik heb toch om meer kalk gevraagd?'

De Duitser had op deze kans gewacht. Hij klom snel langs de ladders naar de bovenkant van de oven, waar grote kruiwagens gereed stonden. Elke kruiwagen was gevuld met een lading ijzererts, kolen of kalksteen met een hoog magnesiumgehalte, waarmee Chad Gordon het staal sterker mee wilde maken.

De Duitser duwde een kruiwagen met brokken kalksteen naar de opening van de smeltoven.

'Wacht tot het kookt!' riep de voorman onder aan bij de oven. Het mengsel van gesmolten metaal en slakken onderin de oven borrelden door de hoge temperatuur van honderden graden Celsius, maar het metaal daarboven was nog minder dan 400 graden heet.

Hans had de waarschuwing kennelijk niet gehoord en hij stortte de kalksteenbrokken in de oven, om daarna snel de ladders af te dalen. 'Jij grote sukkel!' schreeuwde de voorman. 'Het is nog niet heet genoeg. Zo blokkeer je de oven.'

Hans werkte zich langs de voorman.

'Maak je niet druk over die hanger,' zei Chad Gordon, zonder op te kijken. 'Die valt zo naar beneden.'

De voorman wist wel beter. De hanger blokkeerde explosieve gassen in de oven. En de lading die Hans in de oven had gestort maakte dat nog erger. Veel erger. Hij schreeuwde naar de Hongaren. 'Ga naar boven en maak de opening vrij!'

De Hongaren aarzelden. Ze begrepen de Engelse taal niet goed, maar ze beseften wel dat de ingesloten brandbare gassen gevaarlijk waren. Aangespoord door de gebalde vuist van Hall en zijn bevelen klauterden ze naar de bovenkant van de oven, gewapend met pikhouwelen en staven. Maar juist toen ze de hanger wilden loshakken viel het brok metaal naar beneden. Precies zoals Gordon had voorspeld. De lading die Hans in de oven had gestort blokkeerde eerst de schoorsteen en toen de hanger naar beneden stortte werd opeens verse lucht in de oven gezogen, en de combinatie met de hitte onderin de oven veroorzaakte een geweldige explosie van de gassen.

De explosie had zoveel kracht dat het dak van het gebouw werd geblazen en wel vijftig meter verder op een Bessemer Converter viel. Door de hevige schokgolf werden laarzen en kledingstukken van de Hongaren weggeblazen en hun lichamen verschroeid. Brandend puin regende overal rond de smeltoven naar beneden en overdekte als een vlammende waterval de lichamen van de voorman en Chad Gordon.

De Duitser rende weg, kokhalzend van de stank van verbrand vlees. Zijn ogen wijd opengesperd van schrik over wat hij veroorzaakt had en uit angst dat het kokende metaal hem ook zou bedelven. Niemand lette op de vluchtende man, omdat iedereen op het terrein van de grote staalfabriek heen en weer rende. Arbeiders van de andere hoogovens snelden naar de onheilsplek, en ze duwden karren om de gewonden af te voeren. Zelfs de bewakers bij de poort negeerden Hans, ze staarden met open mond naar de ravage.

De Duitser keek om. Vlammen schoten omhoog in de nachtelijke hemel. De gebouwen rond de hoogoven waren verwoest. Muren waren verbrijzeld en daken waren ingestort. Overal was vuur.

Hij vloekte hardop, verbijsterd over de enorme verwoesting die hij had aangericht.

* * *

De volgende ochtend had Hans zijn werkkleding verwisseld voor een donker kostuum, en uitgeput na een doorwaakte nacht piekeren over het aantal doden stapte hij uit de trein op het National Mall Station in Washington. Hij keek naar de krantenkoppen om te zien of er nieuws was over de ramp. Maar er waren geen berichten. Staal vervaardigen is gevaarlijk werk en elke dag kwamen daarbij arbeiders om het leven. Alleen in de lokale kranten van steden met staalfabrieken werden lijsten met de namen van omgekomen arbeiders gepubliceerd, en dan vaak alleen die van de voorlieden.

Hij stapte op de veerboot naar Alexandria, Virginia, en liep daar aangekomen haastig over de kade naar de havenloodsen. De spion die hem naar de staalfabriek had gestuurd wachtte op hem in zijn kleine kantoortje tussen de verzameling ouderwetse wapens.

Hij luisterde aandachtig naar het verslag van Hans. Hij stelde vragen over de chemische stoffen die Chad Gordon aan het staal had toegevoegd. Met kennis van zaken hoorde hij de details van Hans, die daar zelf amper op had gelet.

De spion prees Hans uitvoerig en betaalde hem in contanten de beloofde som geld.

'Ik doe dit niet voor het geld,' zei de Duitser, terwijl hij de bankbiljetten in zijn zak propte.

'Uiteraard niet.'

'Ik doe het omdat de Amerikanen de kant van de Britten zullen kiezen, als er oorlog uitbreekt.'

'Daar is geen twijfel over. Democratische landen hebben een afkeer van Duitsland.'

'Maar dat ik mensen moest doden staat me tegen,' zei Hans. Hij keek strak naar de lens van het oude zoeklicht achter het bureau van de spion en zag zijn hoofd weerspiegeld, als een sinistere schedel.

De spion verraste Hans door te antwoorden met een Noord-Duits accent. Hans had verondersteld dat de man Amerikaan was, omdat hij perfect Engels sprak. Maar nu bleek dat hij met een landgenoot te maken had. 'Je had geen andere keus, *mein Freund*. De pantserplaten van Chad Gordon zouden de vijandelijke schepen een oneerlijk voordeel geven. De Amerikanen zullen hun oorlogsbodems spoedig in de vaart brengen. Je wil toch niet dat Duitse schepen daarmee tot zinken worden gebracht? En Duitse zeelieden verdrinken? Dat Duitse havens met granaten bestookt worden?'

'U heeft gelijk, *mein Herr*,' antwoordde Hans. 'Natuurlijk wil ik dat niet.'

De spion glimlachte alsof hij begrip had voor de humane gedachten van Hans. Maar inwendig moest hij hartelijk lachen. Wat waren de Duitsers toch kleingeestig, dacht hij. Hoe sterk hun industrie ook werd, hoe machtig hun leger, hoe modern hun marine en hoe luid hun Keizer pochte: '*Mein Feld ist die Welt,*' de Duitsers voelden zich altijd de kleinere partij.

De constante vrees ondergeschikt te zijn maakte dat ze zich gemakkelijk lieten leiden.

Uw veld is de wereld, Herr Kaiser? Zeker, maar wel een veld met een kudde schapen.

4

'Het was een Chinees,' zei marinekorporaal Black en hij blies rook-wolken van een dure sigaar uit.

'Ja, als we de Bejaardenpatrouille mogen geloven,' beaamde kadet Little, ook rook uitblazend.

'Hij bedoelt de nachtwakers op de werf.'

Isaac Bell liet blijken dat hij al begrepen had dat met de Bejaarden-patrouille de gepensioneerde marinemannen werden bedoeld die hun wachtrondes liepen op het terrein terwijl de toegangspoorten door mariniers werden bewaakt.

Bell zat met de twee anderen aan een ronde tafel in O'Leary's Sa-loon in E Street. Ze reageerden sportief op hun eerdere ontmoeting, en moesten wel erkennen dat Bell respect verdiende voor zijn vecht-kunst en ze vergaven hem de blauwe ogen en losse tanden, na het eerste rondje drank. Op aandringen van Bell hadden ze een lunch met steak, aardappelen en appeltaart naar binnen gewerkt, en ze zaten nu met een glas whisky in de hand en de door Bell aangeboden Havana's in blauwe dampen gehuld. De mannen werden spraakzamer.

Hun commandant had gevraagd om een lijst met de namen van alle personen die de poorten waren gepasseerd in het etmaal dat Arthur Langner gedood was. Maar er waren geen verdachte namen gevonden. Bell zou aan Joe Van Dorn vragen de naamlijst ook te bekijken om te zien of hij het eens was met de commandant.

Een nachtwaker had een indringer gerapporteerd, maar dat bericht had de commandant kennelijk niet bereikt omdat een lager geplaatste sergeant van de bewakingsdienst het als onzin beschouwde.

Bell vroeg: 'Maar als het waar is wat de Bejaardenpatrouille rapporteerde, waarom zou een Chinees binnendringen op een marinewerf?'

'Hij was waarschijnlijk op dievenpad.'

'Of hij zat achter de meisjes aan.'

'Welke meisjes?'

'De dochters van de officieren die op het terrein wonen.'

Kadet Little keek om zich heen of niemand hen kon horen. De enige andere aanwezige in de kroeg lag in het zaagsel op de vloer en snurkte.

'De commandant heeft ook een paar knappe dochters, en die zou ik best wat beter willen kennen.'

'Aha,' begreep Bell, een glimlach onderdrukkend. De gedachte dat een amoureuze Chinees over de drie meter hoog muur rond een Amerikaanse marinebasis klauterde, terwijl elke poort gecontroleerd werd door mariniers en bewakers hun rondes liepen op het terrein, leek niet bepaald een goed spoor om zijn onderzoek te beginnen. Maar hij hield zichzelf ook voor dat een detective altijd sceptisch moet zijn en met elke mogelijkheid rekening houden. 'Welke oude nachtwaker heeft dat tegen jou gezegd?' vroeg Bell.

'Hij zei het niet tegen mij, hij meldde het aan de sergeant.'

'De man heet Eddison,' zei Black.

'Big John Eddison,' voegde Little eraan toe.

'En hoe oud is hij?'

'Hij lijkt wel honderd.'

'Hij is inderdaad een grote kerel. Bijna even lang als u, meneer Bell.'

'Waar kan ik hem vinden?'

'Er is een pension waar de oudjes meestal rondhangen.'

Bell vond het pension in F Street, op korte afstand van het marinecomplex. Op de veranda stonden schommelstoelen, maar op deze koude middag was er niemand buiten. Hij ging naar binnen en stelde zich voor aan de pensionhoudster, die bezig was de lange tafel te dekken voor de avondmaaltijd. De vrouw had een zuidelijk accent, en ondanks de rimpels was haar gezicht nog altijd aantrekkelijk.

'Eddison?' herhaalde ze langzaam. 'Hij is een beste kerel. Nooit problemen met hem, zoals met sommige andere zeelui.'

'Is hij thuis?'

'Hij slaapt altijd lang uit, omdat hij vaak 's nachts werkt.'

'Vindt u het goed als ik hier blijf wachten?' vroeg Bell met een innemende glimlach, zodat zijn regelmatige tanden zichtbaar werden en zijn blauwe ogen oplichtten.

De pensionhoudster streek een grijze haarlok van haar wang en glimlachte terug. 'Ik zal u een kop koffie brengen.'

'Doe geen moeite.'

'Dat is geen moeite, meneer Bell. U bent nu in het zuiden. Mijn moeder zou zich omdraaien in haar graf als ze wist dat ik een heer liet wachten zonder hem koffie aan te bieden.'

Een kwartier later kon Bell verklaren, zonder de waarheid echt geweld aan te doen: 'Dit is de lekkerste koffie sinds ik met mijn moeder in een konditorei in Wenen was. En toen was ik nog maar een klein kereltje.'

'Ik zal een verse kan zetten en vragen of meneer Eddison een kop koffie met u wil drinken.'

John Eddison zou nog langer zijn dan Bell, als zijn rug niet gekromd was door zijn hoge leeftijd. Hij had lange armen en grote handen die ooit erg sterk waren, zijn haar was wit, zijn ogen waren flets en hij had een enorme neus boven zijn brede mond tussen de hangende wangen.

Bell stak zijn hand uit. 'Mijn naam is Isaac Bell, detective bij Van Dorn.'

'U meent het,' grijnsde Eddinson en Bell begreep dat de man ondanks zijn door ouderdom tragere bewegingen een kwieke geest had. 'Als ik jonger was zou ik dat werk ook willen doen. Waarmee kan ik je helpen, jongeman?'

'Ik sprak met korporaal Black en kadet Little, beiden van de bewakingsdienst van de marine, en...'

'Weet je wat wij over die kerels van de marine zeiden?' onderbrak Eddinson hem.

'Nee?'

'Dat een zeeman vier keer met zijn hoofd op een rondhout moet bonken om te bewijzen dat hij geschikt is voor de marine.'

Bell lachte. 'Mij werd verteld dat je een indringer op de marinewerf betrapte.'

'Zeker weten, maar die kerel ontsnapte. Ze geloofden me niet.'

'Een Chinees?'

'Nee, geen Chinees.'

'Nee? Waarom denken Black en Little dat die indringer een Chinees is?'

'Ik heb toch gewaarschuwd voor die matrozen van de marine,' grinnikte Eddinson.

'Wat was het dan voor kerel?'

'Eerder een Jap.'

'Dus een Japanner?'

'Dat heb ik ook tegen de sergeant van die sukkels gezegd. Kennelijk kon die sergeant alleen maar aan een Chinees denken. Maar ik zei al dat die sergeant niet eens geloofde dat ik werkelijk iemand had gezien, Chinees of Japanner. Hij geloofde me niet en dacht dat een ouwe kerel als ik last van visioenen had. De sergeant vroeg of ik gedronken had. Nou, ik heb al veertig jaar geen sterke drank op.'

Bell stelde zijn volgende vraag behoedzaam. Hij had maar weinig Amerikanen ontmoet die een Chinees van een Japanner kunnen onderscheiden. 'Kon je hem van dichtbij zien?'

'Zeker weten.'

'Ik dacht dat het donker was?'

'De maan scheen recht in zijn gezicht.'

'Stonden jullie dicht bij elkaar?'

Eddinson hield zijn grote gerimpelde hand voor zich. 'Nog een centimeter dichterbij en ik had hem bij zijn keel kunnen grijpen.'

'Waarom leek hij een Japanner?'

'Dat zag ik aan zijn ogen en mond, zijn neus, zijn lippen en zijn haar,' zei de oude man snel.

Weer probeerde Bell zijn twijfels zoveel mogelijk te verbergen. 'Niet alle mensen kunnen die twee rassen van elkaar onderscheiden.'

'Niet iedereen is in Japan geweest.'

'Jij wel?'

Eddinson ging rechtop zitten. 'Ik voer met schipper Matthew Perry naar Uraga Harbour, toen hij als eerste een koopvaarder naar Japan bracht.'

'Maar dat is zestig jaar geleden!' Als dit geen sterk verhaal was dan moest Eddinson nog ouder zijn dan zijn uiterlijk deed vermoeden.

'Zevenenvijftig jaar, om precies te zijn. Ik was voorman aan dek van Perry's stoomfregat Susquehanna. En ik heb nog geroeid in de sloep van de kapitein. We brachten hem aan land bij Yokosuka. Dus daar zagen we overal Jappen.'

Bell glimlachte. 'Zo te horen ben je zeker in staat om Japanners van Chinezen te onderscheiden.'

'Dat zei ik toch?'

'Waar heb je die indringer gepakt?'

'Ik had hem bijna te pakken.'

'Weet je nog hoe ver dat van de wapenfabriek was?'

Eddison haalde zijn schouders op. 'Vijfhonderd vadem.'

'Dus een halve mijl,' begreep Bell.

'Een halve zeemijl,' verbeterde Eddinson hem.

'Dat is dus nog verder weg.'

'Jongeman, jij denkt zeker dat die Jap iets te maken heeft met de explosie in Langners werkkamer.'

'Wat denk jij?'

'Geen idee. Zoals ik al zei zag ik die Jap op wel duizend meter afstand van de wapenfabriek.'

'Hoe groot is dat marinecomplex?'

De oude zeeman streek over zijn kin en staarde in de verte. 'Ik denk dat het terrein tussen de muren en de rivier zo'n vijftig hectare groot is.'

Bell bedacht dat het terrein even groot was als een flinke zuivelboerderij.

'En overal smederijen, smeltovens, open terrein voor appèls en parades.' Eddinson keek veelbetekenend toen hij eraan toevoegde: 'En ook grote woonhuizen en tuinen. Daar zag ik hem rondscharrelen.'

'Wat spookte die indringer daar volgens jou uit?'

John Eddinson grinnikte. 'Dat weet ik wel zeker.'

'Nou? Wat deed hij daar?'

'Hij was in de buurt van de woningen van de officieren. En de dochters van de commandant zijn heel aantrekkelijke jongedames. En die Jappen zijn dol op mooie meiden.'

5

Er waren dagen dat zelfs een wonderkind als Grover Lakewood blij was als hij even weg kon uit het laboratorium en zijn hoofd vrij maken van de problemen bij het richten van een kanon op een varend schip naar een bewegend doelwit. De wapenexpert bracht dagen en nachten door met ontelbare berekeningen om de effecten van rollen, draaien en schommelen te compenseren om een projectiel zuiver naar het doel te lanceren. Het was fascinerend werk, vooral ook omdat Lakewood zijn berekeningen begrijpelijk moest maken voor gewone schutters die hun werk deden tijdens de gevechten, als de kanonnen bulderden, de golven braken en staalsplinters gierend door de kruitdampen vlogen.

In zijn vrije tijd speelde hij met futuristische formules om recht vooruit te vuren, in plaats van uit de flanken, en daarbij probeerde hij rekening te houden met de steeds grotere reikwijdte van de kanonnen en de steeds vlakkere baan van de snelste projectielen. Soms moest hij op zijn hoofd gaan staan, om zijn geest leeg te maken.

Rotsklimmen was voor hem een ontspannende afleiding.

Een dag klauteren langs rotswanden begon met een treinreis naar Ridgefield, Connecticut, daarna verder met een gehuurde Ford over de grens van de staat New York naar Johnson Park in Westchester. Dan was het nog drie kilometer lopen naar een heuvel met de naam Agar Mountain, die naar de basis van een steile en ongenaakbare rotswand leidde. Tijdens de twee uur durende treinreis staarde hij uit het raam en zag de stedelijke omgeving veranderen in landbouwgebied. De auto besturen eiste al zijn aandacht op, rijdend over de hobbelige wegen. Als hij aan de wandeltocht begon vulde hij zijn longen met frisse lucht en zijn bloed stroomde sneller. Bij het klimmen moest hij zich scherp concentreren, om niet in de afgrond te storten en ergens in de diepte op zijn hoofd te vallen.

Het ongewoon warme weekend in het voorjaar had veel wandelaars naar het park gelokt. Lakewood stapte doelbewust door, gekleed in een tweed jasje, een kuitbroek en bergschoenen. Hij passeerde een oudere dame en wisselde een opgewekte groet met verschillende andere wandelaars. Hij keek verlangend naar een stelletje dat hand in hand liep.

Lakewood was een aantrekkelijke verschijning, stevig gebouwd en met een innemende glimlach, maar hij werkte bijna onafgebroken de hele week en sliep vaak op een brits in het laboratorium, zodat hij niet veel in contact met meisjes kwam. En de dochters en nichtjes die door de echtgenotes van de oudere ingenieurs aan hem werden voorgesteld waren in zijn ogen nooit erg aantrekkelijk. Meestal kon hem dat weinig schelen. Hij had het veel te druk om zich eenzaam te voelen, maar af en toe zag hij een verloofd stel en dan kwam de gedachte in hem op dat hij ooit ook gelukkig zou worden.

Hij trok verder het natuurpark in tot hij als enige over een smal pad door het dichte bos liep. Als hij voor zich iets zag bewegen was hij teleurgesteld, want hij hoopte de rotswand voor zich alleen te hebben en zich in alle stilte op het klimmen te concentreren.

De gestalte voor hem op het pad hield stil en ging op een omgevallen boomstam zitten. Toen Lakewood dichterbij kwam zag hij dat het een meisje was – en wel een slank en heel mooi meisje – evenals hij gekleed in een klimbroek en hoge veterschoenen. Haar rode haren waaierden uit onder een breedgerande hoed. Toen ze zich naar hem keerde glansde het zonlicht zo fel als een lichtflits op.

Ze leek Iers, met haar witte huid, kleine wipneus, ondeugende glimlach en helder blauwe ogen. Opeens herinnerde hij zich dat hij haar eerder had ontmoet… De vorige zomer… Hoe heette ze? Waar hadden ze elkaar ontmoet? Ja! Bij de picknick van het werk, georganiseerd door kapitein Lowell Falconer, de held uit de Spaans-Amerikaanse oorlog, aan wie Lakewood de uitkomsten van zijn berekeningen rapporteerde.

Wat was haar naam?

Hij was nu zo dichtbij dat hij kon wuiven en groeten. Ze keek hem aan, met haar schalkse glimlach, en in haar ogen was herkenning te lezen. Maar ze leek zich ook af te vragen wie haar naderde.

'Leuk elkaar hier te ontmoeten,' zei ze.

'Hallo,' antwoordde Lakewood.

'De vorige keer was toch bij het water?'

'Ja, op Fire Island,' zei Lakewood. 'Bij de picknick van kapitein Falconer.'

'Ach ja,' zei ze en haar stem klonk opgelucht. 'Ik dacht al dat ik je ergens van kende.'

Lakewood groef in zijn geheugen, zichzelf verwijtend dat hij wel een zwaar projectiel doelgericht kon afvuren op een snel varende oorlogsbodem in hoge golven, maar zich niet de naam van deze jongedame kon herinneren, ook al glimlachte ze nog zo lieftallig naar hem.

'Miss Dee,' zei hij, met zijn vingers knippend. 'Katherine Dee.' En omdat Lakewood door zijn moeder netjes was opgevoed nam hij zijn hoed af en stak zijn hand uit. 'Grover Lakewood. Wat een genoegen je weer te zien.'

Toen haar glimlach zich verbreedde leek het zonlicht uit haar ogen te stralen. Lakewood dacht even dat hij in het paradijs was beland. 'Wat een geweldig toeval,' zei Katherine. 'Wat doe je hier?'

'Klimmen,' zei Lakewood. 'Langs de steile wand.'

Ze keek hem vol ongeloof aan. 'Dat is helemaal toevallig.'

'Hoezo?'

'Dat is ook de reden dat ik hier ben. Verderop is een rotswand en daar ga ik klimmen.' Ze trok argwanend een wenkbrauw op. 'Heb je mij hierheen gevolgd?'

'Wat?' Lakewood begon te blozen en hij stamelde: 'Nee… ik…'

Katherine Dee lachte hartelijk. 'Ik plaag je maar, ik meende het niet serieus. Hoe zou je ooit kunnen weten dat ik hier was? Nee, dit is echt heel toevallig.' Ze hield haar hoofd wat schuin. 'Misschien toch

43

niet helemaal… Weet je nog dat we met elkaar in gesprek raakten, tijdens die picknick?'

Lakewood knikte. Ze hadden niet zo lang gepraat als hij had gewild, want ze scheen iedereen aan boord van het jacht van de kapitein te kennen en ze had met iedereen wel even gesproken. Maar hij wist het nog heel goed. 'Allebei zijn we graag in de buitenlucht.'

'Ook al moet ik wel een hoed dragen, omdat mijn huid zo bleek is.'

Die zomerse dag was er meer van haar bleke huid te zien. Lakewood herinnerde zich haar stevige armen, ontbloot tot aan haar hals, haar welgevormde hals en haar enkels.

'Zullen we?' vroeg ze.

'Wat?'

'Naar de rotswand om te klimmen.'

'Ja, goed idee.'

Ze liepen verder en hun schouders raakten elkaar als het pad smaller werd. Telkens wanneer hij haar aanraakte voelde hij een elektrische schok en hij was al smoorverliefd toen ze hem vroeg: 'Werk je nog steeds voor de kapitein?'

'Jazeker.'

'Ik herinner me vaag dat je mij iets uitlegde over kanonnen.'

'Bij de marine noemen ze dat geschut, niet kanonnen.'

'Is dat zo? Ik wist niet dat er verschillen zijn. Je zei "ze", maar ben jij dan niet in dienst bij de marine?'

'Nee, ik heb een civiele baan, maar ik rapporteer wel aan kapitein Falconer.'

'Hij leek me een aardige man.'

Lakewood glimlachte. 'Aardig is niet de eerste eigenschap die in mij opkomt als ik aan kapitein Falconer denk.' Gedreven en veeleisend waren eerder eigenschappen die bij hem pasten.

'Iemand zei tegen me dat hij inspirerend is.'

'Dat is hij zeker.'

'Ik probeer me te herinneren wie dat zei. Het was een heel knappe kerel, en ook ouder dan jij, denk ik.'

Lakewood voelde een steek van jaloezie. Katherine Dee doelde op Ron Wheeler, de rijzende ster van het Torpedostation in Newport, en alle meisjes werden meteen verliefd op hem. 'De meeste collega's zijn ouder dan ik,' zei hij, wensend dat het gesprek een andere wending nam.

Katherine stelde hem gerust met een hartverwarmende glimlach. 'Wie hij ook was, ik weet wel dat hij jou een "jeugdig genie" noemde.'

Lakewood moest lachen.

'Waarom lach je? Kapitein Falconer zei hetzelfde, en die man is toch een held van de Amerikaans-Spaanse oorlog. Ben jij echt geniaal?'

'Welnee. Ik ben al vroeg met dit werk begonnen, dat is alles. Het is zo'n nieuw vakgebied, en ik was er vanaf het begin bij betrokken.'

'Hoe kunnen kanonnen nieuw zijn? Die bestaan toch al heel lang?'

Lakewood bleef staan en keek haar aan. 'Ja, kanonnen bestaan al eeuwen, maar niet zoals de moderne versie. Tegenwoordig is het bereik veel groter dan men ooit voor mogelijk hield. Ik was kort geleden op een oorlogsschip bij Sandy Hook en...'

'Was jij aan boord van een oorlogsschip?'

'Jazeker. Dat gebeurt zo vaak.'

'Echt waar?'

'Bij de Atlantische schietbaan. Vorige week zei de officier daar: "Met die nieuwe boten kunnen we van hier New York beschieten".'

Katherines mooie ogen werden groot. 'Zo ver? Dat wist ik niet. De laatste keer dat ik naar New York voer, aan boord van de Lusitania, was het helder weer, maar ik kon de stad niet zien vanaf de oceaan.'

De Lusitania? Lakewood besefte dat Katherine niet alleen beeldschoon was, maar ook welgesteld.

'Ja, maar het doelwit zien, is niet alles: het moet ook geraakt worden.'

Ze liepen weer verder, hun schouders raakten elkaar telkens op het smalle pad, terwijl Lakewood vertelde over de uitvinding van rookloos buskruit, zodat vijandelijke schepen beter zichtbaar zijn omdat ze niet versluierd raken achter de rookwolken.

'De waarnemers schatten de afstand in door te kijken waar projectielen te ver of te dichtbij in het water vallen. Je hebt er misschien over gelezen in de kranten, dat daarom overal hetzelfde kaliber zwaar geschut aan dek staat. Dat maakt het eenvoudiger, want als een kanon goed gericht is, dan zijn de andere dat ook.'

Ze scheen veel meer belangstelling voor zijn uitleg te hebben dan hij van een mooi meisje had verwacht en ze luisterde aandachtig met grote ogen, af en toe bleef ze stil staan en keek hem als gehypnotiseerd aan.

Lakewood bleef vertellen.

Geen geheimen verraden, hield hij zichzelf voor. Hij mocht niets vertellen over de nieuwste gyroscopen om de afstand nauwkeurig te bepalen, zodat voortdurend gericht blijven op een bewegend doelwit mogelijk was. Hij verduidelijkte alleen wat ook al in de kranten was beschreven en meldde trots dat hij belangstelling voor rotsklimmen had gekregen nadat hij langs een dertig meter hoge mast omhoog was geklauterd. De mast was een experiment om op grotere afstand te zien waar een projectiel in zee viel. Maar hij vertelde er niet bij dat de bouwers van de mast met lichtgewicht constructiebuizen werkten zodat ze minder kwetsbaar werden voor granaatinslagen. Hij zei ook niet dat de top van elke kooimast werd voorzien van een platform waar de nieuwste afstandmeters geplaatst konden worden, niets over de hydraulische pompen die gekoppeld waren aan gyroscopen en waarmee de lopen verticaal gericht werden. En uiteraard geen woord over Hull 44.

'Ik raak helemaal in de war,' zei Katherine met een warme glimlach. 'Misschien kun je het uitleggen. Iemand vertelde mij dat passagiersschepen veel groter zijn dan oorlogsbodems. Hij beweerde dat de Lusitania en de Mauretania 44.000 ton meten, maar de Michigan van de marine niet meer dan 16.000.'

'Die passagiersschepen zijn drijvende hotels,' antwoordde Lakewood misprijzend. 'En marineschepen zijn varende forten.'

'Maar de Lusitania en de Mauretania kunnen toch veel sneller varen? Die man noemde ze "hazewindhonden".'

'Als je die vergelijking maakt, dan is een oorlogsbodem een wolf.'

Ze lachte. 'Nu begrijp ik het. En het is jouw taak die wolf tanden te geven.'

'Mijn werk,' zei Lakewood trots, 'is die wolfstanden vlijmscherp te maken.'

Weer moest Katherine lachen. Ze raakte zijn arm aan. 'En wat is de taak van kapitein Falconer?'

Grover Lakewood dacht even na voordat hij antwoordde. Iedereen kon de officiële feiten lezen. Dagelijks verschenen artikelen in de kranten over de nieuwe vloot, met berichten over de hoge kosten voor de nationale glorie en feestelijke tewaterlatingen en nieuws over spionnen die vermomd als journalisten rondneusden op de marinewerf in Brooklyn.

'Kapitein Falconer is de speciale inspecteur bij de schietoefeningen. Hij werd een expert op wapengebied na de slag bij Santiago. Hoewel we elke Spaanse oorlogsbodem tot zinken brachten bij Cuba hadden onze kanonnen maar een score van twee procent aan voltreffers. En kapitein Falconer nam zich voor dat te verbeteren.'

De steile helling van Agar Mountain doemde voor hen op. 'Kijk eens,' zei Katherine, 'we hebben de berg voor ons alleen. Ik zie verder niemand.'

Ze bleven staan onder aan de rotswand. 'Was er niet een gestoorde man die zichzelf opblies met zijn piano ook betrokken bij die slagschepen?'

'Hoe weet jij dat?' vroeg Lakewood. De marine had de tragedie stil gehouden voor de pers en alleen toegegeven dat zich een explosie had voorgedaan bij de wapenfabriek.

'Iedereen in Washington sprak daarover,' zei Katherine.

'Woon jij daar?'

'Ik was op bezoek bij een vriendin. Kende jij die omgekomen man?'

'Ja, en hij was een prima kerel,' antwoordde Lakewood, turend naar de rotsen om een geschikte route te bepalen. 'Hij was ook aanwezig bij die picknick aan boord van dat jacht.'

'Ik geloof niet dat ik hem gesproken heb.'

'Het is heel tragisch, en een groot verlies.'

Katherine Dee bleek een geoefend klimmer. Lakewood kon haar amper bijhouden. Hij had nog niet veel ervaring en hij zag dat haar vingers zo sterk waren dat ze zich met een hand verder omhoog kon werken. En als ze dat deed zwaaide ze haar lichaam om voor de volgende greep hoger te reiken.

'Jij klimt als een aap.'

'Dat is niet bepaald een compliment.' Ze deed alsof ze pruilde terwijl

47

ze tot hij haar had ingehaald. 'Wie wil er nu met een aap vergeleken worden?'

Lakewood bedacht dat hij zijn adem beter kon sparen. Toen ze dertig meter boven de grond waren en de bomen beneden steeds kleiner leken, begon Katherine opeens veel sneller te klimmen.

'Zeg, waar heb jij zo goed leren klimmen?'

'De nonnen op de kloosterschool lieten ons klimmen op de Matterhorn.'

Grover Lakewood had zijn handen wijd uitgespreid en hij had aan beide kanten houvast, terwijl hij met zijn voet naar een hoger steunpunt tastte. Ze glimlachte.

'Kijk eens!' riep ze.

Hij strekte zijn nek om haar te zien. Het leek of ze een grote schildpad in haar sterke bleke handen hield. Maar zo vroeg in het voorjaar waren er nog geen schildpadden actief. Het was een grote kei.

'Voorzichtig!' waarschuwde hij.

Te laat.

De kei glipte uit haar handen. Nee... Ze liet de kei met opzet vallen.

6

Over het afscheidsbriefje van Langner bleef Isaac Bell piekeren. Hij gebruikte het pasje dat hij van de secretaris had gekregen om weer op het terrein van de wapenfabriek te komen en opende opnieuw het Polhem-hangslot op de deur van de werkruimte, om Langners bureau te doorzoeken. Een stapel handgeschept briefpapier was kennelijk bestemd voor officiële correspondentie en Bell zag dat het afscheidsbriefje op hetzelfde papier was geschreven. Naast het briefpapier lag een Watermanvulpen.

Bell deed de vulpen in zijn zak en hij ging naar een drogisterij waar Van Dorn een rekening had. Daarna stapte hij in de tram om naar Capitol Hill te rijden, naar Lincoln Park, een opbloeiende woonwijk omdat steeds meer inwoners van Washington daarheen trokken, weg van de zompige gebieden bij de Potomacrivier die in de zomerse hitte een akelige stank verspreidde.

Bell zag het huis van Langner tegenover het park. De woning had een verdieping en was opgetrokken in baksteen, met groene luiken voor de ramen en een smeedijzeren hek begrensde de voortuin. De boekhouder die de financiën van Arthur Langner had onderzocht had geen andere inkomsten gevonden dan het salaris dat hij bij de wapenfabriek verdiende. Met dat salaris had Langner kennelijk het fraaie bakstenen huis gekocht. En dat salaris was volgens de boekhouder vergelijkbaar met de beloning van topmanagers bij andere particuliere bedrijven.

Het huis leek nieuw, zoals de meeste woningen in de omgeving, al stonden er nog een paar houten bouwsels in de zijstraten. De hoge vensters waren voorzien van groene luiken. Het metselwerk was sierlijk en rees op tot de dakrand met kantelen. Maar Bell zag meteen dat het interieur heel modern en strak was. Er waren ingebouwde boekenkasten, elektrische lampen en ventilators aan het plafond. Het meubilair was stijlvol en heel duur: elegante en toch degelijke ontwerpen van Charles Rennie Mackintosh. Bell vroeg zich af waar Langner het geld vandaan haalde om zulke dure designmeubelen te kopen?

Dorothy was niet meer in het zwart gekleed, maar in een zilvergrijze combinatie die paste bij haar ogen en ravenzwarte haar. Een man volgde haar naar de salon. 'Dit is mijn vriend Ted Whitmark,' stelde ze hem aan Bell voor.

Bell zag Whitmark als het type van de geslaagde verkoper. Hij straalde succes uit, met een brede glimlach op zijn knappe gezicht, hij droeg een duur kostuum en zijn paarse stropdas was gesierd met het wapen van Harvard College.

'Meer dan een vriend,' zei Whitmark met een zware stem, terwijl hij Bells hand stevig schudde. 'Ik ben eerder haar verloofde, als je me begrijpt,' voegde hij er veelbetekenend aan toe.

'Dat is een felicitatie waard,' zei Bell, stevig in de hand van de ander knijpend.

Whitmark keek hem lachend aan. 'Dat is een krachtige handdruk. Is hoefsmid spelen je favoriete vrijetijdsbesteding?'

'Wil je ons even excuseren?' vroeg Bell. 'Miss Langner, Van Dorn heeft me gevraagd even met u te overleggen.'

'Wij hebben hier geen geheimen,' zei Whitmark. 'Althans geen geheimen die voor een detective interessant zijn.'

'Zo is dat, Ted,' beaamde Dorothy. Ze legde haar hand op zijn arm en glimlachte lieftallig naar hem. 'In de keuken staat een fles gin. Wil jij een paar drankjes voor ons mixen, terwijl meneer Bell verslag uitbrengt?'

Ted Whitmark keek verongelijkt, maar hij had geen keus en verdween uit de salon met de woorden: 'Houd het kort, want deze arme meid is nog steeds herstellende van de schok na de dood van haar vader.'

'Dit duurt maar een minuutje,' stelde Bell hem gerust.

Dorothy deed de schuifdeuren dicht. 'Bedankt. Ted is altijd erg jaloers.'

'Hij moet wel geweldige eigenschappen hebben dat hij jou kon veroveren, denk ik,' zei Bell.

Ze keek Bell strak aan. 'Ik doe nooit iets overhaast,' zei ze ernstig. De rijzige detective kon het alleen opvatten als een uiting van belangstelling voor hem.

'Wat doet Ted voor werk?' vroeg Bell, van onderwerp veranderend.

'Ted verkoopt proviand aan de marine. Hij vertrekt binnenkort naar San Francisco, om de bevoorrading van de Witte Vloot daar te organiseren. Bent u getrouwd, meneer Bell?'

'Ik ben verloofd.'

Even verscheen een vluchtige glimlach om haar fraaie lippen. 'Wat jammer.'

'Eerlijk gezegd is dat helemaal niet jammer,' zei Bell. 'Ik ben juist een heel gelukkig man.'

'Eerlijkheid is een goede karaktereigenschap. Maar bent u vandaag hierheen gekomen om een belangrijker reden dan *niet* met mij te flirten?'

Bell haalde de vulpen te voorschijn. 'Herken je deze pen?'

Haar gezicht betrok. 'Jazeker. Dat is de vulpen van mijn vader. Die gaf ik hem op zijn verjaardag.'

Bell gaf de pen aan haar. 'Dan mag je hem wel houden. Ik nam de pen mee uit zijn bureau.'

'Waarom?'

'Om vast te stellen of hij daarmee dat briefje heeft geschreven.'

'Dat zogenaamde afscheidsbriefje? Iedereen kan dat geschreven hebben.'

'Niet iedereen. Jouw vader of een behendige vervalser.'

'U weet hoe ik erover denk. Het is onmogelijk dat mijn vader zelfmoord pleegde.'

'Daarom blijf ik de zaak onderzoeken.'

'En het papier waar dat briefje op geschreven is?'

'Het is zijn briefpapier.'

'En de inkt?' vroeg Dorothy gespannen. 'Hoe weten wij of die woorden met dezelfde inkt geschreven zijn? Misschien werd een andere pen gebruikt. De fabrikant Waterman moet duizenden van zulke vulpennen verkopen.'

'Ik heb al monsters van inkt in deze vulpen en op het papier naar een laboratorium gestuurd, om te controleren of de inkten verschillend zijn.'

'Bedankt,' zei ze. Haar gezicht betrok. 'Maar dat is niet erg waarschijnlijk, toch?'

'Ik vrees van niet, Dorothy.'

'Maar als het dezelfde inkt is, dan is daarmee nog niet bewezen dat hij dat briefje schreef.'

'Dat staat niet met zekerheid vast,' beaamde Bell. 'En al onderzoeken we alle feiten, het is eerlijk gezegd niet waarschijnlijk dat we een definitief antwoord krijgen.'

'Hoe kunnen we dat wel vinden?' vroeg ze vertwijfeld. Tranen glinsterden in haar ogen.

Isaac Bell was geraakt door haar verwarring en verdriet. Hij pakte haar handen vast. 'Wat het antwoord ook is, we zullen het vinden.'

'De detectives van Van Dorn geven nooit op?' zei ze met een dappere glimlach.

'Nee, nooit,' zei Bell stellig, al begon hij steeds meer te twijfelen of hij de waarheid kon achterhalen.

Ze klemde zijn handen vast, en toen ze hem weer losliet deed ze een stap dichterbij en kuste zijn wang. 'Bedankt. Meer kan ik niet zeggen.'

'Ik hou je op de hoogte,' zei Bell.

'Blijft u niet om een cocktail te drinken?'

'Dat gaat helaas niet. Ik word in New York verwacht.' Toen ze hem naar de deur vergezelde keek Bell even naar de eetkamer. 'Dat is een prachtige tafel. Een ontwerp van Mackintosh?'

'Ja, inderdaad,' antwoordde ze trots. 'Mijn vader zei altijd dat hij desnoods alleen bonen zou eten als hij een fraai object anders niet kon betalen.'

Bell vroeg zich af of Langner geen zin meer in bonen had en daarom steekpenningen had aangenomen van een staalfabriek. Toen hij bij het tuinhek omkeek stond Dorothy op het bordes en ze leek een sprookjesprinses, opgesloten in een toren.

* * *

De B & O Royal Limited was de snelste en meest luxueuze trein van Washington naar New York. Terwijl het tijdens de reis achter de raampjes donker werd dacht Isaac Bell aan de jacht op de Frye Boys. De bankrovers die over de grens van de staat waren gevlucht werden door detectives van Van Dorn achtervolgd door Illinois, Indiana en Ohio, om ergens in het oosten van Pennsylvania spoorloos te verdwijnen. Evenals detective John Scully.

Het diner in de Royal, vergelijkbaar met Delmonico's of het nieuwe Plaza Hotel, werd geserveerd in de restauratiewagon, die met mahonie gelambriseerd was. Bell bestelde roodbaars uit Maryland en een halve fles Mumm. Hij bedacht dat Dorothy Langner hem deed denken aan zijn eigen verloofde. Als ze niet in de rouw was vanwege haar vader zou Dorothy zich zeker geestig gedragen en even interessant zijn als Marion Morgan. De dames hadden dezelfde achtergrond: allebei verloren ze hun moeder op jonge leeftijd, en ze hadden een goede opleiding genoten omdat hun vader wilden dat ze hun talenten zo breed mogelijk zouden ontplooien.

Uiterlijk waren Marion en Dorothy heel verschillend. Dorothy's haar was glanzend en ravenzwart, en Marion was stroblond. Dorothy had blauwgrijze ogen, die van Marion waren zeegroen. Beide jongedames waren lang en slank, en Bell bedacht glimlachend dat ze allebei het verkeer tot stilstand konden brengen, alleen door een stap op straat te zetten.

Bell keek op zijn gouden zakhorloge toen de Royal tot stilstand kwam op het eindstation Jersey City Terminal. Het was negen uur. Te laat om Marion te bezoeken in haar hotel in Fort Lee, als ze morgen weer vroeg aan het werk moest met filmopnamen. Bell lachte onwillekeurig: Marion werkte aan een film over twee denkbeeldige bankrovers, terwijl Bell jacht maakte op echte bandieten. Maar hij wist ook dat het produceren van een film evenveel organisatie en aandacht voor details vereiste als het werk in de realiteit. En daarom moest haar nachtrust niet verstoord worden.

Hij keek naar de krantenkoppen die door venters werden aangekondigd toen hij uit de trein was gestapt. De koppen leken te strijden om aandacht. De helft van de krantenkoppen had betrekking op de Japanse dreiging naar de Grote Witte Vloot, omdat het gerucht de ronde deed dat president Roosevelt de schepen had opgedragen naar Japan op te stomen.

Maar Bell had vooral belangstelling voor het weerbericht, want hij hoopte op slecht weer.

'Geweldig!' riep hij uit, toen hij las dat het bewolkt en regenachtig zou worden. Dan hoefde Marion niet vroeg op te staan om gebruik te maken van elke zonnestraal.

Hij haastte zich naar het tramstation. De dertig kilometer lange rit naar Fort Lee zou minstens een uur duren, maar er was kans op sneller vervoer. De politie in Jersey experimenteerde met gemotoriseerde patrouilles, wat al gebeurde in New York en zoals hij verwachtte stond een zescylinder Ford geparkeerd voor het tramstation, bemand door een brigadier en een agent van de bereden politie.

Bell sprak de brigadier aan. 'Van Dorn is bereid twintig dollar te betalen om mij naar Cella's Park Hotel in Fort Lee te brengen.' De brigadier leek een beetje onthand zonder zijn paard.

Tien dollar was ook genoeg voor de rit, maar omdat Bell twintig wilde betalen liet de brigadier de sirene loeien.

Het begon te regenen toen de voortsnellende politie Ford langs de Palisades raasde. Modder werd opgeworpen achter de wielen toen de auto door Main Street in Fort Lee reed, slippend op de tramrails langs de filmstudio met de glazen wanden waarin de koplampen weerspiegelden. Buiten het dorp stopte de Ford voor Cella's Hotel, een groot wit gebouw met een verdieping omringd door gazons.

Bell liep met grote passen over het bordes, met een brede grijns op zijn gezicht. De eetzaal veranderde 's avonds in een bar. Het was er druk met acteurs, cameralieden en regisseurs, die al wisten dat de volgende bewolkte dag wegens gebrek aan zonlicht niet gefilmd kon worden. Een groepje close harmony-zangers had zich rond de piano verzameld.

'You can go as far as you like with me
In my merry Oldsmobile.'

Bell zag Marion aan een tafeltje in de hoek zitten, en zijn hart stokte bijna. Ze lachte, in gesprek met twee andere vrouwelijke regisseurs die Bell al eens eerder had ontmoet: Christina Bialobrzesky, die beweerde een Poolse gravin te zijn, al dacht Bell aan haar accent te horen dat ze eerder uit New Orleans kwam. En naast haar zat mademoiselle Duvall, van Pathé Frères, met haar donkere haar en ogen.

Marion keek op. Ze zag Bell staan in de deuropening en ze sprong overeind met een stralende glimlach. Bell rende naar haar toe. Ze ontmoetten elkaar halverwege en hij tilde haar meteen op terwijl hij haar kuste.

'Wat een geweldige verrassing!' riep ze uit. Ze was nog in werkkleding: een lange rok met daarboven een nauwsluitend jasje. Haar blonde haar was in een knot gebonden, zodat haar lange sierlijke nek zichtbaar was.

'Je ziet er snoezig uit.'

'Leugenaar! Ik zie eruit alsof ik al sinds vijf uur vanochtend gewerkt heb.'

'Je weet dat ik nooit lieg. Ik vind je fantastisch.'

'Nou, jij ziet er ook fit uit. Heb je al gegeten?'

'Ja, gedineerd in de trein.'

'Kom bij ons zitten. Of liever ergens alleen met mij?'

'Ik zal de anderen eerst begroeten.'

De eigenaar van het hotel kwam dichterbij, stralend en handenwrijvend bij de herinnering aan Bells vorige bezoek. 'Wenst u weer champagne, meneer Bell?'

'Maar natuurlijk.'

'Voor deze tafel?'

'Voor de hele zaak!'

'Isaac!' waarschuwde Marion. 'Er zijn hier wel vijftig mensen.'

'In het testament van mijn grootvader Isaiah staat nergens dat ik niet een deel van zijn vijf miljoen dollar mag besteden aan een toost op de schoonheid van Marion Morgan. En trouwens, ze zeggen dat mijn grootvader altijd graag naar aantrekkelijke dames keek.'

'Die eigenschap heb je dus ook van hem geërfd.'

'En als ze allemaal aangeschoten raken, dan merken ze niet dat wij stilletjes naar jouw kamer verdwijnen.'

Ze leidde hem naar het tafeltje. Christina en mademoiselle Duvall waren ook nog in werkkleding, al droeg de flamboyante Française haar gebruikelijke rijbroek. Ze kuste Bell op de wang en noemde zijn naam met een Frans accent.

'Deze week maken we alle drie opnames van bankrovers, Isaac. Dus geef ons wat tips uit je vakgebied.'

'Ze wil wel meer dan alleen tips,' fluisterde Marion met een lachje.

'Bankrovers zijn toch het symbool van de Amerikaanse vrijheid?' vroeg mademoiselle Duvall.

Bell antwoordde met een meewarige grijns. 'Bankrovers zijn symbolen van dood en verderf. Het drietal waar ik jacht op maak heeft gewetenloos iedereen doodgeschoten in het gebouw waar ze de overval pleegden.'

'Omdat ze bang zijn voor herkenning,' zei de Franse regisseuse. 'Mijn bankrovers schieten niemand neer, omdat het arme lieden zijn en ook bekend bij de armen.'

Christina rolde met haar ogen. 'Zoals Robin Hood?' vroeg ze misprijzend.

'Om duidelijk te zijn voor het publiek kun je de bandieten beter maskers geven,' opperde Marion.

'Met een masker kun je alleen een vreemdeling aanduiden,' zei mademoiselle Duvall. 'Als ik een masker voor mijn gezicht heb, dan zal Isaac mij toch nog herkennen aan mijn blik.' Ze hield haar sjaal voor haar neus en mond, zodat alleen haar ogen zichtbaar waren.

'Maar dat is omdat je een oogje op hem hebt,' lachte Marion.

De uitdrukking op Isaac Bells gezicht veranderde opeens.

'Dat is toch niet mijn fout. Isaac is nu eenmaal een knappe kerel.'

De dames zagen het gezicht van Bell verstrakken. Hij leek opeens afstandelijk en kil. Mademoiselle Duvall strekte haar hand uit en raakte zijn arm aan. '*Chéri,*' verontschuldigde ze zich, 'je bent veel te serieus. Vergeef me als ik onbetamelijk was.'

'Nee, dat is het niet,' zei Bell, terwijl hij op haar hand tikte en de hand van Marion onder de tafel stevig vastpakte. 'Maar je bracht me op een idee. Iets waar ik over wil nadenken.'

'Vanavond wordt er niet meer gepiekerd,' zei Marion.

Bell ging staan. 'Excuseer mij, want ik moet een telegram versturen.'

Hij gebruikte de telefoon in het hotel om naar het kantoor in New York te bellen en een telegram te dicteren voor John Scully dat naar elke Van Dorn vestiging in de regio waar de detective voor het laatst gezien was verzonden moest worden.

FRYES HEBBEN NAAM GEWIJZIGD EN ZIJN OP WEG NAAR EERSTE OVERVAL IN NEW JERSEY

Marion stond glimlachend bij de hoteltrap. 'Ik heb de anderen al welterusten gewenst namens jou.'

7

'Ga meteen naar Greenwich Village en kom terug met dr. Cruson,' riep Isaac Bell naar een leerling, toen hij de volgende ochtend vroeg het kantoor van Van Dorn binnenstormde. 'Je mag zowel heen als terug met een taxi gaan. Opschieten!'

Dr. Daniel Cruson was een expert op het gebied van handschriften. De leerling rende weg.

Bell las de binnengekomen telegrammen. Het laboratorium in Washington bevestigde dat de inkt op het briefje van Arthur Langner dezelfde was als in zijn vulpen. Dat verbaasde Bell niet.

Een bericht uit Pennsylvania maakte duidelijk dat de solitaire zoektocht van John Scully grote nadelen had. De detective die door Van Dorn was aangewezen om Scully te assisteren nu Bell de dood van Arthur Langner onderzocht seinde:

KAN SCULLY NIET VINDEN.

IK BLIJF ZOEKEN.

REAGEER NAAR WESTERN UNION SCRANTON EN PHILADELPHIA

Bell mompelde een verwensing. Ze waren uit elkaar gegaan om de kans te vergroten Scully te vinden. Als hij tegen het middaguur niet gevonden was moest Bell aan de baas rapporteren dat de detectives die de opdracht hadden de Frye Boys op te sporen nu bezig waren met een speurtocht naar Scully.

Bell liet de onderzoeker die hij bij de zaak betrokken had bij zich komen. Grady Forrer was een beer van een kerel met een enorme borstkas en een dikke buik. Hij was het type dat beter aan jouw kant staat als er ruzie uitbreekt in de kroeg. Maar zijn grootste kracht was dat hij zich kon concentreren op het speuren naar de kleinste details en dat hij een fenomenaal geheugen had.

'Weet je al waar die bandieten ergens opgegroeid zijn?' vroeg Bell.

De onderzoeker schudde zijn hoofd. 'Ik heb me suf gepiekerd, Isaac. Maar nergens in heel New Jersey vind ik drie Fryebroers. Ik heb ook gezocht naar neven, maar zonder succes.'

'Ik heb daar wel een idee over,' zei Bell. 'Stel eens dat ze hun namen veranderd hebben, toen ze voor het eerst zonder toestemming geld opnamen bij een bank? Die eerste bankoverval was ergens midden in de staat, als ik me goed herinner bij de East Brunswick Farmer's Mutual Savings.'

'Ja, een plattelandsbank, halverwege Princeton.'

'Wij veronderstelden steeds dat het neerschieten van de kassier en toevallig aanwezige klanten gebeurde omdat ze zo gewelddadig zijn. Maar stel eens dat die drie zo stom waren om de bank die het dichtst bij hun huis staat te beroven?'

Grady Forrer ging meer rechtop staan.

'En stel dat ze de getuigen vermoordden omdat ze bang waren voor herkenning, ook al waren ze gemaskerd? Misschien kende een getuige hen al sinds ze klein waren. Kleine Jan verderop in de straat wordt groot en regelt een pistool. Herinner je je dat eerste met bloed geschreven briefje nog? "Pas op voor de Frye Boys".'

'Misschien waren ze dus toch niet zo dom,' peinsde de onderzoeker hardop. 'Sindsdien worden ze door iedereen de Frye Boys genoemd.'

'En dat wilden ze ook. We moeten ergens in de omgeving van die bank in East Brunswick een familie vinden waar opeens drie broers of neven spoorloos verdwenen zijn. Of twee broers en een buurjongen.'

Bell telegrafeerde naar de agenten die Scully moesten assisteren en naar Scully zelf dat ze naar East Brunswick moesten gaan.

Merci, mademoiselle Duvall!

Bell vroeg zich af wie hem nog meer op een idee had gebracht en hij dacht aan de foto die hij gemaakt had van het afscheidsbriefje van Arthur Langner. Hij legde de afdruk naast de foto die hij de vorige ochtend had gemaakt van de handgeschreven patentaanvragen van Langner. Met een vergrootglas bestudeerde hij de woorden, zoekend naar verschillen die op een vervalsing wezen. Maar hij vond niets. Daarom liet hij de handschriftexpert uit Greenwich Village ophalen.

Dr. Daniel Cruson gaf de voorkeur aan de fraaier klinkende titel "grafoloog". Met zijn witte baard en borstelige wenkbrauwen was hij het type dat de theorieën van de psychiaters Freud en Jung kon waarderen en onderschrijven. Hij had ook een voorkeur voor uitspraken als "Het complex berooft het ego van licht en voeding." En dat was de reden dat Bell hem zoveel mogelijk vermeed. Maar Cruson had een scherp oog voor vervalsingen. Zo scherp dat Bell vermoedde dat de grafoloog uitkomst zou bieden.

Cruson bestudeerde de foto van het afscheidsbriefje met een vergrootglas en herhaalde dat turend door een juweliersbril. Uiteindelijk ging hij hoofdschuddend weer in zijn stoel zitten.

'Ziet u verschillen in beide handschriften?' vroeg Bell. 'Is het een vervalsing?'

'U bent hier de detective,' antwoordde Cruson.

'Ja, dat is me bekend,' reageerde Bell kortaf, om geen verhitte discussie te beginnen.

'Kent u het wetenschappelijk werk van Sir William Herschel?'

'Ja, over het herkennen van vingerafdrukken.'

'Maar Sir William geloofde ook dat in elk handschrift het karakter van de schrijver te herkennen is.'

'Karaktereigenschappen interesseren mij minder dan vervalsingen.'

Cruson negeerde de opmerking. 'Aan dit handschrift kan ik zien dat de man die de woorden opschreef excentriek was en heel artistiek. Hij had ook gevoel voor drama, dat is te zien aan de krullen. Duidelijk een sensitief persoon die soms door emoties overmand wordt.'

'Met andere woorden,' begon Bell, beseffend dat hij het akelige nieuws moest brengen naar Dorothy Langner, 'duidelijk het labiele type dat in staat is zelfmoord te plegen.'

'Wat tragisch dat hij zichzelf op zo jonge leeftijd van het leven be-
roofde.'

'Langner was niet bepaald jong,' merkte Bell op.

'Jawel, hij was nog heel jong.'

'Welnee, hij was zestig jaar.'

'Onmogelijk! Kijk eens naar dit handschrift: heel stevig en vloeiend.
Het handschrift van een ouder persoon is krampachtiger. De letters
worden kleiner en minder duidelijk naarmate de spieren in de hand
strammer worden. Dit moet geschreven zijn door iemand die nog geen
dertig jaar is.'

'Een twintiger?' zei Bell verbaasd en opeens nieuwsgierig.

'Ik garandeer je dat de schrijver niet ouder dan dertig jaar is.'

Bell had een fotografisch geheugen. In gedachten keerde hij weer
terug naar Arthur Langners werkkamer. Hij zag de kasten vol ingebonden patentaanvragen, en hij had daar een aantal bundels door-
gebladerd, op zoek naar het patent van zijn camera. De aanvragen die
voor 1885 werden ingediend waren met de hand geschreven. De meer
recente waren getypt.

'Arthur Langner speelde piano. Dus zijn vingers waren soepeler
dan gemiddeld, voor iemand met zijn leeftijd.'

Curson haalde zijn schouders op. 'Ik ben geen musicus en ook geen
bioloog.'

'Maar als Langners vingers niet meer zo lenig waren, dan kan dit
dus een vervalsing zijn.'

Curson haalde zijn schouders op. 'Je hebt me niet hier laten komen
om de persoonlijkheid van een vervalser te analyseren. Hoe deskun-
diger de vervalsing is, des te minder zegt het over zijn karakter.'

'Ik heb je niet gevraagd te komen om zijn karakter te analyseren
maar om te bepalen of dit briefje een vervalsing is. En nu zeg je dat
de vervalser een fout maakte, want hij imiteerde het handschrift van
Langner door naar een oude patentaanvraag te kijken. Bedankt, dit
werpt een heel nieuw licht op de zaak. Als het handschrift van Langner niet door veel pianospelen op dat van een jongeman bleef lijken,
dan moet dit wel een vervalsing zijn. En dan is Arthur Langner dus
vermoord.'

Een kantoorbediende van Van Dorn stormde de kamer in, zwaaiend met een geel papier.

'Scully!'

Het telegram dat hij in de handen van Isaac Bell drukte was afkomstig van John Scully:

JE TELEGRAM ONTVANGEN. DACHT HETZELFDE.

ZOGENAAMDE FRYES OMSINGELD WEST VAN OOST BRUNSWICK

LOKALE SHERIFF IS NEEF

KUN JE HELPEN?

'Omsingeld?' vroeg Bell. 'Zijn Mike en Eddie dan bij hem?'

'Nee, meneer. Hij doet het weer alleen. Zoals altijd.'

Kennelijk had Scully de ware namen van de Fryes ontdekt en het spoor naar hun huisadres gevolgd, om daar te constateren dat de bankrovers familie waren van een corrupte sheriff die hen hielp weg te komen. En in dat geval stond Scully voor een taak die zelfs hij niet alleen aan kon.

Bell las de rest van het telegram:

WILLIARD FARM

CRANBURY SPLITSING TIEN MIJL WEST VAN STENEN KERK

LINKSAF BIJ VLAG

NA EEN MIJL MELKTRUCK

Het was ergens in een dunbevolkte streek, en om daar met een trein naartoe te reizen zou dagen duren. 'Telefoneer met de Weehawken Garage, dat ze mijn auto gereed maken!' commandeerde Bell.

Hij pakte een grote golftas en draafde de trappen af naar Broadway. Hij sprong in een taxi en gaf de chauffeur opdracht naar de pier aan het einde van 42nd Street te rijden. Daar stapte hij aan boord van de veerpont naar Weehawken, waar zijn rode Locomobile in de garage stond.

8

Commodore Tommy's Saloon in 39th West Street leek wel een fort op de begane grond en in de kelderverdieping van een aftands gebouw, op een halve kilometer afstand van de pier waar Isaac aan boord van de veerboot was gestapt. De ingang was smal, de ramen waren gebarricadeerd, en vanuit deze kroeg werd de ruige buurt West Side van New York beheerst, alsof het Congres, het Witte Huis en het ministerie van defensie hier gevestigd waren. De buurtbewoners noemden de kroeg 'Hell's Kitchen'. Al jarenlang was er nooit meer een politieagent binnen geweest.

Commodore Tommy Thompson, de stevig gebouwde kaalhoofdige eigenaar, was de leider van de Gopher Bende. Hij eiste beschermgeld van drugsdealers, prostituees, gokbazen, zakkenrollers en inbrekers, om een deel van de opbrengst door te geven als smeergeld aan de politie, en hij regelde stemmen voor de politieke machine van de Republikeinen. Hij beheerste ook de lucratieve overvallen op goederenwagons in de omgeving van New York en zijn bijnaam had hij te danken aan zijn successen met deze criminele bezigheden, zoals Commodore Cornelius VanderBilt rijk was geworden met de exploitatie van spoorwegen.

Maar aan deze bron van inkomsten zou spoedig een bloedig einde komen, vermoedde Commodore Tommy, als de spoorwegen een privé-leger zouden inzetten om de treinrovers uit New York te verjagen. Daarom werkte hij aan een nieuwe bron van inkomsten, en terwijl Isaac Bell op de snelle veerboot over de Hudson voer bekrachtigde Commodore Thompson met een stevige handdruk een nieuwe deal met een paar "staartloze" Chinezen – veramerikaniseerde Chinezen die anders dan hun geïmmigreerde landgenoten hun lange vlecht hadden afgeknipt.

Harry Wing en Louis Loh waren handlangers van de opkomende Hip Sing bende. Ze spraken goed Engels, ze droegen keurige kostuums, en ze waren achter hun vriendelijke gezichten levensgevaarlijk. Van dat laatste was Thompson overtuigd. Hij had deze types herkend zodra ze hem benaderden. Evenals de Gophers vergaarde Hip Sing geld door de kleine criminelen te controleren met geweld, sluwheid en discipline. En evenals Tommy's Gophers werd Hip Sing steeds sterker door rivalen te verjagen.

Het voorstel van de Chinezen was onweerstaanbaar: De Gopher Bende van Tommy moest toestaan dat de Chinese gangsters opiumkitten openden aan de westkant van Manhattan. Voor de helft van de winst zou de Commodore de zaken beschermen, alles voor de meisjes regelen en de politie met steekpenningen op afstand houden. Harry Wing en Louis Loh zouden blanke klanten uit de middenklasse aanlokken: het publiek dat zich liever niet waagt in de steegjes van Chinatown.

Tommy Thompson vond het een prima plan.

* * *

De surveillanten van Newark zaten in een Packard en ze probeerden Isaac Bell in te halen.

Zijn Locomobile, gebouwd in 1906 en aangedreven door een benzinemotor, was een raceauto, rood geschilderd als een brandweerwagen. Hij had die kleur met opzet gekozen, zodat tragere chauffeurs meer kans hadden hem te zien en tijdig opzij konden gaan. Maar de felle kleur en het donderende geronk van de uitlaat trok wel de aandacht van de politie.

Voordat hij bij East Orange was, had hij de achtervolgende agenten allang het nakijken gegeven.

Een eind verder probeerde een agent op een motorfiets hem bij te houden, maar Bell had hem al ver achter zich gelaten voordat hij bij Roselle kwam. Het open landschap lag voor hem.

De Locomobile was gemaakt om te racen en er waren veel records mee gebroken. Voor het rijden op de openbare weg waren er spatborden en lampen aangebracht, maar daardoor was de machine niet getemd. Bestuurd door een man met stalen zenuwen, een passie voor snelheid en de snelle reflexen van een kat kon de auto met zijn zestienlitermotor hoge snelheden behalen en als een meteoor door de slaperige stadjes razen.

Bell was van top tot teen gekleed in een lange overjas, zijn ogen waren beschermd door een motorbril, maar hij was blootshoofds, zodat hij elke nuance in het motorgeluid van de vier cilinders kon horen. Bell bediende de koppeling, de versnellingspook en de claxon voortdurend: accelererend op rechte wegen, slippend door de bochten, boeren, vee en tragere voertuigen voor hem waarschuwend als hij kwam aanstormen. Hij zou genieten van de rit, als hij niet zo bezorgd was over John Scully. Hij had zijn solistische collega opeens in de steek gelaten, maar Bell was wel verantwoordelijk voor de hele operatie en voor zijn medewerkers.

Hij klemde zijn grote handen laag om de spaken van het stuurwiel. Als hij vaart moest minderen in de bebouwde kom had hij beide handen nodig om het gevaarte in bochten onder controle te houden. Maar als hij weer hard kon rijden over de landwegen was met één hand sturen voldoende omdat de auto alert reageerde. Zijn andere hand gebruikte hij telkens om de brandstofpomp of de claxon te bedienen. Hij trapte maar zelden op de rem. De ontwerpers in Bridgeport, Connecticut, waar de Locomobile gebouwd was, hadden voor een weinig effectief remsysteem gekozen, maar dat deerde Bell niet.

Toen hij Woodbridge achter zich liet probeerde een Mercedes GP roadster hem bij te houden. Bell trapte het gaspedaal van de Locomobile tot de bodem en hield de weg voor zich alleen.

9

'Wat is dit?' vroeg Commodore Tommy Thompson.
'Hij zegt dat hij je een voorstel wil doen.'

Tommy's portiers, twee boksers die allebei ooit hun neus gebroken hadden en in de loop der jaren veel rivalen had vermoord, stonden dicht aan weerszijden van de keurige heer die ze naar het kantoortje achter de kroeg hadden geleid.

In de ijzige stilte keek Tommy Thompson vorsend naar de bezoeker die een welgestelde indruk maakte. Hij had een middelmatig postuur en was ongeveer even oud als Tommy, ergens in de dertig. Hij had een wandelstok met een gouden knop, hij droeg een chique lange zwarte jas met een fluwelen kraag, een dure bonthoed en handschoenen. De kolenkachel straalde hitte uit en de bezoeker trok kalm zijn handschoenen uit, zodat een dikke ring bezet met edelstenen zichtbaar werd en hij maakte de knopen van zijn overjas los. Tommy zag een gouden horlogeketting zo dik dat een brouwerspaard ermee vastgelegd kon worden, en een donkerblauw kostuum. Tommy zou drie meiden van plezier een week kunnen onderhouden in Atlantic City voor het geld dat de bezoeker aan zijn laarzen had besteed.

De man zei geen woord. Hij bleef zwijgend staan, nadat hij zijn handschoenen had uitgetrokken en zijn jas los geknoopt. Hij streek alleen met zijn duim over zijn snorretje. Daarna haakte hij zijn duim in zijn vestzak.

Een koele kerel, begreep Commodore Tommy. Hij bedacht ook dat het geen detective kon zijn, in deze dure kleding. Zelfs al zouden alle politieagenten in New York een bijdrage leveren om een detective in te huren, dan was het nog onmogelijk om de arrogante uitdrukking op het gezicht van de bezoeker te krijgen. Daarom vroeg de bendeleider: 'Wat wil je?'

'Mag ik aannemen dat u werkelijk de leider van de Gopher Bende bent?'

Commodore Tommy werd weer argwanend. De bezoeker was niet onbekend in dit milieu. Hij had de naam van de bende correct uitgesproken, anders dan de buitenstaanders. Waar had hij dat geleerd?

'Ik vroeg wat je van mij wil?'

'Vijfduizend dollar betaal ik voor drie huurmoordenaars.'

Tommy Thompson ging rechtop zitten. Vijfduizend dollar was een enorm bedrag. Zoveel geld dat hij minder op zijn hoede was en meteen vroeg: 'En wie moet er dan vermoord worden?'

'Een kerel uit Schotland, met de naam Alistair MacDonald moet vermoord worden in Camden, New Jersey. De moordenaars moeten behendig zijn met messen.'

'O, is dat zo?'

'Ik heb geld bij me,' zei de bezoeker. 'Ik zal vooruit betalen, en ik vertrouw op de afloop.'

Tommy Thompson keek naar de twee uitsmijters, die vreugdeloos grinnikten. De bezoeker had een fatale fout gemaakt door te zeggen dat hij geld bij zich had.

'Pak die vijfduizend dollar,' commandeerde Tommy. 'En zijn horloge, die ring, wandelstok, overjas, bontmuts en laarzen. En gooi die schooier in de rivier.'

De zwaargebouwde mannen kwamen tegelijk in beweging, verrassend snel voor hun postuur.

Onder de jas en het maatkostuum had de bezoeker een gespierd lichaam. Zijn roerloze houding maskeerde razendsnelle reflexen. In een fractie van een seconde lag de ene uitsmijter languit op de vloer, verbluft en aangeslagen. De andere uitsmijter smeekte met een schelle stem om genade. De bezoeker klemde het hoofd van de bokser onder zijn arm en drukte met zijn duim in het oog van de man.

Commodore Tommy keek verbaasd naar het tafereel.

De bezoeker had op de nagel van zijn duim een vlijmscherp mesje geplakt en dat was al tegen een ooghoek van de uitsmijter gedrukt. Het was duidelijk voor de om genade smekende gangster – en voor Commodore Tommy – dat de bezoeker met een vingerbeweging het oog van de man uit de kas kon verwijderen.

'Allemachtig!' hijgde Tommy. 'Jij bent Brian O'Shay!'

Toen hij de naam hoorde begon de uitsmijter die elk moment zijn oog kon verliezen te huilen. De andere man, nog steeds op de vloer naar adem happend, stamelde: 'Dat kan niet, want O'Shay is dood!'

'Dan is hij kennelijk terug uit het dodenrijk,' zei Commodore Tommy.

De leider van de Gopher Bende keek verbijsterd naar wat er gebeurde.

Brian 'Eyes' O'Shay was vijftien jaar eerder spoorloos verdwenen. En als dat niet gebeurd was, dan zou hij nog altijd in gevecht zijn met de baas van de Hell's Kitchen. Amper volwassen had O'Shay ervaring met allerlei wapens en vechttechnieken, zoals ploertendoders en messen, maar hij werd het meest gevreesd omdat hij behendig met een speciaal geprepareerde duimnagel, voorzien van een vlijmscherp mes, de ogen van zijn rivalen uitsneed.

'Je bent vooruit gegaan,' zei Tommy, toen hij zich hersteld had, 'dat mes lijkt wel van zuiver zilver.'

'Het is roestvrij staal,' zei O'Shay. 'Dat blijft scherp en geen corrosie.'

'Dus je bent terug. En rijk genoeg om huurmoordenaars het werk te laten doen.'

'Een aanbod doe ik geen tweede keer.'

'Ik neem het aan.'

O'Shay bewoog snel en hij raakte de wang van de uitsmijter toen hij de man losliet. De grote kerel kermde. Zijn handen vlogen naar zijn gezicht. Hij knipperde, trok zijn handen weg en staarde naar het bloed. Maar dan verscheen een opgeluchte glimlach op zijn gezicht. Bloed vloeide uit een snijwond van zijn wang naar zijn kaak, maar zijn ogen had hij nog.

'Kom overeind!' beval Commodore Tommy. 'Jullie allebei. En ga naar de Iceman. Zeg dat hij Kelly en Butler hierheen brengt.'

Beide mannen haastten zich uit het kantoortje en lieten Tommy Thompson alleen achter in gezelschap van O'Shay. 'Dit moet wel een einde maken aan de geruchten dat ik jou gedood zou hebben,' zei Tommy.

'Dat zou je toch nooit gelukt zijn, Tommy.'

De leider van de Gopher Bende protesteerde tegen de belediging. 'Waarom zeg je dat? Wij waren toch partners?'

'Soms, ja.'

De mannen keken elkaar argwanend aan, als oude rivalen.

'Weer terug,' mompelde Tommy. 'Allemachtig, en waar kom je vandaan?'

O'Shay antwoordde niet. Vijf minuten verstreken. Tien minuten.

Toen kwamen Kelly en Butler het kantoortje van de Commodore binnen, gevolgd door Iceman Weeks.

Brian O'Shay keek naar de bezoekers.

Het nieuwe type Gopher, dacht hij. Tengere kerels. Dat was dus vooruitgang. Tommy was van de oude stempel, toen brute kracht en spieren bepalend waren. Nu maakten knuppels en loden pijpen plaats voor vuurwapens. Kelly, Butler en Weeks waren ook beter gekleed, naar de laatste mode in de onderwereld: strakke kostuums, felgekleurde vesten en gebloemde dassen. Kelly en Butler droegen allebei glanzend gepoetste gele schoenen en lavendelkleurige sokken. Weeks, de Iceman, viel op met zijn lichtblauwe pantalon. Hij was het koele type dat de heethoofden eerst in actie laat komen en het voorbereidende werk te doen, om dan zelf de hoofdprijs te grijpen. Hij droomde ervan dat de Commodore onverwachts zou sterven, en dat hij, Iceman Weeks, dan de leider van de Gophers werd.

O'Shay haalde drie stiletto's uit zijn jaszak en gaf aan elke man een mes. Gemaakt in Duitsland, uitstekend gebalanceerd, snel te openen en scherp als een scheermes. Kelly, Butler en Weeks wogen de wapens bewonderend in hun hand.

'Laat die messen achter in de man, als je het karwei uitvoert,' beval O'Shay, na een snelle blik op de Commodore, die de opdracht nog eens benadrukte met een bot dreigement. 'Als ik jullie ooit met zo'n mes zie, dan breek ik je nek.'

O'Shay opende een dikke portefeuille en haalde er drie retourbiljetten naar Camden, New Jersey uit. 'MacDonald is 's avonds meestal te vinden in Del Rossi's Dance Hall. Die tent vind je in de wijk Gloucester.'

'Hoe ziet die man eruit?' vroeg Weeks.

'Je kunt hem niet missen, evenmin als een lawine,' zei O'Shay.

'En nu opschieten!' beval Commodore Tommy. 'En kom pas terug als hij dood is.'

'Wanneer krijgen we betaald?' vroeg Weeks.

'Als hij dood is.'

De huurmoordenaars vertrokken naar de spoorpont.

O'Shay haalde een dikke envelop uit zijn overjas en telde vijftig biljetten van honderd dollar uit op het houten bureau van Tommy Thompson, die het geld natelde en de stapel in zijn broekzak propte.

'Aangenaam zakendoen.'

'Ik kan die Chinese kerels ook gebruiken.'

Commodore Tommy keek hem vragend aan. 'Welke kerels bedoel je, Brian O'Shay?'

'De heren van Hip Sing.'

'Hoe weet jij in hemelsnaam wie dat zijn?'

'Laat je niet in de maling nemen door goed geklede knapen, Tommy. Ik ben je voor, en dat zal altijd zo blijven.'

O'Shay draaide zich op zijn hakken om en verdween uit de saloon.

Tommy Thompson knipte met zijn vingers. Een jongen die Paddy de Rat werd genoemd verscheen via een zijdeur. De knaap was mager en grauw. Op straat was hij nauwelijks zichtbaar, als het ongedierte dat hij als bijnaam had. 'Volg O'Shay en kijk wat hij uitspookt en waar hij ergens naar binnen gaat.'

Paddy de Rat volgde O'Shay door 39th Street. De fraaie overjas en bontmuts vormden een opvallend contrast met de armoedige kleren van de mensen op de morsige keien. O'Shay kruiste Tenth Avenue en Ninth Avenue, waar hij behendig een dronken kerel ontweek die hem uit de schaduwen van het spoorwegviaduct belaagde. Even voorbij

Seventh bleef hij staan voor een autoverhuurbedrijf en hij tuurde door het venster naar binnen.

Paddy sloop dichterbij naar een span trekpaarden. Zich verstoppend achter de grote paarden die hij aaide om ze kalm te houden, piekerde hij wat te doen. Hoe kon hij blijven schaduwen als O'Shay hier een auto huurde?

Maar O'Shay draaide zich met een ruk om en liep snel verder.

Paddy voelde zich steeds minder op zijn gemak, naarmate de buurt van karakter veranderde. Nieuwe gebouwen rezen hoog op: hotels en kantoren. Het Metropolitan Opera House doemde op als een paleis. Als politieagenten hem hier zagen, dan kon hij opgepakt worden omdat hij niets te zoeken had in deze dure buurt. O'Shay was dicht bij Broadway, en opeens was hij verdwenen.

Paddy de Rat begon wanhopig te rennen. Hij kon niet terugkomen bij de Commodore zonder het adres van O'Shay. Met een zucht van opluchting zag hij de man weer, verdwijnend in een steeg naast een theater in aanbouw. Aan het einde van de steeg zag hij de gestalte in de lange donkere jas nog net om de hoek verdwijnen. Paddy draafde door de steeg en wilde de hoek omslaan, toen hij door een harde vuistslag werd geraakt en in de modder viel.

O'Shay boog zich over hem. Paddy de Rat zag even metaal glinsteren. Een scherpe pijn leek te exploderen in zijn rechteroog. Hij besefte meteen wat O'Shay had gedaan en schreeuwde het uit.

'Doe je hand open!' beval O'Shay.

Toen hij dat niet meteen deed, prikte de stalen naald in zijn andere oog. 'Dit oog ben je ook kwijt, als je je hand niet opent.'

Paddy de Rat opende zijn hand. Hij huiverde toen hij voelde dat O'Shay iets ronds en vreselijks in zijn handpalm drukte en zijn vingers er bijna zorgzaam omheen sloot. 'Geef dit aan Tommy.'

* * *

O'Shay liet de jongen snikkend achter in de steeg en keerde terug naar 39th Street. Hij bleef lange tijd roerloos als een standbeeld in de schaduwen staan, tot hij zeker wist dat de kleine rat geen kameraad op de uitkijk had staan. Daarna liep hij verder, voortdurend op zijn hoede, over Fifth Avenue in de richting van het centrum, steeds attent op spiegelbeelden in de etalageruiten.

Een verkeersagent met een grote snor commandeerde dat een vrachtwagen moest stoppen, zodat de goedgeklede heer 34th Street kon oversteken.

Portiers in blauw uniform met gouden tressen, waar de kapitein van een groot oorlogsschip jaloers op kon zijn, maakten een buiging toen de elegant geklede heer voor de ingang verscheen.

O'Shay beantwoordde hun begroeting en beende het Waldorf Astoria Hotel in.

10

Isaac Bell zag de rode zakdoek van John Scully vastgebonden aan een heg. Hij stuurde de Locomobile een smalle weg in en liet het gaspedaal los, voor het eerst sinds hij uit Weehawken was vertrokken. Het donderende geraas van de uitlaat zwakte af tot een zacht gerommel.

Hij stuurde de auto de steile helling op en reed een eind verder langs kale akkers, wachtend tot ze werden ingezaaid in de lente. De slimme Scully had ergens een melktruck gevonden, en dat was het soort voertuig dat niet opviel op de wegen in het landelijk buitengebied van New Jersey. Bell parkeerde de Locomobile achter de truck, zodat hij niet gezien werd vanaf de weg. Hij nam zijn golftas van de bijrijdersstoel en liep ermee naar de top van de heuvel, waar hij plat in het dorre gras ging liggen.

De laconieke Scully was een gezette kleine man met een vollemaansgezicht en hij kon een priester zijn, een winkelier, een brandkastkraker of een moordenaar. Dertig pond vet verborg een gespierd gestel en zijn openhartige glimlach maskeerde zijn snelle reflexen. Hij had een verrekijker op een huis onder aan de heuvel gericht. Rook kringelde uit de schoorsteen boven de keuken. Een grote Marmon-autobus stond naast het huis geparkeerd, stoffig en bemodderd.

'Wat zit er in die tas?' vroeg Scully bij wijze van begroeting aan Bell.

'Vijf schietijzers,' grinnikte Bell en hij pakte twee Browning Auto-5 pistolen uit de golftas. 'Hoeveel mensen zijn er in dat huis?'

'Alle drie.'

'Woont er iemand?'

'Er kwam geen rook uit de schoorsteen voordat ze arriveerden.'

Bell knikte instemmend. Er zouden geen onschuldigen betrokken raken bij een vuurgevecht. Scully gaf de verrekijker aan Bell. Hij tuurde naar het huis en de grote bus. 'Is dat de Marmon die ze in Ohio gestolen hebben?'

'Het kan ook een andere bus zijn.'

'Hoe kwam je deze lieden op het spoor?'

'Ik dacht aan jouw opmerking over hun eerste overval. Hun echte naam is Williard, en als jij en ik maar half zo slim waren als we denken te zijn, dan waren we daar een maand geleden al achter gekomen.'

'Dat moet ik wel beamen,' zei Bell. 'Zullen we om te beginnen die auto maar eens saboteren?'

'Vanaf deze afstand kunnen we die bus nooit raken.'

Bell haalde een ouderwets .50 kaliber Sharps buffelgeweer uit zijn golftas. John Scully's ogen begonnen te stralen. 'Waar heb je dat ding vandaan?'

'Een collega nam het in beslag van een dronken kerel op Times Square.' Bell laadde het wapen met een patroon en richtte het zware geweer op de Marmon.

'Probeer niet die bus in brand te schieten, want hun buit zit erin,' waarschuwde Scully.

'Ik maak alleen het starten wat lastiger.'

'Wacht even, wat komt daar aanrijden?'

Een zescilinder K Ford naderde over de hobbelige weg naar de boerderij. Een zoeklicht was op de radiator gemonteerd.

'Allemachtig, dat is Oom Agent,' begreep Scully.

Twee mannen met sheriffsterren op hun jas stapten uit de Ford. Ze droegen rieten manden en liepen naar de boerderij. Scully tuurde door zijn verrekijker. 'Ze brengen proviand. Twee man meer maakt in totaal vijf.'

'Heb je ruimte in je melktruck?'

'Als we ze tegen elkaar proppen.'

'Zullen we even wachten tot ze hun aandacht op het eten hebben gericht?'

'Dat is een goed idee,' zei Scully, terwijl hij de boerderij bleef observeren.

Bell keek naar de landweg voor de hoeve en de omgeving, om zeker te zijn dat er niet nog meer mensen in aantocht waren.

Hij vroeg zich af waar Dorothy Langner het geld vandaan had gehaald om een piano voor haar vader te kopen, toen hem te binnen schoot dat ze het instrument pas kort geleden aan hem gegeven had.

Scully was spraakzamer dan gewoonlijk. 'Weet je Isaac,' zei hij, wijzend naar de boerderij en de twee auto's, 'voor dit soort klussen zou het mooi zijn als iemand een lichtgewicht machinegeweer had uitgevonden, zodat het gemakkelijk mee te sjouwen is.'

'Je bedoelt een 'sub'-machinegeweer?'

'Juist. Een submachinegeweer. Maar hoe moet je water meezeulen om de loop te koelen?'

'Koelen is niet nodig als je munitie voor pistolen gebruikt.'

Scully knikte bedachtzaam. 'Een trommelmagazijn zou het wapen compact houden.'

'Zullen we beginnen met de show?' vroeg Bell, en hij bracht de Sharps in de aanslag. Beide detectives keken even naar het bos waar de Frye Boys naartoe zouden vluchten, als Bell de auto's onklaar had gemaakt.

'Ik ga eerst naar de flank,' zei Scully. Hij voegde de daad bij het woord en daalde de helling af, nagekeken door Bell. Scully zwaaide toen hij zijn positie had bereikt.

Bell steunde met zijn ellebogen op de grond en spande de trekker. Hij keek door het vizier van de Sharps en richtte op de motor van de Marmon. Langzaam haalde hij de trekker over. De inslag van een zware patroon deed de Marmon schommelen op de vier wielen. De knal van het geweer echode en een zwarte rookwolk spoot uit de loop. Bell herlaadde het wapen en vuurde voor de tweede keer. Weer schommelde de Marmon, en een voorband werd lek geschoten. Bell richtte op de politieauto.

Verbijsterde agenten kwamen zwaaiend met pistolen uit het huis. De bankrovers bleven binnen. Uit de ramen werden geweerlopen naar buiten gestoken. Een kogelregen werd afgevuurd in de richting van de zwarte rook die uit de loop van Isaac Bells Sharps wolkte.

Bell negeerde de langs zijn hoofd zoemende patronen en herlaadde het enkelschots Sharps geweer behendig om ermee op de Ford te vuren. Stoom spoot uit de nog hete radiator. De beide auto's waren uitgeschakeld en de bandieten konden alleen lopend wegkomen.

De drie bankrovers kwamen in het wilde weg schietend uit de boerderij naar buiten.

Bell herlaadde en vuurde, herlaadde en vuurde. Een geweer werd in de lucht geworpen en de schutter wankelde naar zijn arm grijpend. Een andere man draaide zich om en draafde naar het bos. Een fel salvo, afgevuurd door Scully, bracht hem op andere gedachten. Hij bleef met een ruk staan, keek vertwijfeld om zich heen en gooide zijn wapen op de grond voordat hij zijn handen omhoog stak. De agenten met hun pistolen in de hand, bleven als versteend staan. Bell kwam overeind en richtte de Sharps door de zwarte rook. Scully kwam met zijn wapen in de aanslag dichterbij.

'Ik heb een twaalfschots automatisch wapen!' riep Scully nonchalant. 'En meneer daar op de heuvel heeft een Sharps-geweer. Dus hoog tijd dat jullie je verstandig gedragen.'

De agenten lieten hun pistolen vallen. De derde Fryebandiet klikte een nieuw magazijn aan zijn Winchester en richtte zorgvuldig. Bell zag de schutter in zijn vizier, maar Scully schoot als eerste, met de loop wat omhoog om groter bereik te krijgen. De patronen raakten verspreid door de grote afstand, en de meeste projectielen misten doel. Twee welgemikte kogels troffen de man in zijn schouder.

* * *

Geen van beide mannen was dodelijk gewond. Bell controleerde of ze niet zouden doodbloeden, en deed hen handboeien om, voordat ze bij de andere kerels in Scully's melktruck werden opgesloten. Even later reden ze de heuvel af, Scully bestuurde de truck en Bell volgde in zijn Locomobile. Toen ze bij Cranbury Turnpike kwamen verschenen Mike en Eddie, door Van Dorn gestuurd om te helpen, in een Oldsmobile en de karavaan reed verder in de richting van Trenton, om de bankrovers en de corrupte sheriffs over te dragen aan justitie.

Twee uur later, in de buurt van Trenton, zag Bell een bord langs de weg dat zijn fotografische geheugen activeerde. Op het bord waren de namen van steden en wegen te lezen, met pijlen die naar het zuiden wezen: Hamilton Turnpike, de Bordentown Road, de Burlington Pike en de Westfield Turnpike naar Camden.

Arthur Langner had afspraken genoteerd op een kalender aan de wand. Twee dagen voor zijn dood had hij een ontmoeting met Alasdair MacDonald, de specialist op het gebied van turbine-voortstuwing, die ingehuurd was door de afdeling stoomaandrijving van de marine. Het bureau van MacDonald was gevestigd in Camden.

Dorothy Langner had gezegd dat haar vader van zijn kanonnen hield. Zoals Farley Kent van zijn rompvormen hield. En Alasdair MacDonald van zijn turbines. Ze had MacDonald een tovenaar genoemd, en daarmee bedoelde ze dat hij even deskundig was als haar vader. Bell vroeg zich af wat de twee mannen nog meer gemeen hadden.

Hij kneep in de rubber bal van de claxon. De Oldsmobile en de melktruck remden meteen en kwamen tot stilstand. 'Ik moet iemand spreken in Camden,' zei Bell tegen Scully.

'Heb je hulp nodig?'

'Ja. Als dit gezelschap boeven is afgeleverd, kun je dan naar de Brooklyn marinewerf rijden? In de tekenkamer werkt Farley Kent, een scheepsbouwarchitect. Kijk of hij daar is.'

Bell stuurde de Locomobile verder naar het zuiden.

* * *

Langs de weg zag Isaac Bell een groot reclamebord met de tekst: 'De wereld vertrouwt op materiaal uit Camden'. Hij naderde de industriestad, op de oostelijke oever van de Delawarerivier, tegenover Philadelphia. Hij reed langs fabrieken waar allerlei producten werden gemaakt: van sigaren tot geneesmiddelen, van linoleum tot aardewerk en soep. Maar de scheepswerf domineerde alles. De New York Shipbuilding Company, zoals de werf vreemd genoeg heette, strekte zich uit langs de Delaware en Newton Creek, met overdekte dokken en enorme hijskranen die hoog oprezen in de rokerige lucht. Aan de overzijde van de rivier waren de werven van Cramp Shipbuilders en de Philadelphia marinewerf.

Het werd al schemerig toen Bell de MacDonald Marine Steam Turbine Company gevonden had, meer landinwaarts van de rivier, te midden van allerlei kleine bedrijven die speciale onderdelen leverden aan de scheepswerf. Hij parkeerde de Locomobile voor de hoofdingang en vroeg Alasdair MacDonald te spreken. Maar MacDonald was niet aanwezig. Een vriendelijke kantoorbediende zei: 'U kunt de professor in Gloucester City vinden, een paar blokken hier vandaan.'

'Waarom noemt u hem professor?' vroeg Bell.

'Omdat hij zo slim is. Hij werd opgeleid door de uitvinder van de scheepsturbine, Charles Parsons, die een revolutie veroorzaakte in de voortstuwing van snelle schepen. Toen de professor naar Amerika emigreerde wist hij meer van turbines dan Parsons zelf.'

'En waar kan ik hem in Gloucester City vinden?'

'In Del Rossi's Dance Hall. Niet dat hij zelf danst. Het is meer een kroeg dan een dancing, als u begrijpt wat ik bedoel.'

'Ik heb dergelijke gelegenheden in het westen wel vaker bezocht,' zei Bell droog.

'Het is voorbij King Street, u kunt het niet missen.'

Gloucester City was stroomafwaarts van Camden, maar de steden gingen naadloos in elkaar over. King Street was dicht bij het water. Saloons, kroegen en pensions boden vertier en onderdak voor de werkers van de scheepswerven en de havenarbeiders. Del Rossi was gemakkelijk te vinden, zoals de kantoorbediende had gezegd, met een opvallende voorgevel die de indruk moest wekken dat er een Broadwaytheater was gevestigd.

Binnen was een oorverdovend kabaal, met de hardste pianomuziek die Bell ooit had gehoord, vrouwen lachten schril en zwetende barkeepers sloegen de hals van flessen om sneller te kunnen schenken. Er waren zeelieden en arbeiders van de scheepswerven, minstens vijfhonderd, die vastberaden leken als eerste dronken te worden. Bell nam de omgeving in zich op en hij keek langs de menigte met rood aangelopen gezichten. De bezoekers van de saloon waren allemaal in hemdsmouwen, behalve hijzelf, in zijn witte kostuum, een keurige heer

78

met zilvergrijs haar en een rode pandjesjas, die vermoedelijk de eigenaar was, en een drietal goedgeklede gangsters met paarse shirts, felgekleurde vesten en gestreepte stropdassen. Bell kon hun schoenen niet zien, maar vermoedde dat ze geel waren.

Hij werkte zich door de menigte naar de man in de pandjesjas.

'Meneer Del Rossi!' riep Bell, zijn hand uitstekend.

'Goedenavond, heer. Noem mij gewoon Angelo.'

'Isaac.'

Ze schudden elkaar de hand. Del Rossi had een zachte hand, maar getekend door hard werken bij de schepen in zijn jeugd.

'Het is druk, vanavond.'

'Ja, dankzij die nieuwe marine. Zo gaat het hier elke avond. De New York Ship laat volgende maand de Michigan te water, en de kiel is alweer gelegd voor een snelle mijnenveger. Aan de overkant van de rivier wordt bij de Philadelphiawerf een nieuw droogdok gebouwd, Cramp lanceert de South Carolina deze zomer en daar is al een contract getekend voor grote mijnenvegers. Maar wat kan ik voor u betekenen?'

'Ik ben op zoek naar een heer met de naam Alasdair MacDonald.'

Del Rossi fronste. 'De professor? Ga dan maar af op het geluid van vuisten die op krakende kaken slaan,' antwoordde hij, met een hoofdknik naar de verste hoek vanaf de deur.

'Excuseer mij, dan kan ik beter meteen daarheen gaan, voordat iemand hem tegen de vloer slaat.'

'Dat zal niet gauw gebeuren, want hij was zwaargewicht kampioen bij de marine.'

Bell monsterde MacDonald, terwijl hij zich een weg baande door de menigte. De grote Schot leek hem meteen sympathiek: hij was ergens in de veertig, lang en met een open houding. Zijn spieren waren zichtbaar onder zijn shirt, dat doorweekt was van transpiratie. Boven zijn wenkbrauwen had hij enkele littekens, maar verder was zijn gezicht gaaf. Hij had enorme handen met grote knokkels. In zijn ene hand hield hij een glas en in zijn andere hand een whiskyfles. Terwijl Bell dichterbij kwam schonk hij het glas vol en zette de fles weer op de bar. Zijn blik was strak op de mensen gericht. Opeens werd ruimte gemaakt en een grote kerel beende naar MacDonald met een moord-lustige blik in zijn ogen. MacDonald zag de belager naderen en hij glimlachte even, alsof ze allebei aan een goede grap dachten. Hij nam een slok whisky en sloot ongehaast zijn hand tot een enorme vuist, om dan razendsnel toe te slaan. Het gebeurde zo snel dat Bell het amper kon volgen.

De belager zakte in elkaar op de met zaagsel bestrooide vloer. Mac-Donald keek meewarig op hem neer. Met een zwaar Schots accent zei MacDonald: 'Jake, vriend, je bent een prima kerel, tot je te veel gezopen hebt.' Aan de groep omstanders vroeg hij: 'Kan iemand hem naar huis brengen?'

De vrienden van Jake droegen hem weg. Bell stelde zich voor aan Alasdair MacDonald, die kennelijk meer aangeschoten was dan aan zijn uiterlijk te zien was.

'Ken ik jou, maat?'

'Isaac Bell,' herhaalde hij. 'Dorothy Langner vertelde mij dat je een goede vriend van haar vader was.'

'Dat was ik zeker. Arme Artie. Zoals hij was er maar één. Neem een borrel.'

MacDonald vroeg om een glas, vulde het tot de rand en gaf het aan Bell, met de Schotse toost: *'Slanj.'*

'Slanj-uh va,' proostte Bell en hij sloeg de sterke drank op dezelfde manier als MacDonald achterover.

'Hoe gaat het met haar?'

'Dorothy blijft hopen dat haar vader geen zelfmoord pleegde, en dat hij ook geen steekpenningen heeft aangenomen.'

'Ik weet niet of hij zichzelf gedood heeft. Stille wateren, diepe gron-den. Maar een ding weet ik wel: Arthur zou nog eerder zijn hand onder een stanspers leggen dan smeergeld aannemen.'

'Werkten jullie intensief samen?'

'We hadden bewondering voor elkaar.'

'Maar jullie hadden toch dezelfde doelen?'

'We vonden allebei oorlogsschepen geweldig, als je dat bedoelt. Wat je ook van die schuiten vindt, het zijn wel wonderen van techniek.'

Bell merkte op dat MacDonald, dronken of niet, zijn vragen behendig ontweek. 'Ik vermoed dat je de opbouw van de Grote Witte Vloot met belangstelling volgt?'

Alasdair snoof verachtelijk. 'De overwinning op zee behaal je met munitie, bepantsering en snelheid. Je moet verder kunnen schieten dan de vijand, meer kunnen incasseren en sneller varen. En wat dat betreft is de Grote Witte Vloot hopeloos verouderd.'

Hij schonk meer whisky in Bell's glas en vulde zijn eigen glas. 'De Engelse marineschepen en de Duitse kopieën daarvan hebben geschut met groter bereik, de bepantsering is dikker en ze kunnen heel snel varen. Onze vloot is niets meer dan het oude Atlantische eskader dat we een beetje opgepept hebben. Het zijn eigenlijk pre-oorlogsschepen.'

'En wat is dan het verschil?'

'Een pre-oorlogsbodem is te vergelijken met een middelgewicht bokser die de sport op school leerde. Hij heeft niets te zoeken in de wedstrijdring om daar tegen Jack Johnson te vechten.' MacDonald grinnikte uitdagend naar Bell. De Schot was zeker veertig kilo zwaarder dan Bell.

'Tenzij hij leerling was in de West Side van Chicago,' antwoordde Bell.

'En een paar kilo extra spiermassa had gekweekt,' beaamde Mac-Donald.

Hoewel het onmogelijk leek klonk de piano opeens nog luider. Iemand beukte op een trommel. De bezoekers weken uiteen om Angelo Del Rossi door te laten naar het lage podium tegenover de bar. Uit zijn pandjesjas haalde hij een dirigeerstok te voorschijn.

Kelners en uitsmijters legden hun dienbladen en kaartspellen neer om banjo's, gitaren en accordeons te pakken. Serveersters sprongen op het podium en gooiden hun schorten weg, zodat hun rokken te zien waren: zo kort dat de politie hen meteen zou arresteren als er een inval werd gedaan. Del Rossi hief zijn dirigeerstok op. De muzikanten begonnen *Come on Down* van George M. Cohan te spelen, en de dames dansten een uitstekende imitatie van de Parijse cancan.

'Je vertelde iets?' schreeuwde Bell.

'Waarover?'

'Over die oorlogsbodems, waar jij en de Gunner...'

'Ja! Neem bijvoorbeeld de Michigan. Als die boot helemaal klaar is, dan staat daar het beste wapentuig ter wereld aan dek. Al het geschut is gemonteerd op verhoogde platforms. Maar het flinterdunne pantser en de krakkemikkige scheepsmotoren maken er op zijn best een semi-oorlogsbodem van. Dus een geschikt oefendoelwit voor de Duitse en Engelse marine.'

MacDonald leegde zijn glas.

'Daarom is het vreselijk dat we zo'n geweldige wapenontwerper als Artie Langner moeten missen. De technische dienst heeft een hekel aan veranderingen, maar Artie forceerde verbeteringen... Nee, dit is een treurige maand voor de Amerikaanse oorlogsschepen.'

'Afgezien van Langners dood?' vroeg Bell meteen.

'De Gunner was de eerste overledene. Een week later verloren we Chad Gordon, onze pantserexpert bij de Bethlehem staalfabriek. Een afschuwelijk ongeluk. Zes mannen verbrandden levend: Chad en zijn naaste assistenten. En vorige week is Grover Langwood van een rotswand gevallen. Hij was de beste op het gebied van brandbestrijding. En bovendien een geweldige vent. Met hem was de toekomst veelbelovend, maar hij is omgekomen bij een onnozele klimpartij.'

'Wacht even,' zei Bell. 'Is het echt waar dat drie specialisten op het gebied van oorlogsschepen de afgelopen maand gestorven zijn?'

'Dat klinkt wel sinister, nietwaar?' MacDonald sloeg met zijn grote hand een kruis op zijn borst. 'Ik denk niet dat onze vloot behekst is, maar voor de Amerikaanse marine hoop ik vurig dat Farley Kent en Ron Wheeler niet de volgende slachtoffers zijn.'

'Scheepsrompen op de marinewerf in Brooklyn,' begreep Bell, 'en torpedo's in Newport.'

MacDonald keek hem onderzoekend aan. 'Jij bent aardig op de hoogte.'

'Dorothy Langner noemde Kent en Wheeler, en ik veronderstelde dat ze Langners rivalen waren.'

'Rivalen?' herhaalde MacDonald lachend. 'Dat is nu juist de grap als het om verbeteringen in de oorlogsvloot gaat. Snap je dat niet?'

'Nee. Wat bedoel je?'

'Nou, Farley Kent ontwerpt waterdichte compartimenten om de

romp te beschermen tegen torpedo's. Maar in Newport verbetert Ron Wheeler torpedo's: uitgerust met zwaardere explosieven en een groter bereik. Dus Artie moet – moest – het schietbereik van het geschut vergroten om een vijandelijke schip verder weg te raken, en Chad Gordon moest weer sterkere bepantsering ontwerpen om de voltreffers te weerstaan. Je zou ervan aan de drank raken…'

MacDonald vulde beide glazen weer. 'De hemel mag weten hoe we verder moeten zonder die kerels.'

'Maar je zei dat snelheid ook van vitaal belang is. Hoe zit het dan met jouw werk bij de ontwikkeling van stoomaandrijving?' vroeg Bell. 'Men zegt dat jij een tovenaar bent met turbines. Zou het verlies van Alasdair MacDonald niet een even grote slag zijn voor de marine?'

MacDonald begon te lachen. 'Ik ben onverwoestbaar.'

Onder de bezoekers brak weer een knokpartij uit.

'Excuseer me even, Isaac,' zei MacDonald en hij verdween in het publiek.

Bell volgde hem en werkte zich met zijn schouders door het gedrang. De opvallend geklede gangsters die hij bij zijn binnenkomst had gezien stonden ook in een kring juichende mannen. MacDonald wisselde vuistslagen uit met een jonge zwaargewicht, met armen als een hoefsmid en behendig voetenwerk. De Schot leek trager dan de jongeman. Maar Bell zag dat Alasdair MacDonald zijn tegenstander toestond te slaan zodat hij kon inschatten hoe sterk hij was. Dat gebeurde zo subtiel dat de slagen die hij incasseerde geen schade aanrichtten. Maar opeens leek Alasdair genoeg te weten. Opeens werd hij razendsnel en trefzeker maakte hij zijn combinaties. Bell zag dat de Schot een veel betere techniek had dan zijn tegenstander.

De jongeman wankelde. MacDonald gaf hem de genadeklap met een upper cut, die niet harder was dan noodzakelijk. Daarna hielp hij de man overeind, gaf hem een klap op zijn schouder en riep zo luid dat iedereen het kon horen: 'Goed gedaan, jongen. Ik had alleen meer geluk… Isaac, zag je het voetenwerk van deze man? Denk je ook dat hij een prima toekomst in de ring heeft?'

'Hij zou Jim Corbett in zijn beste dagen nog verslaan.'

De jonge bokser accepteerde het compliment met een starre glimlach.

83

MacDonald, die rusteloos langs de gezichten bleef kijken, zag dat de gangster doelbewust in zijn richting kwamen. 'Daar komen nog twee kandidaten. Geen tijd om even uit te rusten. Mij best, heren. Kom maar op.'

De gangsters waren geen groentjes, maar MacDonald kon hun aanvallen gemakkelijk afweren. De tegenstanders bewogen zelfverzekerd en ze gebruikten hun vuisten goed. En als ze een aanval deden was meteen duidelijk dat ze niet voor de eerste keer als team werkten. Bell vermoedde dat ze ervaren straatvechters waren, opgegroeid in een achterbuurt waar ze zich met vechten omhoog hadden gewerkt in de rangen van een bende. Nu waren ze volleerde gangsters, en ze waren kennelijk in de stemming om ruzie te maken. Bell deed een paar stappen dichterbij, voor het geval de situatie uit de hand zou lopen.

Grove verwensingen naar Alasdair MacDonald schreeuwend vielen de gangsters hem tegelijk van beide kanten aan. En de aanval werd zo venijnig ingezet dat de Schot kwaad werd. Zijn gezicht liep rood aan, hij deed alsof hij achteruit deinsde, om dan toe te slaan met een krachtige linkse en een verwoestende rechtse. Een gangster wankelde achteruit, bloed spoot uit zijn neus. De andere gangster kromp ineen en greep naar zijn oor.

Bell zag opeens metaal blinken achter Alasdair MacDonald.

11

Isaac Bell trok razendsnel zijn tweeschots derringer uit zijn hoed en vuurde op de derde gangster die met een mes naar de rug van Alasdair MacDonald wilde steken. De afstand was gering, en de afgeschoten .44 kogels stopten de aanvaller meteen. Het mes viel uit zijn hand. De bezoekers in de saloon zochten meteen dekking na de luide knal, maar de gangster met de bloedende neus zwaaide met een mes naar de buik van de Schot.

MacDonald leek verbluft, nu het opstootje in een dodelijke dreiging was veranderd.

Isaac Bell besefte dat hij getuige was van een opzettelijke moordaanslag. Een vluchtende bezoeker blokkeerde zijn blikveld. Bell duwde de man opzij en vuurde weer. In het voorhoofd van de aanvaller met het mes was opeens een rood gat. Het mes was amper enkele centimeters van Alasdair MacDonalds broekriem.

Bells derringer was leeg.

De andere aanvaller, die op de grond lag, kwam achter MacDonald overeind en zo soepel dat hij kennelijk geen hinder had van de vuistslag tegen zijn oor. De man knipte een mes open. Bell trok zijn Browning No. 2 halfautomatische revolver onder zijn jas vandaan. De andere man haalde uit met het mes naar de rug van MacDonald. Bell hield zijn wapen dicht bij zijn lichaam, en vuurde. Hij wist dat hij de aanvaller met een schot in het hoofd gedood zou hebben, als niet iemand tegen hem aanbotste op het moment dat hij de trekker overhaalde.

Toch was het schot niet helemaal mis: de kogel doorboorde de rechterschouder van de gangster, al werd de man daardoor niet uitgeschakeld. De gangster wankelde door de inslag van de .380 patroon, maar omdat hij linkshandig was kon hij met het mes in de brede rug van Alasdair MacDonald steken.

MacDonald leek verbluft. Hij keek Bell aan, op het moment dat de detective hem opving in zijn armen. 'Ze proberen me te vermoorden,' stamelde MacDonald verbaasd.

Bell liet het opeens zware lichaam zakken op de vloer. Hij knielde naast MacDonald in het zaagsel. 'Haal een dokter!' schreeuwde Bell. 'En een ambulance.'

'Kameraad...'

'Niet praten,' zei Bell.

Bloed stroomde zo snel uit de wond dat het zaagsel erop dreef.

'Geef me je hand, Isaac.'

Bell pakte de grote uitgestrekte hand vast.

'Geef me je hand,' herhaalde MacDonald.

'Ik heb je hand vast, Alasdair... *Haal een dokter!*'

Angelo Del Rossi knielde naast hen. 'Een arts is onderweg. En hij is heel goed. Het komt allemaal goed, professor. Ja toch, Bell?'

'Jazeker,' loog Bell.

MacDonald klemde Bells hand krampachtig vast en hij fluisterde iets wat Bell niet kon verstaan. Bell boog zich dieper over de gewonde man. 'Wat zei je, Alasdair?'

'Luister...'

'Ik hoor niets?'

De grote Schot bleef zwijgen. Bell fluisterde in zijn oor. 'Ze hadden het speciaal op jou gemunt, Alasdair. Maar waarom?'

MacDonald opende zijn ogen. Hij leek opeens weer alert en fluisterde: 'Hull 44.'

'Wat bedoel je?'

MacDonald sloot zijn ogen, alsof hij in slaap viel.

'Ik ben arts, opzij alstublieft.'

Bell maakte plaats voor de jonge arts die kordaat de pols van MacDonald controleerde. 'Zijn hartslag is zo regelmatig als een stationsklok. Een ambulance is al onderweg hierheen. We moeten hem met een paar man dragen.'

'Ik doe het wel,' zei Bell.

'Hij weegt meer dan honderd kilo!'

Isaac Bell nam de gevallen bokser in zijn armen en kwam overeind. Hij droeg MacDonald naar buiten en wachtte op de ambulance. Politieagenten hielden de toeschouwers op afstand. Een rechercheur vroeg Bell naar zijn naam.

'Isaac Bell, van detectivebureau Van Dorn.'

'Dat was me wel een schietpartij, daar binnen, meneer Bell.'

'Herkende u de dode mannen?'

'Nooit eerder gezien.'

'Dus komen niet uit Camden? Uit Philadelphia?'

'Ze hadden treinkaartjes uit New York in hun zak. Mag ik weten hoe u hierbij betrokken raakte?'

'Ik zal alles wat ik weet vertellen, al is dat niet veel. Maar eerst moet deze man naar het ziekenhuis.'

'Ik verwacht u op het hoofdbureau. Zeg tegen de agent bij de balie dat u Barney George wil spreken.'

Een ambulance was gemonteerd op het chassis van het nieuwe Model T Ford en de auto stopte voor de saloon. Toen MacDonald door Bell in de ambulance werd gedragen klemde de bokser zijn hand weer stevig vast. Bell klom ook in de ambulance, naast de dokter, en ze reden naar het ziekenhuis. Terwijl een chirurg bezig was met de Schot telefoneerde Bell met New York om John Scully te waarschuwen dat hij rompontwerper Farley Kent moest bewaken en dat er medewerkers naar het marine torpedocentrum in Newport gestuurd moesten worden om Ron Wheeler te beveiligen.

Drie mannen die een centrale rol speelden bij de ontwikkeling van Amerikaanse oorlogsbodems waren dood, en voor het leven van de vierde werd gevreesd. Maar als Bell geen getuige was geweest van de aanslag op Alasdair MacDonald, dan werd het incident waarschijnlijk opgevat als een gewone vechtpartij in een saloon, in plaats van een doelgerichte moordaanslag. Het was mogelijk dat Langner vermoord werd. En als de explosie bij de staalfabriek in Bethlehem, waarover

MacDonald had verteld, geen ongeluk was? Zou het dodelijke klim-ongeval in Westchester ook moord zijn?

Bell bleef de hele nacht en de volgende ochtend naast het bed van MacDonald waken. Opeens, om twaalf uur, zoog Alasdair MacDo-nald zijn brede borstkas vol lucht en hij blies de adem langzaam uit. Bell schreeuwde dat een dokter moest komen, maar hij wist al dat het zinloos was. Teleurgesteld en kwaad ging Bell naar het hoofdbureau van politie in Camden en hij rapporteerde aan rechercheur George wat zijn rol was geweest bij het tevergeefs verijdelen van de aanslag op MacDonald.

'Hebben jullie een of meer van de gebruikte messen in beslag ge-nomen?' vroeg Bell tot besluit.

'Ja, alle drie.' George liet de messen aan Bell zien. Alasdair Mac-Donalds opgedroogde bloed kleefde nog aan het lemmet waarmee hij dodelijk gewond was geraakt. 'Merkwaardige messen, nietwaar?'

Bell pakte een mes op waaraan geen bloed kleefde en bekeek het onderzoekend. 'Dit zijn vlindermessen.'

'Wat?'

'Het is een Duits type klapmes. Gebaseerd op een Balisong-vlinder-mes. Tamelijk zeldzaam buiten de Filippijnen.'

'Nee maar. Zoiets heb ik nooit eerder gezien. Duitse makelij?'

Bell wees op het merk dat in het lemmet was gestanst. 'Bontgen & Sabin, Solingen. De vraag is alleen waar ze deze messen gevonden hebben.'

Bell keek de rechercheur strak aan. 'Hoeveel geld zat er in de zak-ken van die gangsters?'

Rechercheur George keek weg. Hij begon druk door zijn handge-schreven aantekeningen te bladeren. 'Aha, hier staat het: minder dan tien dollar.'

Met kille ogen en grimmige stem zei Bell: 'Het interesseert mij niet wat er mogelijk zoekgeraakt is voordat het als bewijsmateriaal is ge-noteerd. Maar het exacte bedrag – dus contant geld – in hun zakken, is een aanwijzing of ze werden betaald voor de moord. En dat bedrag, onder ons gezegd en gezwegen, is een belangrijke aanwijzing in mijn onderzoek.'

De politieman deed weer alsof hij zijn aantekeningen doorlas. 'Een man had acht dollar en enkele dubbeltjes. De andere zeven dollar, een stuiver en een cent.'

Isaac Bell keek naar de vlindermessen in zijn hand. Met een snelle polsbeweging klapte hij het mes open. Het metaal glansde als ijs. Bell leek te peinzen waar hij het mes voor zou gebruiken. Rechercheur Georges was wel in zijn eigen werkkamer, maar hij likte nerveus langs zijn lippen.

'Een arbeider verdient ongeveer vijfhonderd dollar per jaar. Een jaarsalaris lijk me een redelijke beloning voor een gewetenloze kerel die een huurmoord wil plegen. En daarom is het voor mij belangrijk te weten of de twee kerels die het niet meer kunnen navertellen een dergelijk bedrag bij zich hadden.'

Rechercheur George slaakte een zucht van opluchting. 'Ik kan u verzekeren dat geen van beiden zo'n groot bedrag bij zich had.'

Bell staarde hem aan. George leek voldaan dat hij niet gelogen had. Na een korte stilte vroeg Bell: 'Is het bezwaarlijk als ik een van deze messen meeneem?'

'Dan moet u wel voor ontvangst tekenen. Maar niet het mes waarmee MacDonald werd gedood. Dat is nodig voor de rechtszaak, als we de opdrachtgever ooit vinden, en dat is niet waarschijnlijk. Tenzij hij terugkeert naar Camden.'

'Hij komt zeker terug,' verklaarde Isaac Bell. 'Geboeid en gekneveld.'

12

'Guts' Dave Kelly, de kerel die jij een kogel tussen zijn ogen schoot, en 'Blood Bucket' Dick Butler kregen hun instructies van Irv Weeks, die de 'Iceman' wordt genoemd omdat zijn blauwe ogen koud als ijs zijn, en zijn hart en ziel zijn even ijzig. Aangezien Weeks veel slimmer is dan Kelly en Butler, en zoals jij beschreef hoe hij op de achtergrond zijn kans af wachtte, durf ik te wedden dat Weeks degene was die ontsnapte.'

'Met mijn kogel in zijn schouder.'

'Die Iceman is een geharde kerel. Als hij niet gestorven is aan die schotwond, dan is hij zeker op een goederentrein gesprongen en laat hij de kogel in New York verwijderen.'

Harry Warren, bij Van Dorn de specialist op het gebied van criminele bendes in New York, was na Bells telefoontje met de trein naar Camden gekomen en meteen naar het lijkenhuis gegaan, waar hij de moordenaars identificeerde als leden van de Hell's Kitchen Gopher Bende. Warren trof Bell daarna op het politiebureau. De beide detectives overlegden in een hoek van de werkkamer van de rechercheur.

'Harry, wie zou die kerels helemaal naar Camden sturen?'

'Tommy Thompson, ook bekend als de "Commodore" is de baas van de Gophers.'

'En regelt hij ook huurmoorden?'

'Tommy doet alles wat jij maar kunt bedenken. De gangsters kregen mogelijk zelf een opdracht, maar dan moeten ze een deel van de beloning afstaan aan Tommy. Heeft de politie in Camden veel contant geld aangetroffen in de zakken van de gangsters? Of moet ik zeggen: gaven ze later toe dat er veel geld was gevonden?'

'De politie beweert dat ze geen geld vonden,' antwoordde Bell. 'Ik heb duidelijk gemaakt dat wij op grotere vissen jagen dan stelende agenten, en ik ben er tamelijk zeker van dat de gangsters inderdaad weinig geld op zak hadden. Misschien zouden ze pas later betaald worden. En mogelijk hield de baas het grootste deel voor zichzelf.'

'Allebei kan ook.' Harry Warren dacht even na. 'Toch is het vreemd, Isaac. Die gangsters blijven meestal in hun eigen omgeving. Ik zei al dat Tommy alles doet voor geld, maar Gophers zijn niet gewend zich buiten bekend gebied te wagen. De meesten zouden de weg naar Brooklyn niet vinden, laat staan dat ze over de staatsgrens gaan.'

'Zoek uit waarom ze dat nu wel deden.'

'Dat zal ik doen en ik laat Weeks oppakken, zodra ik weet waar hij zich ergens schuilhoudt.'

'Je moet hem niet arresteren. Laat mij naar hem toegaan.'

'Zoals je wilt, Isaac. Maar je moet niet te veel verwachten. Niemand houdt administratie bij van dit soort zaakjes. En het kan ook iets persoonlijks zijn. Misschien bemoeide MacDonald zich te veel met iemand of was hij beledigend.'

'Heb je ooit gehoord dat een gangster in New York een vlindermes gebruikte?'

'Je bedoelt zo'n Filippijns knipmes?'

Bell liet hem het vlindermes zien.

'Ja, er was een kerel die aanmonsterde bij het leger om uit handen van de politie te blijven. Hij raakte betrokken bij de opstand op de Filippijnen en bracht zo'n mes mee naar huis en vermoordde een pokeraar die hem nog geld schuldig was. Althans, dat werd gezegd maar ik wil wedden dat het om cocaïne ging. Je weet hoe paranoia ze van dat spul worden.'

'Met andere woorden: een vlindermes is niet bepaald gebruikelijk in New York?'

'Nee, dat was de enige zaak, voor zover ik weet.'

* * *

Bell reisde zo snel mogelijk naar New York.

Hij huurde een chauffeur en een mecanicien om zijn Locomobile terug te rijden en ging zelf met de trein. Een sloep van de politie, ter beschikking gesteld door rechercheur George die hem graag hielp snel te verdwijnen uit Camden, bracht Bell over de Delaware rivier naar Philadelphia, waar hij op de Pennsylvania-sneltrein stapte. Toen hij in het Knickerbocker Hotel arriveerde scheen de avondzon nog op het groene koperen dak, maar dichter bij de straat was de Franse renaissancegevel al schemerig.

Hij telefoneerde met Van Dorn in Washington.

'Prima werk met die Frye Boys,' luidde de begroeting van Van Dorn. 'Ik heb zojuist geluncht met de officier van justitie en hij is zeer tevreden.'

'Je kunt beter John Scully bedanken, want ik heb hem alleen een handje geholpen.'

'Hoelang moeten we nog volhouden dat Langner geen zelfmoord pleegde?'

'Deze zaak is veel groter dan Langner,' zei Bell en hij vertelde aan Van Dorn wat er inmiddels duidelijk was geworden.

'Vier moorden?' zei Van Dorn ongelovig.

'Eén moord staat vast, want ik was getuige. En vermoedelijk is Langner ook vermoord.'

'Als je die Cruson geloofwaardig vindt.'

'We moeten de andere moorden ook nog onderzoeken.'

'Deze zaken houden allemaal verband met oorlogsschepen?' vroeg Van Dorn ongelovig.

'Alle slachtoffers werkten aan de ontwikkeling van oorlogsbodems.'

'En als ze inderdaad slachtoffer van moord zijn, wie zit daar dan achter?'

'Dat weet ik niet.'

'En je weet waarschijnlijk ook niet wat het motief is?'

'Nog niet.'

Van Dorn slaakte een zucht. 'Wat heb je nodig, Isaac?'

'Farley en Wheeler moeten door onze mensen beschermd worden.'

'En bij wie kan ik de rekening indienen?'

'Wacht daarmee tot we weten wie de opdrachtgever is,' antwoordde Bell droog.

'Leuk hoor. Wat heb je nog meer nodig?'

* * *

Bell gaf instructies aan medewerkers die door Van Dorn beschikbaar gesteld werden. Voorlopig, had de chef eraan toegevoegd. Daarna ging hij met de metro naar het centrum en reisde met een tram verder over Brooklyn Bridge. John Scully wachtte op hem in een lunchroom in Sand Street, op een steenworp afstand van de Brooklyn marinewerf.

Het werd langzaam drukker in het goedkope restaurant, omdat de werkdag voorbij was voor de dagploegen op de werf en in de bedrijven in de buurt. Ketelbouwers, tanktesters, koperslagers, pijpfitters, loodgieters en machinisten kwamen binnen voor een maaltijd.

'Kelly is bijna onafgebroken aan het werk,' zei Scully. 'Hij is toegewijd als een missionaris. Ik heb gehoord dat hij altijd aan zijn tekentafel zit, en hij overnacht meestal in de slaapkamer naast zijn werkkamer.'

'Waar verblijft hij tijdens andere nachten?'

'In Hotel St. George, als een zekere dame uit Washington hier op bezoek is.'

'Wie is die dame?'

'Dat is nogal eigenaardig: ze is de dochter van de kerel die gedood werd door zijn exploderende piano.'

'Dorothy Langner?'

'Ja. Wat denk je daarvan??'

'Dat die Farley Kent een geluksvogel is.'

* * *

De Brooklyn marinewerf lag op de oever van een wijde baai in de East River, tussen de Brooklyn Bridge en de Williams Bridge. De werf heette officieel de New York Navy Yard en was ingericht om oorlogsschepen te bouwen. In de werkplaatsen, smederijen, op de scheepshellingen en in de droogdokken werkten zesduizend arbeiders. Het terrein was twee keer zo groot als de marinewerf in Washington en het werd omringd door een stenen muur met ijzeren toegangspoorten. Isaac Bell toonde zijn pasje bij de poort in Sand Street. Aan weerszijden van het hek stonden twee gebeeldhouwde adelaars.

Hij vond de werkkamer van Farley Kent in een gebouw dat klein leek naast de enorme loodsen en hoge hijskranen. De avond maakte de hoge ramen donker en de tekenaars werkten in het licht van elektrische lampen. Kent was nog jong: amper dertig jaar oud. De ontwerper was diep geschokt door de dood van Alasdair MacDonald, en hij beweerde dat de Amerikaanse ontwikkeling van turbines voor grote schepen tot stilstand zou komen. 'Het zal heel lang duren voordat onze marine moderne turbines in onze oorlogsschepen kan installeren.'

'Wat betekent Hull 44?' vroeg Bell.

Kent keek opzij. 'Hull 44?' herhaalde hij.

'Alasdair MacDonald maakte duidelijk dat het belangrijk is.'

'Ik vrees dat ik niet weet wat u bedoelt.'

'MacDonald sprak vrijuit over Arthur Langner, Ron Wheeler en Chad Gordon. En over u. Het is wel duidelijk dat jullie nauw met elkaar samenwerkten. Dus ik weet wel zeker dat u weet wat Hull 44 betekent.'

'Ik heb al gezegd dat ik niet weet wat u bedoelt.'

Bell keek de man voor hem strak aan. Kent wendde zijn blik af.

'De laatste woorden van uw stervende vriend waren "Hull 44". Als hij niet gestorven was, zou hij mij gezegd hebben wat hij daarmee bedoelde. Maar nu wil ik dat van u horen.'

'Dat kan niet... Ik weet het niet.'

Bells gezicht werd nog dwingender en leek gebeiteld uit steen. 'Die sterke man hield mijn hand vast, alsof hij een kind was. En hij probeerde mij duidelijk te maken waarom hij vermoord werd. Hij kon echter geen woord meer uitbrengen. U wel. Dus vertel op!'

Kent rende weg naar de gang en riep op bewakers.

Zes mariniers leidden Bell tot buiten de poort. De sergeant bleef beleefd, maar was niet onder de indruk van Bells pasje. 'Ik adviseer u telefonisch een afspraak te maken met de commandant van deze basis.'

Scully wachtte op Bell in de lunchroom. 'Eet ook wat. Ik kijk wel uit naar Kent.'

'Over een kwartier vertel ik je meer.'

Bell kon zich niet herinneren wanneer hij voor het laatst gegeten had. Hij pakte net een sandwich van zijn bord, toen Scully zijn stoel met een ruk naar achteren schoof en naar de deur wees. 'Kent kwam zojuist door het hek, alsof hij het favoriete renpaard van de Kentucky Derby is. Hij loopt naar het oosten door Sand Street. Hij draagt een bolhoed en een bruine overjas.'

'Ik zie hem.'

'Hij loopt in de richting van het Hotel St. George. Kennelijk is die dame weer in de stad. Ik zal naar het hotel lopen, voor het geval jij hem kwijtraakt.' Zonder het antwoord van Bell af te wachten, verdween Scully door de deur naar buiten.

Bell volgde Kent. Hij was een half huizenblok achter de man, afgeschermd door de passanten die in en uit de saloons en restaurants kwamen. De bolhoed van de marinearchitect was gemakkelijk te volgen tussen de mannen die meestal linnen petten droegen. En de bruine overjas stak af tegen de donkere mantels en grauwe vesten.

Sand Street loopt door een wijk met werkplaatsen en magazijnen, tussen de marinewerf en Brooklyn Bridge. De kille en vochtige avondlucht voerde geuren mee van chocola, gebrande koffiebonen, kolenrook, zout en het scherpe aroma van de elektrische vonken die wegspatten van de bovenleiding van de trams. Bell zag de vele saloons en gokhallen, die konden rivaliseren met de Barbary Coast bij San Francisco.

Kent verraste hem bij het enorme Sand Street Station, waar trams en verhoogde spoorbanen bij elkaar kwamen voor Brooklyn Bridge. In plaats van onder het station verder te lopen in de richting van Hotel St. George, dook de scheepsarchitect plotseling weg naar een opening in de stenen helling naar Brooklyn Bridge en hij haastte zich de trap op. Bell sprong weg voor een tram en zette de achtervolging in. Een stroom mensen kwam hem tegemoet op de trappen en belemmerde het zicht. Hij werkte zich tussen de mensen door naar boven. Daar zag hij Farley Kent in de richting van Manhattan lopen, op de houten promenade in het midden van de brug. Dus hij was niet op weg naar zijn vriendin in Hotel St. George.

De houten promenade werd geflankeerd door spoorrails en een trolleybaan. Het was spitsuur en de mannen keerden van hun werk in Manhattan lopend naar huis terug. Treinen en trams raasden voorbij. De wagons waren overvol met forensen, en Bell – die vele jaren criminelen te paard had achtervolgd over de open vlakten in het westen – begreep dat veel mensen de voorkeur gaven aan een wandeling in de kou, ondanks het voortdurende knarsen en piepen van de treinwielen.

Kent keek snel achterom over zijn schouder. Bell nam zijn breedgerande witte hoed af en probeerde steeds uit het zicht te blijven tussen de passanten. De man voor hem haastte zich tegen de stroom voetgangers in, met gebogen hoofd, het panorama met de wolkenkrabbers van New York negerend, evenals het twinkelende tapijt van rode, groene en witte lichtjes van de sleepboten, schoeners, stoomschepen en veerboten die tachtig meter onder de brug over de East River voeren.

De trappen aan de kant van Manhattan leidden naar het City Hall-district. Zodra Kent het trottoir bereikte draaide hij zich op zijn hielen om en keerde terug naar de rivier die hij zojuist gepasseerd had. Bell volgde hem, zich afvragend wat Kent van plan was, toen hij dichterbij de waterkant kwam. Langs South Street, de weg onder de brug en parallel aan de East River, was een woud van masten en boegsprieten. Pieren met daarop loodsen waren uitgebouwd in de rivier, en daar lagen driemasters, stoomschepen met hoge schoorstenen en binnenvaartschepen afgemeerd.

Kent liep in de richting van het centrum, weg van Brooklyn Bridge. Hij liep snel en keek niet om. Toen hij bij Catherine Slip kwam liep hij weer naar het water. Bell zag koopvaardijschepen die met dekkranen gelost werden. Pallets met goederen werden uit het ruim van de schepen naar de kade gehesen. Sjouwerlieden brachten de goederen naar de loodsen. Kent liep langs de vrachtschepen naar een lang en ongewoon smal stoomjacht, dat niet zichtbaar was vanaf South Street.

Bell keek toe vanaf de hoek van een loods. Het slanke jacht, minstens dertig meter lang, had een witgeverfde stalen romp, een hoge stuurhut midscheeps en op het achterdek een schoorsteen. Ondanks de zakelijke vorm was het schip luxueus afgewerkt met koperwerk en gevernist mahonie. Tussen de grote roestige vrachtschepen was de slanke boot goed verborgen, oordeelde Bell.

Farley Kent stapte met enkele snelle passen over de loopplank. Licht straalde uit patrijspoorten in de flank. Kent bonsde op een deur, die geopend werd en even stroomde licht naar buiten, voordat hij verdween en de deur weer gesloten werd. Bell kwam meteen weer in beweging. Hij zette zijn hoed op en liep met grote passen over de pier. Een dekmatroos op een van de vrachtschepen keek naar hem. Bell keek strak terug en knikte even. De matroos keek weg. Bell zag dat er niemand aan dek van het stoomjacht was en hij liep zonder geluid te maken over de loopplank en ging met zijn rug tegen de wand van de kajuit staan.

Hij zette zijn hoed weer af en tuurde door een patrijspoort die op een kier stond om te ventileren. De kajuit was klein maar luxueus ingericht. Koperen scheepslampen wierpen een warme gloed op de mahonie betimmering. Bell zag een wandkast met daarin kristallen glazen en karaffen in rekken, een hoefijzervormige groene leren zitbank rond een eettafel, en een spreekbuis om met andere delen van het schip te communiceren. Een schilderij van Henry Reuterdahl verbeeldde de Grote Witte Vloot.

Kent werkte zich uit zijn overjas. Een gedrongen atletische marineofficier met een kaarsrechte houding en kapiteinsstrepen op zijn schouders keek toe. Bell kon het gezicht van de marineman niet zien, maar hij hoorde Kent kwaad zeggen: 'Die vervloekte detective wist precies wat hij moest vragen.'

'Wat heb je tegen hem gezegd?' vroeg de kapitein bedaard.

'Niets. Ik heb hem van het terrein laten verwijderen. Wat een brutale bemoeial!'

'Heb je er niet aan gedacht dat zijn bezoek te maken had met Alasdair MacDonald?'

'Ik wist niet wat ik op dat moment moest denken. Hij maakte me bloednerveus.'

De kapitein pakte een fles uit de wandkast en schonk een glas in. Hij gaf het aan Kent en eindelijk kon Bell het gezicht van de man zien. Hij herkende het jeugdige en stoere gezicht dat tien jaar eerder in elke krant en tijdschrift was afgebeeld, met ontzag voor de heldendaden verricht in de Spaans-Amerikaanse oorlog.

'Wel heb ik ooit…' mompelde Bell voor zich uit.

Hij opende de kajuitdeur en stapte naar binnen.

Farley Kent sprong verschrikt op. De marinekapitein bleef kalm en keek de rijzige detective alleen afwachtend aan.

'Welkom aan boord, meneer Bell. Ik hoorde het vreselijke nieuws uit Camden, en hoopte al dat u de weg hierheen zou vinden.'

'Wat betekent Hull 44?'

'Een betere vraag is waarom Hull 44,' antwoordde kapitein Lowell Falconer, de Held van Santiago.

Hij stak zijn hand uit, waaraan twee vingers ontbraken, als gevolg van een granaatexplosie.

Bell drukte de kapitein de hand. 'Het is een eer kennis met u te maken.'

Kapitein Falconer gaf een bevel in spreekbuis. 'Trossen los.'

13

Voetstappen bonkten op het dek. Een luitenant verscheen in de deuropening en begon druk met Falconer te praten. 'Farley,' riep hij, 'jij kunt wel teruggaan naar je loft.' De scheepsarchitect verdween zonder een woord. Falconer zei: 'Wacht hier, Bell. Ik kom zo terug.' Hij ging met de luitenant naar buiten.

Bell had het schilderij van Reuterdahl met de Grote Witte Vloot eerder gezien op het omslag van de januari editie van Collier's Magazine. De vloot lag voor anker in de haven van Rio de Janeiro. Een inlandse boot werd naar de helderwitte romp van het geankerde vlaggenschip *Connecticut* geroeid, en er was een reclame te lezen:

American Drinks
Square Deal at
JS Guvidor

Rook en schaduw in een donkere hoek van het zonnige haventafereel verduisterden het zicht op de slanke grijze romp van een Duits slagschip.

Het dek bewoog onder Bells voeten. Het stoomjacht voer achteruit weg van de pier naar East River. Toen de schroeven begonnen te draaien en de boot stroomafwaarts voer, voelde Bell geen trillingen, en hij hoorde geen enkel geluid van de machine. Kapitein Falconer kwam de kajuit weer in en Bell keek zijn gastheer verbaasd aan. 'Ik was nooit eerder op zo'n soepel varend stoomjacht.'

Falconer grinnikte trots. 'Turbines,' zei hij. 'We hebben drie turbines en die drijven negen schroeven aan.'

Hij wees naar een ander schilderij, dat Bell niet door de patrijspoort had gezien. Het was een afbeelding van de Turbinia, het befaamde experimentele schip, aangedreven door turbines, waarmee de leermeester van Alasdair MacDonald snel gevaren had tijdens een internationale vlootbijeenkomst bij Spitshead, om te laten zien waartoe turbines in staat waren.

'Charles Parsons liet niets aan het toeval over. Voor het geval er iets mis zou gaan met de Turbinia had hij een tweede schip gebouwd, met de naam Dyname. Heeft u Grieks geleerd op school?'

'Het resultaat van samenwerkende krachten.'

'Heel goed! De Dyname is eigenlijk het grote zusterschip van de Turbinia, een stuk breder en gebaseerd op de torpedoschepen van de jaren negentig. Ik heb dat schip laten verbouwen tot jacht, en de stookplaatsen geschikt gemaakt voor olie, zodat er veel ruimte beschikbaar kwam in de oude kolenbunkers. De arme Alasdair gebruikte de boot als testvaartuig en hij bracht veranderingen aan in de turbines. Dankzij hem is het brandstofverbruik minder, ook al is het schip breder dan de Turbinia en toch vaart het sneller.'

'Hoe snel?'

Falconer legde liefdevol zijn hand op het glanzende mahonie van de Dyname en grinnikte weer. 'U zou me niet geloven als ik dat zeg.'

De rijzige detective lachte ook. 'Ik wil best wel even sturen.'

'Wacht even tot we uit de drukte zijn. Ik durf niet snel te varen in de haven.'

Het jacht stoomde over East River naar Upper Bay en de snelheid werd dramatisch opgevoerd. 'Dat gaat hard,' merkte Bell op.

Falconer grijnsde: 'We houden de teugels nog strak tot we op open zee zijn.'

De lichtjes van Manhattan Island vervaagden achter het stoomjacht. Een steward verscheen en plaatste gedekte schalen op tafel. Kapitein Falconer gebaarde dat Bell tegenover hem moest gaan zitten.

Maar Bell bleef staan en vroeg: 'Wat betekent Hull 44?'

'Laten we samen dineren, dan vertel ik terwijl naar volle zee varen het geheim van het waarom van Hull 44.'

Falconer begon met een herhaling van Alasdair MacDonalds klaagzang. 'Tien jaar geleden is Duitsland begonnen met het organiseren van een moderne marine.

In hetzelfde jaar dat wij de Filippijnen veroverden en het koninkrijk Hawaii annexeerden. Nu beschikken de Duitsers over slagschepen. De Engelsen hebben ook slagschepen, en de Japanners zijn bezig die te bouwen of aan te schaffen. Dus als de marine van de Verenigde Staten aan een verre missie begint om de nieuwe territoriale gebieden in de Grote Oceaan te verdedigen, dan zijn we zwakker dan de Duitsers, de Britten en Japan.'

Kapitein Falconer raakte zo op dreef dat hij zijn biefstuk onaangeroerd liet en hij vertelde over de droom achter Hull 44. 'Aan de wedstrijd naar betere slagschepen gaat altijd de algemene overtuiging vooraf dat er niets nieuws onder de zon is. Voordat de Britten de HMS Dreadnought in de vaart brachten, stonden twee eigenschappen van oorlogsbodems in steen gebeiteld. Het duurde jaren om een dergelijk schip te bouwen en het moest uitgerust worden met allerlei geschut om zich te verdedigen. Maar de HMS Dreadnought heeft alleen zware kanonnen aan boord en het werd in een jaar gebouwd. Dat veranderde de wereld voorgoed. Hull 44 is mijn antwoord. Het antwoord van Amerika. Ik recruteerde de beste ontwerpers van marineschepen. En ik spoorde hen aan hun uiterste best te doen! Mannen zoals Artie Langner, de 'Gunner', en Alasdair, die u al ontmoet heeft.'

'En zag sterven,' vulde Bell grimmig aan.

'Het waren artiesten, allemaal. Maar zoals elke kunstenaar pasten ze niet in de samenleving. Het waren bohémiens, excentriekelingen, of ze waren eigenlijk gek. Niet het soort mannen dat in de normale marine past. Maar dankzij mijn gestoorde genieën werden nieuwe ideeën bedacht en oude ontwerpen verbeterd. Hull 44 zal een slagschip worden, zoals nooit eerder de zeeën bevoer. Een Amerikaans wonder van techniek dat de Britse Dreadnought zal verslaan en de Duitse Nassau en de Posen. Dat geldt ook voor alles wat Japan in de vaart kan brengen. Waarom schudt u uw hoofd, meneer Bell?'

'Dat is te veel om geheim te houden. U bent kennelijk een welgesteld man, maar niemand is zo rijk dat hij zijn eigen slagschip kan bezitten. Waar haalt u het geld vandaan om Hull 44 te bouwen? Iemand op een hoge post zal dat zeker weten.'

Kapitein Falconer antwoordde ontwijkend. 'Elf jaar geleden had ik het voorrecht de onderminister van marine te adviseren.'

'Bully!' Bell glimlachte begrijpend. Dat verklaarde de onafhankelijkheid van Lowell Falconer. Tegenwoordig was die onderminister van marine niemand minder dan de kampioen van een sterke marine: president Theodore Roosevelt.

'De president vindt dat onze marine uniek moet zijn. Laat het leger de havens maar verdedigen, en desnoods maken we voor hen ook de kanonnen. Maar de marine moet op zee strijden.'

'Voor zover ik wat gezien heb bij de marine,' zei Bell, 'moet u eerst tegen de marine zelf vechten. En om die strijd te winnen moet u zo slim zijn als Machiavelli.'

'O, maar dat ben ik ook,' glimlachte Falconer. 'Al gebruik ik dan liever het woord "sluw" dan slim.'

'Bent u nog in actieve dienst?'

'Officieel ben ik bijzonder inspecteur voor schietoefeningen.'

'Dat is wel een vage titel,' oordeelde Bell.

'Ik weet hoe ik bureaucraten te slim af moet zijn,' antwoordde Falconer gepikeerd. 'En ik weet de weg in het Congres,' vervolgde hij met een cynische glimlach. Hij hield zijn verminkte hand omhoog. 'Welke politicus durft een oorlogsheld te negeren?'

Daarna vertelde hij gedetailleerd hoe hij een kader van gelijkgestemde jonge officieren op sleutelposities bij het ministerie had gemanoeuvreerd. Het gezamenlijke doel was het hele systeem voor de bouw van marineschepen te hervormen.

'Lopen wij inderdaad zo ver achter als Alasdair MacDonald beweerde?'

'Ja. Volgende maand wordt de Michigan te water gelaten, maar dat stelt weinig voor. De Delaware, North Dakota, Utah, Florida, Arkansas en Wyoming, allemaal eersteklas oorlogsbodems zijn nog niet verder dan de tekentafel. Maar dat is niet alleen een nadeel. De verbeteringen voor de strijd op zee gaan zo snel, dat hoe later wij onze slagschepen te water laten, des te moderner zullen ze zijn. We hebben al geleerd van de gebreken aan de Grote Witte Vloot, lang voordat de schepen in San Francisco arriveerden. Het eerste wat in de haven zal gebeuren is de rompen grijs verven, zodat ze minder gemakkelijk een doelwit voor de vijand zijn. Overschilderen is niet moeilijk. Voordat we onze nieuwste kennis kunnen toepassen in marineschepen moeten we eerst de adviesraad en het Congres overtuigen. De adviesraad heeft een grondige hekel aan veranderingen, en de banken hebben een hekel aan hoge kosten.'

Falconer knikte naar het schilderij van Reuterdahl. 'Mijn vriend Henry heeft een vinger achter de deur. De marineleiding vroeg hem zeegezichten te schilderen, maar ze hadden nooit verwacht dat hij ook artikelen zou publiceren in McClure's Magazine om het publiek te informeren over de gebreken van die schepen. Henry mag blij zijn als ze hem naar huis laten gaan. Maar Henry heeft gelijk, en ik ook: het is goed om van fouten en door ervaring te leren. Het is echter verkeerd om niet naar verbetering te streven. En daarom werk ik in het geheim.'

'U heeft me wel verteld waarom, maar niet waar het over gaat.'

'Niet zo ongeduldig, meneer Bell.'

'Iemand werd vermoord,' antwoordde Bell grimmig. 'En als mannen vermoord worden, dan heb ik geen geduld.'

'U zei "mannen".' Kapitein Falconer keek Bell strak aan en vroeg: 'Wilt u daarmee beweren dat Langner ook vermoord werd?'

'Dat lijkt mij steeds waarschijnlijker.'

'En wat denkt u van de dood van Grover Lakewood?'

'Detectives van Van Dorn zijn in Westchester om die zaak te onderzoeken. En in Bethlehem doen we onderzoek naar het ongeluk waarbij Chad Gordon gedood werd. Gaat u mij nu eindelijk iets vertellen over Hull 44?'

'Laten we aan dek gaan. Dan begrijpt u beter wat ik bedoel.'

De snelheid van de Dyname nam voortdurend toe, maar er was nog steeds geen trilling van de motoren te horen. Alleen het suizen van de wind en de geluiden van het langs stromende water. De steward en een matroos brachten laarzen en oliejassen. 'Dit kunt u beter aantrekken, want als we eenmaal op snelheid zijn, dan lijkt dit vaartuig eerder een torpedo.'

'Welnee,' bromde de matroos. 'Eerder een onderzeeboot.'

Falconer gaf een duikbril met donkere glazen aan Bell en hij zette zelf ook een duikbril op.

'Waar is dat voor nodig?'

'U zult blij zijn met die oogbescherming, als het nodig is,' antwoordde de kapitein raadselachtig. 'Alles klaar? Laten we dan naar de brug gaan, nu dat nog kan.' De matroos en de steward maakten de deur open en ze gingen aan dek.

De wind sloeg als een vuistslag in hun gezicht.

Bell werkte zich naar voren over het smalle gangboord, amper twee meter boven het snelstromende water. 'We moeten zeker dertig knopen vaart maken.'

'Dit is nog niets,' riep Falconer boven het gehuil van de wind uit. 'We gaan pas echt snel varen als we voorbij Sandy Hook zijn.'

Bell keek achterom. Vonken schoten omhoog uit de schoorsteen en er was zoveel schuim in het kielzog dat het oplichtte in de duisternis. Ze klommen naar de open brug, waar dikke glasplaten beschutting gaven aan de roerganger die een klein gespaakt stuurwiel hanteerde. Kapitein Falconer duwde de man opzij.

Voor het schip knipperde elke vijftien seconden een wit licht.

'Dat is het lichtschip Sandy Hook,' zei kapitein Falconer. 'Volgend jaar zien we dat niet meer, dan wordt het licht verplaatst naar de ingang van de nieuwe vaargeul Ambrose Channel.'

De Dyname stoomde recht naar het licht dat elke vijftien seconden flitste. Bell kon de witte letters "Sandy Hook" en "No. 51" onderscheiden in de nagloed toen ze snel langs het zwarte lichtschip passeerden.

'Hou je vast!' waarschuwde kapitein Falconer.

Zijn hand met ontbrekende vingers sloot zich om een hendel. 'Via een Bowdenkabel rechtstreeks in verbinding met de turbines. Hetzelfde soort kabel als tegenwoordig gebruikt wordt voor fietsremmen. Ik kan de turbines direct bedienen, zonder hulp van een machinist. Zoals je gas geeft in een auto.'

'Was dat ook een idee van Alasdair?' vroeg Bell.

'Nee, ik heb het bedacht. Wat Alasdair heeft uitgevonden zullen we spoedig ervaren.'

14

Bell greep een handvat toen de boeg van de Dyname oprees boven het water. Het gebulder van de wind en de zee zwol aan. Buiswater sloeg tegen het glazen scherm. Kapitein Falconer deed een schijnwerper op de voorsteven aan. Meteen werd duidelijk waarom de romp van het stoomjacht zo slank was. In het licht waren bijna drie meter hoge golven zichtbaar die met een snelheid van vijftig knopen doorsneden werden. Elke andere rompvorm zou aan stukken slaan tegen de massieve golven.

'Heeft u ooit zo snel gereisd?' riep Falconer.

'Alleen met mijn Locomobile.'

'Wilt u even sturen?'

Isaac Bell nam het roer over.

'Ontwijk de hoogste golven,' waarschuwde Falconer. 'Want als de boeg onder water verdwijnt dan stuwen de negen scheepsschroeven ons naar de zeebodem.'

Het slanke stoomjacht gehoorzaamde het roer opmerkelijk goed, voelde Bell. Hij kon met een lichte beweging van het stuurwiel de koers snel naar links of naar rechts verleggen. De hoge golven ontweek hij behendig en hij kreeg meer gevoel voor de bewegingen van het dertig meter lange jacht. In een halfuur waren ze meer dan vijfentwintig mijl uit de kust.

Bell zag een lichtflits in de verte. Even later klonk een rommelend geluid als van onweer door de nacht.

'Zijn dat kanonnen?' vroeg Bell.

'Twaalfponders,' knikte Falconer. 'Ziet u die lichtflitsen?'

Oranje en rode vlammen schoten door het duister voor hen.

'Die hoge fluittonen worden veroorzaakt door zes- en achtponders. We zijn in het gebied van de Atlantische schietbaan bij Sandy Hook.'

'In dat gebied? Terwijl er geschoten wordt?'

'Als de kat van huis is, spelen de muizen. De senior kapiteins varen rond de wereld met de Vloot. Mijn jongens leren het vak nu op de schietbaan.'

Sterke lichtbundels zwenkten langs de hemel.

'Dat is een oefening met zoeklichten,' verduidelijkte Falconer. 'Slagschepen die jacht maken op kruisers en omgekeerd.'

Opeens kwamen de lichtbundels samen en werden gericht op een slagschip dat eerst onzichtbaar was in het donker. Het schip met de witte romp werd hel verlicht, alsof het klaarlichte dag was.

'Kijk! Dat zei ik. Daar is de New Hampshire. Die boot was nog niet klaar toen de Vloot vertrok. Let op wat er bij het voorschip gebeurt.'

De lichtbundels beschenen de brekende golven bij de boeg van het slagschip en zeewater spoelde over het geschut op het voordek.

'De dekken staan blank, terwijl de zee tamelijk kalm is. Het geschut staat onder water. We moeten schepen bouwen met meer vrijboord en een slankere boeg. Onze nieuwste oorlogsbodem heeft nota bene een ramboeg, alsof we oorlog gaan voeren met de Feniciërs!'

Bell zag een golf tegen de ankerplaat slaan en het voorschip verdween in een waternevel.

'Kijk eens hoe die boot rolt. Ziet u dat geschut omhoog komen? Zo meteen rolt het schip terug en verdwijnt het wapentuig onder water. Als we de bepantsering van het onderwaterschip niet groter maken, dan kan de vijand wel kleine jongens in dienst nemen om die boten met proppenschieters tot zinken te brengen.'

Een zoeklicht zwenkte in hun richting priemend door de duisternis als een boze witte vinger.

'Brillen opzetten!'

Bell beschermde zijn ogen net op tijd met de donkere bril. Een ogenblik later en het licht dat op de Dyname werd gericht zou hem verblind hebben. Maar door de donkere glazen kon hij alles scherp als bij daglicht zien.

'Die zoeklichten zijn even gevaarlijk als kanonnen,' schreeuwde Falconer. 'Op de brug raakt iedereen gedesoriënteerd en verblind.'

'Waarom worden die schijnwerpers op ons gericht?'

'Zo gaat het spel. Ze proberen mij in het nauw te drijven, en dat is een goede oefening. En als de lichtbundel eenmaal op je gericht is, dan raak je die niet meer kwijt.'

'Is dat zo? Let op, kapitein.'

Bell trok de gashendel met een ruk terug, De Dyname kwam stil te liggen, alsof het jacht tegen een muur was gevaren. Het zoeklicht zwaaide verder in de richting die het schip eerst volgde. Bell draaide met beide handen aan het stuurwiel. De lichtbundel zwenkte weer terug. Bell duwde de gashendel een beetje naar voren en stuurde het jacht scherp naar rechts, wachtend tot de scheepsschroeven weer vat op het water kregen. Dan drukte hij de hendel weer helemaal naar voren. Vonken en vlammen rezen op boven de schoorsteen. De Dyname schoot als een raket naar voren, en het zoeklicht zwaaide in de verkeerde richting over de zee.

'Kapitein, u heeft me al verteld en getoond hoe we varen, maar nog altijd is me niet duidelijk waaróm dat gebeurt.'

'We zetten nu koers naar de Brooklyn marinewerf.'

* * *

Een nieuwe dag verlichtte de toppen van de torens van de Brooklyn Bridge toen de Dyname weer over East River voer. Bell stond nog steeds aan het roer, hij stuurde onder de brug door en dan naar rechts, naar de marinewerf. Vanaf het water zag hij de schepen in aanbouw op de werven en in de dokken. Falconer wees naar de kade en via de spreekbuis gaf hij opdracht de motor in vrijloop te zetten. Het was doodtij en de Dyname dreef tot aan de werf, waar de rails tot in het water reikten. Op de werf was een gigantisch frame te zien, deels bedekt met staalplaten.

'Ziedaar Hull 44, meneer Bell.'

Isaac Bell keek met ontzag naar het indrukwekkende gevaarte in aanbouw. Hoewel er nog veel bepantsering moest worden aangebracht, was de majestueuze boeg al zichtbaar, en alles maakte duidelijk dat dit schip ernaar verlangde te varen met een vermogen dat nog niet vrijgelaten was.

'Bedenk wel dat dit schip officieel niet bestaat.'

'Hoe kan een schip met een lengte van bijna tweehonderd meter geheim gehouden worden?'

'De romp lijkt op een ontwerp dat is goedgekeurd door het Congres,' verduidelijkte kapitein Falconer met een knipoog. 'Maar in werkelijkheid zijn allerlei splinternieuwe ideeën in dit schip verwerkt, van de masttop tot de kiel. De modernste turbines, kanonnen, bescherming tegen torpedo's en brandbestrijding zijn in dit ontwerp verwerkt. Maar het belangrijkste is wel dat dit schip zo is ontworpen dat vernieuwingen mogelijk blijven. Hull 44 is meer dan een schip. Het is een model voor een nieuwe klasse en een prototype van een veel modernere en machtiger super oorlogsbodem.'

Falconer zweeg even om zijn woorden te laten bezinken. Om er dan nadrukkelijk en veelbetekenend aan toe te voegen: 'En daarom is Hull 44 een doelwit voor spionnen.'

Isaac Bell keek de kapitein koel aan.

'En dat vindt u verrassend?' vroeg hij kortaf.

Isaac Bell kreeg er genoeg van dat Falconer niet het achterste van zijn tong liet zien. Hij was onder de indruk van het schip in aanbouw en hij had genoten van de snelle vaartocht, maar hij had zijn tijd toch beter kunnen besteden met verder speuren naar de man die Alasdair MacDonald had vermoord.

Falconer bond in toen hij de koele vraag van Bell had gehoord.

'Uiteraard wordt er door elke natie gespioneerd,' moest de kapitein toegeven. 'En zeker als een land een eigen marinewerf heeft, of voldoende geld om spionnen in te huren. Hoe ver zijn de bondgenoten en de vijand wat betreft de bewapening, de bepantsering en de voorstuwing? Welke nieuwe uitvindingen kan een slagschip kwetsbaar maken? Welk geschut heeft een groter bereik? Welke torpedo's komen verder? En wiens machines zijn beter, welke bepantsering is sterker?'

'Dat zijn goede vragen,' moest Bell erkennen, 'en het is normaal dat een land ook in vredestijd om nadere informatie vraagt.'

'Maar het is zeker niet normaal,' reageerde Falconer fel, 'en ook niet rechtmatig dat een land in vredestijd sabotage pleegt.'

'Wacht even. Sabotage? Er is geen bewijs van sabotage in deze moordzaken. Er is ook geen schade aangericht, afgezien van het ongeluk in Bethlehem.'

'Welnee, er is wel degelijk schade. En als ik het sabotage noem, dan is het ook sabotage.'

'Waarom zou een spion een moord plegen? Dat trekt toch de aandacht naar zijn spionagepraktijken?'

'Ze hebben mij ook om de tuin geleid,' verzuchtte kapitein Falconer. 'Ik vreesde dat Artie Langner steekpenningen had aangenomen, en uit wroeging zelfmoord had gepleegd. En daarna dacht ik dat Grover Lakewood door een speling van het lot was gevallen tijdens zijn klimtocht. Maar na de moord op Alasdair MacDonald begreep ik dat het sabotage is. Hij besefte het zelf ook, want zijn laatste woorden waren toch "Hull 44"?'

'Dat heb ik u verteld,' beaamde Bell.

'Begrijpt u het nog niet, Bell? Ze saboteren Hull 44 door de bedenkers te doden. Ze vallen de geesten aan die de kennis hebben voor de bewapening, de bepantsering en de voortstuwing. Kijk eens verder dan staal en pantser. Hull 44 is niets meer dan een idee in het brein van de ontwerpers. En die kennis in wording is uitgeschakeld. Als saboteurs onze intelligentie vernietigen, dan worden nieuwe ideeën en gedachten ook vernietigd. Zo worden onze toekomstige schepen gesaboteerd.'

'Ik begrijp het,' zei Bell peinzend. 'Ze saboteren onze schepen nog voor ze van stapel lopen.'

'Of alleen als droombeeld bestaan.'

'Welke vijand verdenkt u van deze sabotage?'

'Het Keizerrijk Japan.'

Bell herinnerde zich meteen dat de oude John Eddison een Japanse indringer op de marinewerf in Washington had betrapt. Maar hij vroeg aan Falconer: 'Waarom Japan?'

'Ik ken de Japanners,' antwoordde Falconer. 'Ik ken ze heel goed, want ik diende als officiële waarnemer aan boord van admiraal Togo's vlaggenschip Mikasa, nadat hij de Russische vloot had vernietigd in de slag bij Tsushima. Dat was de meest beslissende zeeslag sinds Nelson de Franse vloot bij Trafalgar versloeg. Zijn schepen waren tiptop in orde, zijn bemanningen waren zo getraind dat het machines leken. Ik heb absoluut bewondering voor de Japanners, maar ze zijn ambitieus. Let op mijn woorden: wij zullen met hen strijden om de heerschappij over de Grote Oceaan.'

'De moordenaars die Alasdair MacDonald aanvielen waren bewapend met vlindermessen,' zei Bell. 'Messen die gemaakt zijn door Bontgen & Sabin, in Solingen. Is Duitsland niet een geduchte kandidaat voor de sterkste oorlogsvloot?'

'Duitsland is gericht op de Britse marine. De legerleiding zal met hand en tand de Noordzee verdedigen, en de Britten zullen de Duitsers nooit dicht bij de Atlantische Oceaan laten komen. Maar de Grote Oceaan is onze zee. En de Japanners willen deze oceaan ook beheersen. In Japan worden schepen ontworpen met een actieradius die van kust tot kust reikt, zoals wij dat ook doen. Er komt een dag dat we de Japanse oorlogsvloot moeten bestrijden van Californië tot aan Tokio. Voor zover wij weten zal Japan deze zomer aanvallen als de Grote Witte Vloot hun eilanden nadert.'

'Ik heb die krantenkoppen gezien,' zei Bell met een wrange glimlach. 'In dezelfde kranten die de oorlog met Spanje aanwakkerden.'

'Spanje was amper een tegenstander,' snoof Falconer. 'Een strompelend overblijfsel van de Oude Wereld. De Japanners vormen een nieuwe natie, zoals wij dat ook doen. Ze hebben de Satsuma ontworpen, het grootste slagschip ter wereld. Ze bouwen hun eigen Brown-Curtisturbines, en ze kopen de nieuwste Holland-klasse onderzeeboten van Electric Boat.'

'Toch is het verstandig aan het begin van een onderzoek de verschillende mogelijkheden te blijven zien. Die saboteurs kunnen in dienst zijn van elk land dat streeft naar het beste slagschip.'

'Onderzoek is niet mijn vakgebied, meneer Bell. Ik weet alleen dat Hull 44 een slimme en doortastende man nodig heeft als beschermer.'

'De marine zal toch wel onderzoeken of...'

Falconer onderbrak Bell met een verachtelijk gesnuif. 'De marine onderzoekt nog altijd de rapporten over het zinken van de Maine in de haven van Havanna. En dat gebeurde in 1898.'

'Maar de geheime dienst...'

'De geheime dienst heeft zijn handen vol aan het beschermen van president Roosevelt tegen schurken zoals de kerel die McKinley neerschoot. En het ministerie van justitie heeft jaren nodig om een nationaal inlichtingenbureau te organiseren. Ons schip kan niet wachten! Mijn hemel, Bell, Hull 44 smacht naar een scheepsmotor die op stoom komt en dat de trossen worden los gesmeten.'

Bell had inmiddels begrepen dat Falconer een eigenzinnige en gedreven man was. Maar hij was ook overtuigd van zijn gelijk.

'Als pleitbezorger lijkt u wel een fanatieke zendeling,' zei Bell.

'Dat kan ik niet ontkennen,' gaf Falconer toe met een gemaakt glimlachje. 'Denkt u dat Van Dorn u toestemming geeft deze taak op u te nemen?'

Isaac Bell keek strak naar het geraamte van Hull 44 op de werf. Op dat moment klonk een schorre stoomfluit als sein dat de werkdag was begonnen. Hijskranen kwamen in beweging, honderden arbeiders krioelden naar het schip in aanbouw. Na enkele minuten werden de eerste roodgloeiende klinknagels aangevoerd en het gebonk van zware smeedhamers weergalmde over de werf. Het tafereel en de geluiden herinnerden Bell aan de woorden van Alasdair MacDonald over zijn dode vriend Chad Gordon: 'Afschuwelijk... Zes mannen levend verbrand. Chad en zijn naaste medewerkers.'

Alsof een komeet de laatste resten duisternis van de ochtendhemel had geveegd zag Isaac Bell het schip in aanbouw nu als een visioen van levende mannen en een monument voor de onschuldige doden.

'Het zou me verbazen als Van Dorn mij niet de opdracht geeft deze zaak aan te pakken. En als hij het niet doet, dan doe ik het zelf.'

Gepantserde doodskisten

15

De spion vroeg de Duitser Hans naar New York te komen, naar een kelder onder een *Biergarten* op de hoek van Second Avenue en 50th Street. Vaten rijnwijn stonden half onder water in een koude onderaardse waterloop die dwars door de kelder stroomde. Tegen de stenen wanden weergalmden de geluiden van het water. De mannen zaten tegenover elkaar aan een ronde houten tafel die verlicht werd door een kale gloeilamp.

'Wij maken een plan voor de toekomst naast een onderaards restant van het landelijke Manhattan,' merkte de spion op en hij wachtte het antwoord van Hans af.

De Duitser, die zich kennelijk al tegoed had gedaan aan de voorraad rijnwijn, leek humeuriger dan ooit. De vraag was of het brein van Hans al te zeer beneveld was door de wijn en wrok om nog nuttig te kunnen zijn.

'*Mein Freund!*' De spion keek Hans strak aan. 'Wil jij het vaderland blijven dienen?'

De Duitser ging rechtop zitten. 'Maar natuurlijk!'

De spion verborg een opgeluchte glimlach. Het was alsof hij de hakken van Hans tegen elkaar hoorde tikken, als van een marionet. 'Ik heb begrepen dat je ook ervaring hebt met het werk op een scheepswerf?'

'Ja, bij de Neptun Schiffswerft und Maschinenfabrik,' beaamde Hans trots, en duidelijk gevleid dat de spion het nog wist. 'In Rostock. Dat is een heel moderne scheepswerf.'

'De modernste werf van de Amerikanen is in Camden, New Jersey. Ik denk dat je naar Camden moet gaan. Je moet daar snel een geschikt onderkomen vinden. Je kunt mij geld vragen voor alles wat nodig is om daar te werken, voor explosieven, valse identiteitsbewijzen en vervalste toegangspassen om op de werf te komen.'

'En wat is het doel, mein Herr?'

'Een duidelijk signaal aan het Congres geven. Daar moet men zich afvragen waarom de Amerikaanse marine incompetent is.'

'Dat begrijp ik niet.'

'De Amerikanen zullen spoedig hun eerste slagschip met alleen zwaar geschut te water laten.'

'De Michigan. Ja, dat heb ik in de krant gelezen.'

'Met jouw ervaring weet je dat een 16.000 ton metende romp succesvol van stapel laten lopen vereist dat drie grote krachten in evenwicht zijn: de zwaartekracht, wrijving op de scheepshelling en het drijfvermogen van de achtersteven. Mee eens?'

'Ja, mein Herr.'

'Gedurende een paar seconden bij het begin van de tewaterlating, als de laatste blokken onder kiel worden weggetrokken en de stutten opzij vallen, dan wordt de romp even alleen ondersteund door de rollers.'

'Dat is juist.'

'Kun jij strategisch staven dynamiet plaatsen, die precies op het moment dat de romp in beweging komt exploderen, zodat de Michigan kantelt en niet in de rivier glijdt maar op het land valt?'

De ogen van Hans lichtten op bij deze woorden.

De spion liet de Duitser in gedachten genieten van het tafereel dat een schip van 16.000 ton met donderend geraas omviel op de werf. 'De aanblik van een enorm slagschip dat op zijn kant op het droge ligt zal de hele Nieuwe Vloot van de Verenigde Staten tot een lachertje maken. En de reputatie van de marine is dan vernield in het Congres, dat toch al met tegenzin geld beschikbaar stelt voor de bouw van meer oorlogsschepen.'

'Jawel, mein Herr.'

'Laat het zo gebeuren.'

* * *

Commodore Tommy Thompson luisterde aandachtig naar het plan van Brian 'Eyes' O'Shay om zijn Hip Sing zakenpartners naar San Francisco te sturen, toen een loopjongen de saloon aan 39th Street binnenstormde met een bericht van Iceman Weeks.

De Commodore las het bericht. 'Hij biedt aan die Van Dorn-detective te vermoorden.'

'Hoe wil hij dat doen?'

'Daar zal hij nog wel over piekeren,' lachte Tommy en hij gaf het briefje aan Eyes.

Op een eigenaardige manier hadden ze hun oude bondgenootschap weer terug. Niet dat Eyes geregeld langskwam. Dit was pas zijn derde bezoek sinds hij vijfduizend dollar had betaald.

Eyes had hem geld geleend om een nieuwe goktent te openen onder de El Connector langs 53rd Street, en daar werd al flink geld verdiend. De deal met Hip Sing maakte dat Eyes er warmpjes bij zat. Tommy merkte ook dat hij Eyes vertrouwde als ze met elkaar in gesprek waren. Niet met alles, maar hij vertrouwde zeker op Eyes' heldere verstand, zoals vroeger in hun jeugdjaren.

'Wat denk jij?' vroeg hij. 'Moeten we hem dat laten doen?'

O'Shay streek zijn smalle snor glad. Hij haakte zijn duim in zijn vestzak en bleef doodstil zitten, met uitgestrekte benen en zijn hakken in het zaagsel. Toen hij eindelijk begon te spreken bleef hij voor zich uit staren, alsof hij tegen zijn elegante laarzen sprak. 'Weeks heeft er genoeg van zich op de vlakte te houden. Hij wil weg uit zijn schuilplaats, waarschijnlijk is die in Brooklyn, en naar huis gaan. Maar hij is bang dat jij hem zal vermoorden.'

'Nee, hij is bang dat jij me zegt dat ik hem moet vermoorden,' verbeterde Tommy koeltjes. 'En dat ga jij ook zeggen.'

'Heb ik al gedaan,' antwoordde Eyes O'Shay. 'Jouw zogenaamde Iceman...'

'Míjn zogenaamde Iceman!' brieste Tommy verontwaardigd.

'Ja, jouw zogenaamde Iceman, die jíj naar Camden stuurde nadat ik je vijfduizend dollar had betaald, liet gebeuren dat de enige geloofwaardige getuige in die danstent – een detective van Van Dorn Agency nota bene – erbij stond toen hij de moordaanslag pleegde. En

117

als de heren van Van Dorn hem grijpen, wat zeker zal gebeuren als de politie hem niet voor een andere zaak arresteert, dan wordt hem gevraagd: "Wie heeft jou opdracht gegeven voor die huurmoord?" En dan zal Weeks antwoorden: "Tommy Thompson en zijn oude makker Eyes O'Shay, die doodgewaand werd maar nog springlevend is."'

O'Shay keek op van zijn laarzen met een gezicht waarop niets af te lezen was, en hij voegde eraan toe: 'Als ik het niet vraag, dan zou je wel heel onnozel zijn hem niet op eigen gezag te vermoorden. Jij hebt meer te vrezen, want ik kan verdwijnen zoals ik al eerder heb gedaan. Jij zit hier vast. Iedereen weet de Commodore te vinden: in zijn eigen Commodore Tommy Saloon, in 39th Street, en het zal al gauw bekend zijn dat je een nieuwe zaak hebt in 53rd Street. Vergeet niet dat de Van Dorns anders zijn dan politieagenten. Je kunt Van Dorn niet betalen om een andere kant op te kijken. Ze kijken naar jou, langs de loop van een pistool.'

'Wat vind je van Weeks aanbod om die getuige koud te maken?'

Eyes O'Shay deed alsof hij even diep nadacht over de vraag. 'Ik vind dat Weeks een stoere kerel is. Verstandig en praktisch. Misschien voert hij iets in zijn schild. Als dat niet zo is, dan doet hij zich echt groter voor dan hij is.'

De baas van de Gopher Bende knipperde met zijn ogen. 'Wat bedoel je?'

'Dat hij zich groter voordoet? In dat geval zal Weeks veel geluk moeten hebben om te slagen. Maar als hij die detective afmaakt, dan zijn jouw problemen opgelost.'

'De Iceman is een harde jongen,' zei Tommy hoopvol. 'En hij is slim.'

O'Shay haalde zijn schouders op. 'En misschien heeft hij een beetje geluk, wie zal het zeggen?'

'Die detective kan hem ook doden, als de man geluk heeft.'

'In beide gevallen verlies jij niets. Zeg hem dat hij aan de slag kan gaan.'

Thompson krabbelde een cryptisch antwoord op de achterkant van Weeks briefje en riep de loopjongen. 'Hier komen, kleine schavuit! Breng dit naar de plek waar die kerel zich ergens verschuilt.'

Brian O'Shay verbaasde zich over de onnozelheid van Tommy. Als het Weeks lukte de detective te vermoorden – en het was geen gewone agent van Van Dorn, maar de befaamde Isaac Bell, dan zou Iceman Weeks de held van Hell's Kitchen worden en hem kandidaat maken om de leiding van de Gophers over te nemen. Wat zou Tommy verrast zijn als hij door Weeks van de troon werd gestoten.

De onnozelheid van Tommy deed O'Shay denken aan de Russische marine tijdens de Russisch-Japanse oorlog. Ouderwetse tactieken en oorlogsschepen botsten met de moderne Japanse marine, en dat werd de ondergang van de vloot in de zeestraat van Tsushima.

'Tommy, kunnen we onze aandacht nu weer richten op de reis van jouw Chinezen naar San Francisco?'

'Dat zijn niet bepaald mijn Chinezen, maar leden van de Hip Sing.'

'Informeer hoeveel geld ze willen om jóúw Chinezen te worden.'

'Waarom zouden ze naar San Francisco gaan?' vroeg Tommy. De baas van de Gopher Bende begreep niet wat O'Shay van plan was.

'Het zijn Chinezen,' antwoordde O'Shay, 'en die doen alles voor geld.'

'Mag ik vragen hoeveel je kunt betalen?'

'Ik kan elk bedrag betalen. Maar als je het ooit waagt meer te vragen dan wat het waard is, dan beschouw ik dat als een brutale aanval.'

Commodore Tommy veranderde snel van gespreksonderwerp. 'Ik vraag me af wat de Iceman in zijn schild voert.'

* * *

DODELIJKE GIFSLANG AANWEZIG

SERUM WERKT TEGEN KRANKZINNIGHEID

GIF VAN DEZE SLANG KAN EEN STIER IN VIJF MINUTEN DODEN

Lachesis Muta de 'plotselinge dood' genoemd door
inboorlingen in Brazilië

De wind voerde de krantenpagina uit het Washingtonstadion, juist toen Brooklyn aan de achtste inning begon. Iceman Weeks zag het vel papier over het veld zweven, langs Wiltse, voorbij Seymour in het midden, recht naar de plek waar hij in het publiek stond. Hij had geen manchetten en geen boord en was gekleed in grauw flanel, vermomd als een armoedige loodgietersknecht, op de tribune waar hij geen fans uit New York zou treffen.

Als de Iceman als ergens van hield, dan was het baseball. Maar hij kon niet riskeren herkend te worden bij de wedstrijd op Polo Grounds in New York, en daarom nam hij genoegen met de wedstrijd in Brooklyn, waar niemand hem kende. Zijn favoriete Giants waren onverslaanbaar voor de Superbas. De Giants waren fanatiek, en de koude wind die asdeeltjes, hoeden en kranten voort blies had geen invloed op de werparm van Hook Wiltse. Zijn linkshandige effectballen brachten de spelers van Brooklyn telkens in verwarring, en na de achtste inning stond New York met 4-1 voor.

Weeks' ijsblauwe ogen keken strak naar de vette krantenkop op de voorbij dwarrelende krantenpagina.

BEET VAN GIFSLANG KAN EEN STIER IN VIJF MINUTEN DODEN

Hij sprong op en greep de zwevende krant. Meteen was hij de wedstrijd vergeten en hij las het bericht, de woorden volgend met een vuile vingernagel. Het feit dat Weeks kon lezen gaf hem al een enorme voorsprong op de meeste leden van de Gopher Bende. In de dagbladen van New York waren altijd weer nieuwe kansen te lezen. Op de societypagina's was te lezen wanneer rijke mensen naar Newport of Europa vertrokken en hun landhuizen onbeheerd achterlieten. In de scheepsberichten werd gemeld welke lading geplunderd kon worden. Theaterrecensies waren een gids voor zakkenrollers en overlijdensberichten gaven informatie over verlaten appartementen.

Hij las elk woord van het bericht over de gifslang, en met nieuwe hoop herlas hij de tekst nog een keer. Zijn kansen waren gekeerd. De gifslang kon het grootste verlies compenseren dat hij ooit geleden had: detective Isaac Bell die aanwezig was in Camden toen een moordaanslag op de Schot werd gepleegd.

120

Een gifslang uit Brazilië, het meeste dodelijke reptiel, zal morgen getoond worden tijdens de maandelijkse vergadering van de Academie voor Wetenschappelijke Pathologie, in Hotel Cumberland, op de hoek van 54th Street en Broadway.

In het krantenartikel werd vermeld dat de wetenschappers geïnteresseerd waren in de slang omdat een serum gemaakt van het dodelijke gif werd gebruikt voor de behandeling van zenuwaandoeningen en geestesziekten.

De Iceman kende het Hotel Cumberland. Het gebouw telde twaalf verdiepingen en daar was een luxueus hotel gevestigd dat adverteerde met 'Hoofdkwartier voor Intellectuelen'. Die aanduiding en de kamerprijs van 2,50 dollar moest de armoedzaaiers op afstand houden. Weeks wist dat hij zich kon kleden als een afgestudeerde intellectueel, dankzij een tweede voordeel vergeleken bij gewone gangsters. Hij was deels een echte Amerikaan. Zijn moeder was Iers, en zijn vader had hem verteld dat de familie Weeks afkomstig was uit Engeland die zich al voor de komst van de Mayflower hadden gevestigd. Als hij zich op de juiste manier kleedde, dan kon hij de lobby van het hotel binnengaan, zonder op te vallen tussen de elite.

Hij veronderstelde dat de bewakers van het Cumberlandhotel op afstand gehouden konden worden als hij de arm van een liftjongen hardhandig omdraaide. Weeks had al een kandidaat op het oog: Jimmy Clark, die cocaïne verhandelde voor een apotheker in 49th Street. Die handel was riskanter geworden sinds een nieuwe wet bepaalde dat het poeder alleen op doktersrecept verkrijgbaar mocht zijn.

Een mens leeft nog hoogstens twee minuten als het gif in de bloedbaan komt. Het slangengif verlamt de hartslag, het slachtoffer verstijft en de huid kleurt zwart.

Hij had al een plan gemaakt. Zodra hij wist waar Isaac Bell overnachtte als hij in de stad was, had hij een wasvrouw overgehaald om hem stiekem Isaacs kamer binnen te laten.

Jenny Sullivan was nog maar kortgeleden met de boot uit Ierland

gearriveerd en ze moest nog een groot deel van haar passagebiljet afbetalen. Weeks had haar schuld op zich genomen, met de bedoeling
haar aan het werk te zetten tussen de lakens, in plaats van linnengoed
te strijken. Maar na Camden had hij kerels die alle reden hadden
hem een gunst te bewijzen overgehaald Jenny een baan te geven in de
club waar Bell verbleef. Toen dat gebeurd was had hij een briefje aan
Commodore Tommy geschreven met het aanbod de detective te vermoorden. Maar hij had nog niet de moed verzameld om zich gewapend
met een pistool onder Bells bed te verstoppen en de confrontatie aan
te gaan.

Weeks was gehard genoeg om desnoods zelf met een mes een .380
patroon uit zijn schouder te snijden, zodat niet een of andere arts of
verpleegster aan Tommy Thompson kon doorgeven waar hij zich ergens schuil hield. En hij was gehard genoeg om alcohol in de wond te
gieten om een infectie te voorkomen. Maar hij had Bell al eerder in
actie gezien. Bell was groter, sneller, gewiekster en beter bewapend.
Alleen onnozele lieden gingen met Bell een gevecht aan dat ze niet
konden winnen.

Het was beter om Bell aan te vallen met de 'plotselinge dood'.

Weeks las dat de oppasser van het reptielenverblijf in de Bronx Zoo
de slang zou afleveren in een terrarium met dikke glasplaten.

'Deze slang kan hier niet uit ontsnappen,' zei de oppasser geruststellend tegen de artsen van de Pathology Society die uitgenodigd waren om het reptiel te bekijken.

Weeks begreep dat hij met een kogelwond in zijn schouder een
zwaar glazen terrarium, groot genoeg voor een gifslang langer dan
een meter, zonder hulp nooit kon versjouwen. En als de bak viel en
het glas brak… Dan was een gewonde schouder maar een klein probleem. Hij had hulp nodig. Maar de mannen die hij kon vertrouwen
en vragen een handje te helpen waren allebei dood. Neergeschoten
door de razendsnel reagerende detective van Van Dorn.

Als hij iemand probeerde te vinden die de glazen bak wilde dragen,
dan zou Tommy Thompson heel snel te horen krijgen dat Iceman
Weeks weer in de stad was. Dan kon hij evengoed zijn handen op zijn
rug vastbinden en in de rivier springen. Dat bespaarde Tommy de

moeite. Want je hoefde niet briljant te zijn om te begrijpen dat Eyes O'Shay meteen opdracht aan de Commodore zou geven om de man te doden die gezien was door een detective van Van Dorn, terwijl hij een moordaanslag uitvoerde waarvoor Eyes had betaald. Weeks kon bij hoog en laag volhouden dat hij nooit zou doorslaan, maar O'Shay en Tommy zouden hem toch doden. Voor alle zekerheid.

Tommy had teruggeschreven dat wat hem betrof Isaac Bell vermoord kon worden. Uiteraard bood hij daarbij geen hulp aan. En het was vanzelfsprekend dat Tommy en Eyes, als ze de kans kregen hem eerst te vermoorden, dat ze niet zouden wachten tot hij Bell had uitgeschakeld.

Wiltse tikte de bal in de negende inning en Bridwell verdubbelde. Toen de inning voorbij was stond New York twee runs voorsprong. Weeks liep vooraan in de stroom toeschouwers uit het stadion, en hij had al een idee hoe hij de slang naar de Yale Club moest vervoeren.

Hij had nette kleding nodig, een hutkoffer, een glasplaat, een piccolo met een bagagewagentje en hij moest weten waar de zekeringkast was.

16

'Wie is die officier?' wilde Isaac Bell weten van de beveiliger die de opdracht had Farley Kents tekenkamer op de marinewerf Brooklyn te bewaken.

'Dat weet ik niet, meneer Bell.'

'Hoe is hij hier binnen gekomen?'

'Hij kende het wachtwoord.'

Van Dorn had elke medewerker aan het Hull 44 project een wachtwoord gegeven. Als een bezoeker de mariniers bij de toegangspoort was gepasseerd moest hij zich ook met een wachtwoord melden bij degene die hij wilde spreken.

'Waar is Kent?'

'Iedereen is in de testkamer. Er wordt gewerkt met het schaalmodel,' antwoordde de bewaker, wijzend naar een gesloten deur die toegang gaf tot het laboratorium. 'Is er iets aan de hand, meneer Bell?'

'Drie dingen,' zei Bell kortaf. 'Farley Kent is niet hier aanwezig, dus kennelijk verwachtte hij geen bezoek van die officier. En die officier heeft Kents tekenbord bestudeerd tot ik hier binnenstapte. Voor het geval je dat niet was opgevallen: hij draagt het uniform van de Russische marine.'

'Die blauwe uniformen lijken allemaal op elkaar,' protesteerde de bewaker. Bell besefte weer dat veel beveiligingsbeambten te weinig intellect bezaten om in het bedrijf van Van Dorn op te klimmen tot een volwaardige detective. 'En bovendien heeft hij zoals iedereen een rol ontwerptekeningen onder zijn arm. Wilt u dat ik hem ondervraag, meneer Bell?'

'Dat doe ik zelf wel. De volgende keer dat iemand onverwachts voor de deur staat, dan moet je bedacht zijn op een indringer, tot het tegendeel duidelijk is.'

Bell beende langs de rijen tekentafels van de scheepsarchitecten die nu bezig waren met laboratoriumproeven. De man in het Russische marine-uniform was zo geboeid door de tekeningen van Farley Kent dat hij verschrikt de rol onder zijn arm liet vallen toen Bell achter hem 'Goedemorgen!' zei.

'Ach, ik hoorde u niet lopen,' zei de man met een zwaar Russische accent. Hij bukte zich om de opgerolde tekeningen weer op te rapen.

'Hoe heet u?' vroeg Bell.

'Ik ben tweede luitenant Vladimir Ivanovich Yourkevitch, van Zijne Majesteit Tsaar Nicolaas' Keizerlijke Russische Marine. En met wie heb ik de eer?'

'Heeft u met iemand hier een afspraak, luitenant Yourkevitch? De Rus was amper oud genoeg om zich te moeten scheren en hij boog zijn hoofd.

'Helaas niet. Maar ik hoopte de heer Farley Kent te spreken.'

'Weet hij wie u bent?'

'Nog niet.'

'Maar hoe bent u hier dan binnen gekomen?'

Yourkevitch glimlachte ontwapenend. 'Dankzij mijn keurige houding, smetteloze uniform en strak salueren.'

Isaac Bell lachte niet. 'Zo kon u misschien langs de mariniers bij de ingang van de werf komen, maar hoe wist u het wachtwoord om deze tekenkamer te betreden?'

'In een bar buiten de werf heb ik een marineofficier ontmoet die mij het wachtwoord vertelde.'

Bell wenkte de bewaker.

'Luitenant Yourkevitch blijft op die kruk zitten, uit de buurt van die tekentafel, tot ik terug ben.' Tegen luitenant Yourkevitch zei hij: 'Deze bewaker is getraind om u tegen de vloer te slaan, dus doe precies wat hij zegt.'

Bell liep door de ontwerpruimte en duwde de deur naar het test-laboratorium open.

Een tiental medewerkers van Kent stond rond een drie meter hoog model van een experimentele kooimast voor een slagschip. De jonge scheepsarchitecten hielden kniptangen, micrometers, linialen, notitie-blokken en rolmaten gereed. Het ronde bouwsel stond op een karretje en was gemaakt van ijzerdraad dat in spiraalvorm van de basis naar de top tegen de klok in gedraaid was en ondersteund werd door horizontale metalen ringen. Het was een exacte kopie in miniatuur van een veertig meter hoge kooimast. In detail waren de ringen, de elektrische bedrading en de spreekbuizen van de top tot aan de vuurleiding beneden nagemaakt en aan de binnenkant waren ook kleine ladders aangebracht.

Twee assistenten van Kent hielden touwen vast die aan de beide kanten aan de onderkant waren bevestigd. Een rolmaat was dwars door de laboratoriumruimte opgehangen, dicht langs de top van het model. Een architect op een trap keek nauwlettend naar de rolmaat. Farley Kent gaf het bevel: 'Salvo van bakboord. Vuur!'

De architect aan de linkerkant trok aan het touw en de man die de rolmaat controleerde meldde hoeveel de kooimast bewoog. 'Vijftien centimeter!' werd genoteerd.

'Op een schaal van 1 op twaalf is dat twee meter,' zei Kent. 'De uitkijk bovenin moet zich stevig vasthouden als met het zware geschut gevuurd wordt. Maar deze kooimast weegt minder dan twintig ton, vergeleken bij een massieve mast van honderd ton. Dat is dus een flinke besparing. Oké, we gaan nu meten hoeveel de mast heen en weer zwaait als het schip getroffen wordt door meer projectielen.'

'Klaar?'

'Wacht!' Een scheepsarchitect beklom de trap en propte een pop met een matrozenpak, rode wangen en een strohoed in het kraaiennest van de mast.

Iedereen in het laboratorium lachte, en Kent het hardst van allemaal.

'Salvo van stuurboord. Vuur!'

Er werd weer aan het touw gerukt, de kooimast zwaaide vervaarlijk en de pop vloog uit het kraaiennest.

Bell ving de vallende pop op. 'Meneer Kent, kan ik u even spreken?'

'Wat is er?' vroeg Kent terwijl hij weer een verticale ijzerdraad doorknipte en zijn assistenten nauwlettend keken naar het effect op de kooimast.

'We hebben misschien de eerste spion te pakken,' zei Bell zacht. 'Kom alstublieft even mee.'

Luitenant Yourkevitch sprong van de kruk, voordat de bewaker hem kon tegenhouden en hij greep Kents hand. 'Het is een grote eer dat ik u mag ontmoeten.'

'Wie bent u?'

'Yourkevitch. Uit St. Petersburg.'

'Van het marinehoofdkwartier?'

'Uiteraard. De Baltische scheepswerf.'

Kent vroeg: 'Is het waar dat Rusland vijf slagschepen bouwt die groter zijn dan de de HMS Dreadnought?'

Yourkevitch haalde zijn schouders op. 'We willen graag super-dreadnoughts bouwen, maar de Doema is daar misschien tegen. Te duur.'

'Waarom bent u hier?'

'Mijn doel is de legendarische Farley Kent te ontmoeten.'

'U bent helemaal hierheen gekomen om mij te spreken?'

'Om iets te laten zien.' Yourkevitch rolde zijn ontwerpen uit en spreidde de vellen uit op Kents bureau. 'Wat is uw oordeel? Een verbetering voor de romp of voor het hele schip?'

Terwijl Farley de ontwerpen bestudeerde nam Bell de Russische marineofficier apart en vroeg: 'Wat is het signalement van de marineman die u het wachtwoord gaf?'

'Hij had een middelmatig postuur en droeg een donker kostuum. Hij was ongeveer even oud als u. Ergens in de dertig, denk ik. Een verzorgd uiterlijk. Een snor als een potloodstreep. Hij was... hoe noem je dat? Hij was echt heel netjes.'

'Een donker kostuum? Dus niet in uniform?'

'Inderdaad.'

'Maar hoe wist u dan dat hij een marineofficier was?'

'Dat zei hij tegen me.'

Het gezicht van Isaac Bell betrok. Zijn stem klonk kil toen hij zei: 'Wanneer en waar moet u hem rapporteren?'

'Ik begrijp u niet?'

'U zult toch met hem afgesproken hebben dat u vertelt wat u hier gezien heeft?'

'Nee, want ik ken hem niet. Hoe zou ik hem kunnen vinden?'

'Luitenant Yourkevitch, uw verhaal is ongeloofwaardig. En ik vermoed dat het uw carrière bij de Russische marine geen goed doet wanneer ik u als spion overdraag aan onze legerleiding.'

'Een spion? Ik?' zei Yourkevitch. 'Welnee!'

'Hou op met dat spelletje en vertel me hoe u dat wachtwoord wist.'

'Ik ben echt geen spion,' protesteerde de Rus nog eens.

Voordat Bell kon reageren mengde Farley Kent zich in het gesprek. 'Hij hoeft niet bij ons te spioneren.'

'Wat bedoelt u?'

'Wij zouden eerder bij hem moeten spioneren.'

'Wees eens duidelijk?'

'Het ontwerp voor een verbeterde rompvorm op de tekeningen van luitenant Yourkevitch is veel beter dan je op het eerste gezicht zou denken.' Farley wees op enkele details van de tekeningen. 'De romp lijkt midscheeps nogal lomp en bij de boeg en de achtersteven juist opmerkelijk slank. Het lijkt wel een koe. Maar het is eigenlijk een briljant idee. Een dreadnought kan zo de afweer van torpedo's rond de machines en magazijnen versterken en ook grotere bunkervoorraden aan boord nemen. De snelheid wordt groter en het brandstofverbruik is minder.'

Hij schudde Yourkevitch de hand. 'Briljant. Ik zou dit ontwerp zo willen gebruiken, maar dat wordt nooit toegestaan door het conservatieve comité dat over de bouw beslist. Dit ontwerp is zijn tijd twintig jaar vooruit.'

'Dank u wel voor dit compliment. En dat het gezegd wordt door Farley Kent is helemaal een eer.'

'Ik zal u nog iets zeggen,' vervolgde Kent, 'al vermoed ik dat u daar zelf ook al aan gedacht heeft. Uw rompvorm maakt de bouw van een zeer snel passagiersschip mogelijk, een boot die rondjes kan varen om de Lusitania en de Mauretania.'

'Als er in de toekomst geen oorlog is,' glimlachte Yourkevitch.

Kent nodigde de Russische luitenant uit voor de lunch met zijn mede-werkers en de twee raakten in gesprek over de recent aangekondigde bouw van de White Star schepen Olympic en Titanic.

'Tweehonderdveertig meter!' riep Kent uit. De Rus antwoordde veel-betekenend: 'Ik denk al aan een schip dat meer dan driehonderd meter lang is.'

Bell begon te geloven dat de Russische scheepsarchitect niets an-ders had gewild dan een ontmoeting met de befaamde Farley Kent. Hij wilde niet geloven dat de zogenaamde officier die Yourkevitch had benaderd in een bar in Sand Street een marineman was.

Waarom zou hij het wachtwoord aan de Rus geven, zonder hem te vragen verslag uit te brengen over wat hij op de tekeningen van Kent had gezien? Hoe had hij de Rus eigenlijk gevonden? Het antwoord was beangstigend. De spion – de saboteur van de geest, zoals Falconer hem had genoemd – wist wie zijn doelwit was in de strijd om de mo-dernste dreadnought.

* * *

'Dit gedoe met buitenlandse spionnen is nieuw voor ons,' zei Joseph Van Dorn. De baas pufte heftig aan een sigaar, na de lunch in de grote lounge van de Railroad Club op de twintigste verdieping van Hudson Tunnels Terminal, voordat hij in de trein naar Washington zou stap-pen.

'Wij maken jacht op moordenaars,' zei Isaac Bell grimmig. 'Wat hun motief ook is, het zijn wel de grootste en gevaarlijkste misdadigers.'

'En moeten we iets doen.'

'Ik heb het inlichtingenbureau al gevraagd een lijst op te stellen met de namen van buitenlandse diplomaten, militaire attachés en jour-nalisten die een dubbelrol kunnen spelen als spion voor Engeland, Duitsland, Frankrijk, Italië, Rusland, Japan en China.'

'De minister van marine heeft me zojuist een lijst gestuurd met de namen van buitenlanders die mogelijk bezig zijn met spionage.'

'Die zal ik aan mijn lijst toevoegen,' zei Bell. 'Maar ik wil dat een expert er goed naar kijkt, zodat we ons niet met de verkeerde personen bezighouden. Heeft u nog een oude kameraad bij de marine die iets voor elkaar kan krijgen in het ministerie?'

'Dat zeker. Canning is de officier die regelt dat het regiment mariniers op bevel van de regering ergens een kust bestormt.'

'Dan is hij onze man: hij staat in nauw contact met onze overzeese diplomaten. Zodra hij de lijst met verdachte namen heeft gecontroleerd moeten we die personen observeren in Washington en in New York. En ook bij de marinewerven en bedrijven die betrokken zijn bij de bouw van oorlogsschepen.'

'Daar is een kostbaar keurkorps van detectives voor nodig,' zei Van Dorn zuinig.

Bell had zijn antwoord al klaar. 'De kosten kunnen geboekt worden als investering in vriendschappelijke betrekkingen zoals die in Washington georganiseerd worden. Het kan geen kwaad als de regering steunt op Van Dorn Agency, omdat we in het hele land lokale vestigingen hebben.'

Van Dorn glimlachte tevreden na Bells opmerking en zijn rossige snor bewoog.

'En daarbij,' vervolgde Bell, 'stel ik voor dat onze informatiespecialisten scherp opletten in de immigrantenwijken van steden waar marinewerven zijn – Duitsers, Ieren, Italianen, Chinezen – of daar geruchten gaan over spionage, buitenlandse regeringen die betalen voor informatie en sabotage. De wedstrijd om de beste dreadnought te bouwen is internationaal.'

Van Dorn dacht met lichte grijns na over Bells woorden. 'Dus we moeten rekening houden met meer dan één spion. Ik zei al dat dit ongebruikelijk werk voor ons is.'

'Maar als wij het niet doen,' reageerde Isaac Bell, 'wie doet het dan wel?'

17

Iceman Weeks gaf die middag twee keer een pak slaag, en beide keren opvallend hardhandig maar zonder sporen na te laten op lichaamsdelen die niet bedekt werden door kleding. Hij was daar heel ervaren in, al sinds zijn jeugd als hij straatventers geld afhandig maakte of schulden incasseerde voor woekeraars. Vergeleken bij de havenwerkers en voerlieden was een magere liftjongen of een angstig wasmeisje nauwelijks partij voor hem. De pijn zou heviger worden in de loop van de dag. En de angst zou toenemen.

Jimmy Clark, de piccolo van het Cumberland Hotel kreeg een regen van vuistslagen te incasseren in een steegje achter de apotheek waar hij de dagelijkse voorraad cocaïne kwam halen. Weeks maakte hem duidelijk dat Jimmy precies moest doen wat hem opgedragen werd, omdat hij anders nog veel grotere problemen kon verwachten. Daarbij vergeleken zou deze aframmeling een mooie herinnering lijken.

Jenny Sullivan, de wasmeid in opleiding bij de Yale Club kreeg slaag in een steeg dicht bij de kerk waar ze naartoe was gegaan om te bidden dat ze haar schulden kon afbetalen.

Weeks liet haar brakend van pijn achter. Maar haar rol in zijn plan was zo belangrijk dat hij haar na het pak slaag beloofde dat haar hele schuld kwijtgescholden werd als ze deed wat van haar gevraagd werd. Jenny strompelde naar haar werk, en ondanks de pijn en de angst kreeg ze nieuwe hoop. Ze hoefde alleen op de uitkijk te staan bij de leveranciersingang van de club op een laat uur als er niemand meer was, en dan een sleutel wegnemen om een slaapkamer op de derde verdieping te openen.

18

Isaac Bell en Marion Morgan ontmoetten elkaar voor het diner in Rector's. Het kreeftenrestaurant was even befaamd vanwege het spiegelende groen met gouden interieur, het elegante linnen en tafelzilver, de draaideur – de eerste in New York – en de welgestelde bezoekers als vanwege de schaaldieren die geserveerd werden. Het restaurant lag aan Broadway, op twee huizenblokken afstand van Bells kantoor in het Knickerbocker Hotel. Hij wachtte buiten bij het enorme standbeeld van een griffioen die fel verlicht werd door elektrische lampen. Hij begroette Marion met een kus op haar wang.

'Het spijt me dat ik zo laat ben, maar ik moest me nog verkleden.'

'Ik ben er net, want ik had nog iets te bespreken met Van Dorn.'

'Hier moet ik me wel kunnen meten met de actrices van Broadway die hier ook dineren.'

'Als ze jouw stralende verschijning zien,' verzekerde Bell haar, 'dan vluchten ze meteen totaal verslagen terug naar hun kleedkamers.'

Ze passeerden de draaideur naar de stralend verlichte zaal waar wel honderd tafels stonden. Charles Rector gebaarde even heftig naar het orkest, toen hij zich naar Marion haastte om haar te begroeten.

De muzikanten zetten meteen 'A Hot Time in the Old Town Tonight' in, de titelsong van Marions eerste speelfilm over de vriendin van een detective die verhinderde dat een schurk een hele stad liet afbranden. Zodra de muziek herkend werd keek elke dame met glinsterende diamanten en elke piekfijn geklede heer op en in de richting van Marion.

Bell glimlachte toen een goedkeurend geroezemoes door het restaurant golfde.

'Miss Morgan!' riep Rector uit, haar beide handen in de zijne klemmend. 'De laatste keer dat u Rector's met een bezoek vereerde maakte u filmjournaals. Maar nu praat iedereen over uw speelfilm.'

'Dank u wel, meneer Rector. Ik dacht dat zo'n muzikale aubade gereserveerd was voor knappe actrices.'

'Ach, knappe actrices zijn er zoveel op Broadway. Maar een beeldschone filmregisseuse is even zeldzaam als oesters in augustus.'

'Dit is Isaac Bell, mijn verloofde.'

De restauranteigenaar schudde Bell enthousiast de hand. 'Mijn felicitaties. U moet een gelukkig man zijn. Wilt u een rustige tafel, of juist een waar iedereen u kan bewonderen, miss Morgan?'

'Liever een rustige plek,' zei Marion meteen. Toen ze hun plaats hadden gevonden zei ze tegen Bell: 'Het verbaast me dat hij nog wist wie ik ben.'

'Misschien heeft hij gisteren de *New York Times* gelezen,' grijnsde Bell. Marion was zo opgetogen over haar entree in het restaurant dat ze een beetje bloosde.

'*The Times*? Wat bedoel je?'

'De krant stuurde een verslaggever naar de Easter Parade, vorige week zondag.' Bell haalde een uitgeknipt krantenartikel uit zijn portefeuille en las het hardop voor.

'"Een jongedame die na de thee van Times Square naar de parade op Fifth Avenue liep veroorzaakte een sensatie. Haar kleding was van satijn en lavendelkleurig, ze droeg een zwarte met veren uitgedoste hoed, zo groot dat iedereen in haar omgeving een pas opzij moest doen om haar door te laten. Deze oogverblindende schoonheid liep tot aan Hotel St. Regis en stapte toen in een rode Locomobile, die in noordelijke richting wegreed." Trouwens, jouw oren zijn nu ook rood.'

'Ik ben geschrokken! Zo lijkt het wel of ik aan het tippelen was op Fifth Avenue. Alle vrouwen hadden zich opgedoft voor Pasen. En die hoed droeg ik alleen omdat mademoiselle Duvall en Christina om tien dollar hadden gewed dat ik het niet durfde.'

'Die verslaggever wekt de verkeerde indruk. Jij trekt de aandacht, en als je daar naar op zoek was, dan zou je niet in die rode Locomobile stappen maar tot het donker werd blijven flaneren op de Avenue.'

Marion strekte haar hand uit. 'Heb je dat vreemde artikel op de achterkant gelezen?'

Bell draaide het krantenknipsel om. 'Over de *Lachesis muta*? Ja, dat is wel een gevaarlijke slang, Kwijlt dodelijk gif en sluw als een beul. Weet je, Cumberland Hotel is maar tien blokken verder op Broadway. Ik denk dat ik wel toegang krijg tot een bijeenkomst van de Pathological Society, in gezelschap van een knappe jongedame. Wil je die slang zien?'

Marion huiverde.

Toen de champagne geserveerd werd hief Bell zijn glas naar haar. 'Ik kan het niet beter zeggen dan George Rector zelf. Bedankt, dat jij mij tot de gelukkigste man in deze stad maakt.'

'O, Isaac, ik ben zo blij je te zien.'

Ze dronken van de champagne en bespraken het menu. Marion bestelde een Egyptische kwartel en zei dat ze nog nooit van zo'n vogel had gehoord. Bell bestelde een kreeft. Oesters werden gekozen als voorgerecht. 'Deze oesters komen uit Maryland,' vertelde de ober. 'Het zijn grote exemplaren die speciaal geselecteerd worden voor Diamond Jim Brady. Als ik u een advies mag geven: meneer Brady eet na de kreeft meestal eend en een biefstuk.'

Bell weerde het voorstel af,

Marion pakte zijn hand vast. 'Vertel me over je werk. Blijf je in New York?'

'We zijn bezig met een spionagezaak,' antwoordde Bell op gedempte toon, zodat zijn woorden niet door andere dinergasten gehoord konden worden. 'Dat heeft te maken met de internationale strijd om het modernste marineschip.'

Marion was eraan gewend dat hij details over een zaak vertelde, om zijn eigen gedachten te ordenen. 'Dat is wel anders dan op bankrovers jagen,' zei ze zacht.

'Ik heb tegen Joe Van Dorn gezegd: internationaal of niet, als er mensen gedood worden, dan zijn het moordenaars. Joe blijft in Washington en hij heeft me carte blanche gegeven in onze vestiging in New York. Ik mag agenten door het hele land onderzoek laten doen.'

'Dit heeft zeker te maken met de wapenexpert wiens piano explodeerde?'

'Het lijkt steeds duidelijker dat het geen zelfmoord was, maar een duivelse moordaanslag die zodanig in scène werd gezet dat het wel zelfmoord leek, en wel zo bizar dat de arme man en het hele wapensysteem dat hij ontworpen had in diskrediet werd gebracht. Uiteraard maakt de verdenking van steekpenningen aannemen hem verdacht bij alles wat hij deed.'

Bell vertelde Marion dat hij twijfelde aan Langners afscheidsbriefje en zijn overtuiging dat de indringer die door de oude John Eddison was betrapt op de marinewerf in Washington inderdaad een Japanner was. Hij vertelde ook dat de dood van de pantserdeskundige en de brandexpert eerst als een ongeluk werden gezien.

'Heeft iemand een Japanner gezien bij de Bethlehem staalfabriek?' vroeg Marion.

'Er werd een wegrennende man gezien, maar dat was een grote kerel: minstens een meter tachtig lang. En hij was blond. Men vermoed dat hij een Duitser is.'

'Waarom juist een Duitser?'

'Toen hij wegrende hoorde men hem mompelen: *Gott im Himmel!*'

Marion trok sceptisch een wenkbrauw op.

'Ja, ik weet het,' begreep Bell. 'Het is een magere aanwijzing.'

'En werd er ook een blonde Duitser of een Japanner gezien in gezelschap van Grover Lakewood, voordat hij van de rots viel?'

'De lijkschouwer in Westchester County zei tegen mijn agent dat niemand Lakewood te pletter zag vallen. Lakewood had tegen vrienden gezegd dat hij in het weekend ging oefenen met rotsklimmen. De verwondingen aan zijn hoofd wijzen op een klimongeluk. De arme kerel is dertig meter naar beneden gestort. Zijn kist bleef gesloten voor de begrafenis.'

'Was hij daar alleen aan het klimmen?'

'Een oud vrouwtje zei dat ze hem kort voor het ongeluk had gezien in gezelschap van een aantrekkelijk meisje.'

'En ze was niet Duits of Japans?' vroeg Marion glimlachend.

'Nee, roodharig,' lachte Bell terug. 'Vermoedelijk Iers.'

'Waarom Iers?'

Bell schudde zijn hoofd. 'Dat oude vrouwtje vond dat het gezicht van die jongedame op dat van haar Ierse dienstmeid leek. Ook dat is weinig overtuigend.'

'Drie mogelijke verdachten,' merkte Marion op. 'Drie verschillende nationaliteiten... Ja, wat kan internationaler zijn dan streven naar het beste slagschip?'

'Kapitein Falconer is geneigd Japan te beschuldigen.'

'En jij?'

'Ongetwijfeld heeft Japan veel ervaring met spionage. Ik hoorde dat, al voor de Russisch-Japanse oorlog, veel infiltranten waren doorgedrongen in de vloot van de tsaar. Die spionnen deden zich voor als Mantsjoerijnse bedienden en werklieden. Toen de gevechten uitbraken wist Japan meer over de Russische tactiek dan de Russen zelf. Maar ik heb geen keus gemaakt: iedereen blijft verdacht.'

'Een knappe en lange detective vertelde mij ooit dat scepsis zijn meest waardevolle gereedschap is,' knikte Marion.

'Het is een omvangrijke zaak en die breidt zich steeds verder uit. En omdat het ontwerpprogramma voor de nieuwe slagschepen zo veelomvattend is kan dit al veel langer spelen zonder dat het opviel. Tot de dochter van Langner volhield dat haar vader geen zelfmoord heeft gepleegd. En als zij niet dankzij haar oude schoolvriendin een ontmoeting met Joe Van Dorn kon regelen, dan was ik nooit persoonlijk getuige geweest van de moordaanslag op de ongelukkige Alasdair. Zijn dood zou geregistreerd worden als een gevolg van een knokpartij in een kroeg, en wie weet hoeveel anderen ook op die manier vermoord zouden worden?' Bell schudde zijn hoofd. 'Genoeg gepraat. Daar komen de oesters en morgen moeten we vroeg aan de slag.'

'Kijk eens hoe groot!' Marion liet een enorme oester uit de schelp in haar mond glijden. Met een glimlach vroeg ze: 'Is die miss Langner echt zo mooi als men zegt?'

'Wie beweert dat?'

'Mademoiselle Duvall heeft haar in Washington ontmoet. Kennelijk is elke jongeman aan de oostkust voor haar gevallen.'

'Ze is inderdaad mooi,' zei Bell. 'En ze heeft heel bijzondere ogen. Als ze niet in de rouw was, zou ze denk ik nog veel aantrekkelijker zijn.'

'Vertel me niet dat jij ook voor haar gevallen bent.'

'Dat gebeurt mij niet meer,' grinnikte Bell.

'Vind je dat jammer?'

'Als liefde zwaartekracht zou zijn, dan verkeer ik nu in vrije val. Wat deed mademoiselle Duvall in Washington?'

'Ze probeerde een onderminister van marine te verleiden om films te maken van de Grote Witte Vloot, stomend door de Golden Gate naar San Francisco. Althans, zo sleepte ze vorige winter de opdracht binnen om het vertrek van de vloot bij Hampton Roads te filmen. Dus ik neem aan dat ze dezelfde tactiek gebruikt. Waarom vraag je dat?'

'Dit moet beslist onder ons blijven,' antwoordde Bell ernstig. 'Mademoiselle Duvall heeft een langdurige relatie gehad met een Franse marinecommandant.'

'Ach, ja. Soms doet ze heel geheimzinnig en heeft ze het over *mon capitaine.*'

'*Mon capitaine* is toevallig gespecialiseerd in het onderzoek naar de modernisering van oorlogsschepen, dus deze Fransman is een spion, en waarschijnlijk werkt zij voor hem.'

'Een spion? Maar zij is zo kinderlijk en onnozel!'

'De minister van marine gaf Joe Van Dorn een lijst met twintig namen van buitenlanders die rondgeneusd hebben in Washington en New York, en dat gebeurde in opdracht van Engeland, Duitsland, Italië en Rusland. De meeste personen op die lijst lijken tamelijk onnozel, maar we moeten ze toch allemaal controleren.'

'Geen Japanners?'

'Jawel. Twee van hun ambassade: een marineofficier en een militaire attaché. En een importeur van thee, wonend in San Francisco.'

'Wat zou mademoiselle Duvall beter dan wij kunnen filmen voor de Franse marine?'

'Misschien is filmen haar excuus om dichterbij Amerikaanse marineofficieren te komen die te loslippig zijn tegenover aantrekkelijke dames. Wat bedoel je met "beter dan wij"? Maak jij ook opnames van de vloot?'

'Preston Whiteway heeft recent contact gezocht met ons.'

Bells ogen vernauwden even. De rijke Whiteway had enkele dagbladen in Californië geërfd en die bedrijven laten groeien tot een machtige uitgeverij van schandaalbladen en Marion had voor hem een filmbedrijf voor dagelijkse nieuwsberichten opgezet, voordat ze naar de oostkust kwam om speelfilms te regisseren.

'Preston vroeg me of ik de aankomst van de vloot in San Francisco wil filmen voor *Picture World.*'

'In Prestons kranten wordt voorspeld dat binnen een week een oorlog met Japan uitbreekt.'

'Hij laat alles drukken, als het maar meer kranten verkoopt.'

'Is dit een eenmalige opdracht?'

'Ik zou nooit bij hem in loondienst willen werken, maar wel als goedbetaalde freelancer. Ik zou dat karwei inpassen tussen de films die ik hier maak. Wat denk jij ervan?'

'Ik moet het aan Whiteway overlaten. Hij is vasthoudend.'

'Zo ziet hij me niet meer. Waarom lach je?'

'Hij is toch een man en zijn gezichtsvermogen is uitstekend.'

'Ik bedoel dat Preston weet dat ik niet beschikbaar ben.'

'Dat zal hij zo langzamerhand wel begrijpen,' beaamde Bell. 'Als ik me niet vergis dreigde jij hem neer te schieten, bij onze laatste ontmoeting. Wanneer vertrek je?'

'Niet voor 1 mei.'

'Mooi. De Michigan wordt volgende week te water gelaten. Kapitein Falconer organiseert een groot feest en ik hoopte al dat je met mij mee kon gaan.'

'Dat lijkt me heel leuk.'

'Het is voor mij een kans allerlei buitenlandse onnozele types te observeren in gezelschap van Amerikanen die mogelijk te loslippig zijn. Jij kan me daarbij helpen met een extra paar ogen en oren.'

'Wat voor kleding dragen dames die een tewaterlating bijwonen?'

'Misschien die enorme hoed, waar mannen een stap opzij voor moeten doen?' grinnikte Bell. 'Je kunt ook advies aan mademoiselle Duvall vragen. Ik wil wedden dat zij daar ook aanwezig zal zijn.'

'Het bevalt me niet dat ze weet dat jij een detective bent. Dat kan gevaarlijk voor je zijn, als zij inderdaad een spionne is.'

* * *

Tien huizenblokken verder op Broadway verliep alles wat Iceman Weeks bedacht had stipt volgens plan.

Hij was erin geslaagd van de metro naar Cumberland Hotel te lopen zonder dat hij werd gezien door iemand die Tommy Thompson kon waarschuwen. Hij stak Broadway over en passeerde Daley en Boyle, detectives jagend op zakkenrollers, die gehaast naar hun vaste plek bij de Metropolitan Opera liepen. Iceman Weeks viel niet op in het ruimvallende confectiekostuum dat hij gepikt had van een brandtrap waar het te luchten hing.

In de lobby van het Cumberland Hotel waren de bewakers afgeleid doordat ze afgelost werden. Geen van hen keek argwanend naar Weeks, ook al paste zijn lompe schoeisel niet bij de glanzend gepoetste schoenen van de geleerden. De artsen van de Academy of Pathological Science haastten zich naar de zaal en niemand keek naar de voeten van Weeks.

Jimmy Clark, in zijn paarse piccolokostuum, als het aapje van een orgeldraaier, keek strak voor zich uit, en niets wees op het 'gesprek' dat hij eerder op de dag met Weeks had.

'Jongen!'

Jimmy kwam snel aanlopen, met gebogen hoofd om de haat en angst in zijn ogen te verbergen. 'Jawel, meneer?'

Weeks gaf hem het vrachtbewijs voor de gehavende hutkoffer die hij eerder bij het hotel had laten afleveren. 'Zet mijn koffer op je karretje en wacht op mij bij de zijdeur van de zaal. Ik moet op tijd aan boord van een stoomschip zijn, en ik wil het publiek in de zaal niet storen als ik eerder vertrek.'

'Jawel meneer,' antwoordde Jimmy Clark.

Weeks had meer geluk dan hij verwachtte. In de lobby van het hotel was het druk: toeristen die een avondje op Broadway wilden stappen en arriverende artsen die de gifslang wilden zien. Een afwijkend accent werd door niemand opgemerkt. Hoewel hij gekleed was als een intellectueel sprak Weeks de taal van de onderwereld, zoals hij al zijn leven lang gewend was.

Een bijkomend geluk was dat de zekeringkast van het hotel in een kelder was, dicht bij de trap naast de zijdeur van de zaal waar de artsen bijeen waren om de slang te zien. Weeks legde zijn hoed op een stoel dicht bij de deur en liep een beetje rond, zodat hij met niemand hoefde te praten, voordat de bijeenkomst begon. Hij ging als een van de laatsten zitten en zag nog een glimp van zijn hutkoffer, beplakt met stickers, op het bagagekarretje van Jimmy voordat de deur gesloten werd.

Hij luisterde ongeduldig naar het welkomstwoord en het voorlezen van de notulen. Daarna vertelde een arts hoe men het gif van de slang wilde aftappen en verwerken tot een serum om geesteszieken te genezen. Deze slang had veel meer gif in zijn klieren dan andere soorten. Iceman Weeks interesseerde het niet hoeveel krankzinnigen behandeld konden worden met het serum, maar wel dat Isaac Bell in elk geval een flinke dosis zou krijgen, zelfs als de eerste aanval van de slang mislukte.

De verzorgers van de dierentuin kwamen op het podium met de slang. Het werd doodstil in de zaal.

Weeks zag tot zijn opluchting meteen dat de glazen bak in de hutkoffer paste. Voordat hij de bak had gezien was dat onzeker. Twee mannen droegen de glazen bak en plaatsten die op een tafel op het podium.

Zelfs vanuit de zaal zag de slang er griezelig uit. Het reptiel kronkelde en rolde met het opmerkelijke dikke lijf, het diamantpatroon op de slangenhuid glanzend in het licht. De glijdende bewegingen wekten de indruk dat het dier één grote en sterke spier was. De gespleten tong likte onderzoekend langs de de randen van de bak en het deksel. Vooral de scharnieren kregen aandacht. Weeks vermoedde dat daar lucht door de kieren drong en dat de slang beweging kon registreren. De artsen in het publiek spraken op gedempte toon met elkaar, maar niemand maakte aanstalten de slang van dichtbij te bekijken.

'U hoeft niet ongerust te zijn, heren,' riep de medicus die de presentatie leidde. 'Het glas is heel sterk.' Hij gebaarde dat de twee mannen die de bak hadden geplaatst konden gaan. Iceman Weeks was blij dat het tweetal verdween, want de kans was groter dat zij hem herkenden dan de artsen. Mooi zo, dacht Weeks. Alleen de slang en ik, en een groep angsthazen. Hij keek naar de deur. Jimmy had die op een kier gezet. Weeks knikte. *Nu!*

Het duurde niet lang. Toen de eerste rij toeschouwers overeind kwam om de slang in de glazen bak beter te bekijken, viel het licht uit en opeens was het aardedonker in de zaal. Wel vijftig mannen begonnen tegelijk te schreeuwen van schrik. Weeks stormde naar de deur, trok de deur verder open en tastte naar de hutkoffer. Hij hoorde Jimmy op de trap lopen, vertrouwend op de leuningen. Weeks opende de hutkoffer, pakte de glasplaat en stopte die onder zijn arm. Hij keerde weer terug naar de zaal, waar het geschreeuw steeds luider klonk.

'Kalm blijven!'

'Geen paniek!'

Een paar heren streken lucifers aan, die grillige schaduwen veroorzaakten.

Weeks mocht geen seconde verliezen. Hij rende naar de zijkant van de zaal, langs de wand tastend en dan naar het podium. Toen hij twee meter van de slang verwijderd was schreeuwde hij zo hard hij kon: 'Kijk uit! Niet laten vallen!' En hij smeet het glazen paneel aan scherven op de houten vloer.

Het roepen veranderde in ijselijke angstkreten, gevolgd door het roffelen van tientallen voeten. Voordat Weeks kon roepen: 'Hij is ontsnapt! Wegwezen! Vluchten!' klonk de panische waarschuwing al uit vele kelen.

Jimmy Clark kwam snel met de hutkoffer op het bagagewagentje.

'Voorzichtig,' mompelde Weeks. 'Niet laten vallen.'

In het donker tilden ze de glazen bak in de hutkoffer, sloten het deksel en ze duwden het wagentje door de zijdeur van de zaal. Ze waren al bijna in de steeg toen de lichten weer aangingen.

'Pas op, een bewaker!' siste Clark waarschuwend.

'Doorlopen,' zei Weeks kalm, 'ik neem hem wel voor mijn rekening.'

'Hé! Waar gaat dat heen?'

Weeks was gekleed als een academicus en hij ging zo staan dat Jimmy door kon lopen. 'Ik moet nu weg, anders mis ik mijn boot.'

Maar de bewaker hoorde het platte accent van Weeks en hij trok meteen zijn pistool.

Weeks reageerde razendsnel en had zijn boksbeugel paraat. Hij gaf de bewaker een krakend harde slag tussen zijn ogen. Hij ving het vallende pistool op en stak het wapen in zijn zak. Jimmy was al verder in de steeg. De piccolo leek doodsbang.

'Denk erom, je doet wat ik zeg,' waarschuwde Weeks. 'We moeten nog een eind door de stad lopen.'

19

Er was kennelijk iets gebeurd op Broadway, toen Isaac Bell en Marion Morgan uit Rector's restaurant kwamen. Ze hoorden brandweerbellen rinkelen en politiefluitjes snerpen. Mensen dromden door elkaar en Isaac besloot dat het beter was om met de metro naar de ferry gaan.

Ze waren twintig minuten later bij de pier en liepen hand in hand. Bell vergezelde haar aan boord en bleef dralen op de loopplank. De stoomfluit gilde.

'Bedankt voor het diner, lieveling. Het was heerlijk samen met jou.'

'Zal ik met je meevaren naar de overkant?'

'Ik moet morgenochtend heel vroeg op. En jij ook. Dus geef me een kus.'

Even later riep een dekmatroos: 'Nu afscheid nemen, tortelduiven. Wie niet meevaart gaat nu op de kade.'

Bell stapte van de loopplank en riep toen de veerboot wegdreef van de kade: 'Ze zeggen dat het vrijdag gaat regenen.'

'Ik zal een regendans doen!' riep Marion terug.

Bell keerde met de metro terug naar het centrum en ging even langs bij de nachtportier in het kantoor van Van Dorn. De man vroeg meteen: 'Heeft u al gehoord over de slang?'

'De *Lachesis muta?*'

'Dat beest is ontsnapt.'

'Uit het Cumberland Hotel?'

'Ja, ze denken dat het reptiel in het riool is verdwenen.'

'Is er iemand gebeten?'

'Nee, nog niet,' antwoordde de nachtportier.

'Hoe kon die slang ontsnappen?'

'Ik heb wel veertien verschillende verklaringen gehoord, sinds ik hier kwam. De meest waarschijnlijke is dat men de bak liet vallen. Het was een glazen bak.' De man schudde lachend zijn hoofd. 'Zoiets kan alleen in New York gebeuren.'

'Is er iets wat ik moet weten voor morgenochtend?'

De nachtportier gaf een stapel berichten aan Bell. Bovenaan lag een telegram van Bells beste vriend detective Archie Abbott die tijdens een lange huwelijksreis door Europa contacten had gelegd in Londen, Parijs en Berlijn, voor de oprichting van overzeese filialen van Van Dorn. Omdat hij een vooraanstaand lid van de society was en getrouwd met Amerika's rijkste erfgename, was de adellijke Archibald Angell Abbott IV welkom op elke ambassade en in elk paleis in Europa. Bell had hem al instructies getelegrafeerd om dat voordeel te gebruiken om meer zicht te krijgen op de technische ontwikkelingen bij oorlogsschepen. Archie zou aan de terugreis beginnen en hij vroeg aan Bell of hij aan boord van de Britse Lusitania moest gaan, of beter met het Duitse schip Kaiser Wilhelm der Grosse kon reizen.

'Neem de Rollende Wim maar,' telegrafeerde Bell terug, de bijnaam gebruikend van het indrukwekkende maar weinig stabiele Duitse schip. Archie en zijn knappe bruid zouden tijdens de reis over de Atlantische Oceaan in de eersteklas lounges verblijven, en hooggeplaatste officieren, diplomaten en industriëlen uithoren over de oorlog, spionage en de wedloop tussen de nationale marines. De meest stramme Pruisische officier noch de mees mondaine hoveling van de Kaiser kon de charme van Lillian weerstaan, als ze met haar ogen naar hen lonkte. En Archie, ooit een overtuigde vrijgezel tot hij verliefd werd op Lillian, zou het spel behendig meespelen.

John Scully had een raadselachtig bericht gestuurd: 'De PS-jongens letten op Kent. Ik ga rondneuzen in Chinatown.' Bell gooide het bericht in de prullenmand. Het was duidelijk dat hij pas iets zou horen als Scully dat nodig vond.

Rapporten van de agenten van Van Dorn in Westchester en Bethlehem brachten geen nieuwe feiten over het klimongeluk en de explosie in de staalfabriek. En er was ook geen nieuws over de mogelijke verdachten: de 'Ierse' jongedame, of de 'Duitse' arbeider. Maar de agent in Bethlehem waarschuwde wel voor overhaaste conclusies. Kennelijk was niemand die Chad Gordon had gekend verbaasd over het fatale ongeluk. Het slachtoffer was een ongedurige en gedreven man, nonchalant wat veiligheidsmaatregelen betreft en het was bekend dat hij grote risico's nam.

Er was wel verontrustend nieuws uit Newport, Rhode Island. De agent die als taak had Wheeler te bewaken bij het marinedepot rapporteerde dat hij tevergeefs twee mannen had achtervolgd die probeerden in te breken in het huis van de torpedo-expert. Bell gaf opdracht meer beveiligers daarheen te sturen, omdat hij vreesde dat het geen gewone inbraakpoging was. Hij telegrafeerde ook naar kapitein Falconer met de aanbeveling dat Wheeler voortaan in het goed bewaakte torpedodepot zou overnachten en niet in zijn eigen woning.

De middelste telefoon begon te rinkelen en de nachtportier nam de hoorn op. 'Jawel, meneer Van Dorn… Toevallig is hij hier aanwezig.' De man gaf de hoorn aan Bell met de woorden: 'Interlokaal gesprek uit Washington.' Bell hield de hoorn tegen zijn oor en zei: 'U bent nog laat aan het werk.'

'Ik geef alleen het goede voorbeeld,' bromde Van Dorn. 'Is er iets wat ik moet weten, voordat ik ga slapen?'

'Archie is op weg naar huis. Na de langste huwelijksreis, voor zover ik weet.'

Bell informeerde Van Dorn over de stand van zaken. Daarna vroeg hij: 'Heeft u nog overlegd met die kennis bij het ministerie van buitenlandse zaken?'

'Dat is de reden voor mijn telefoontje,' antwoordde Van Dorn. 'Canning heeft de meeste namen op de lijst doorgestreept, en enkele toegevoegd die hij verdacht vindt. Een naam vind ik opvallend: een zekere Yamamoto Kentai, die als kunstcurator het Smithsonian Instituut bezoekt. Een Japanner. Dat lijkt me interessant om nader te onderzoeken.'

'Is daar iemand beschikbaar om naar het Smithsonian te gaan?'
Van Dorn bevestigde dat en ze beëindigden het telefoongesprek.
Bell moest een geeuw onderdrukken en hij huiverde even in zijn jas.
Het was al middernacht geweest.

'Pas maar op bij de putdeksels,' zei de nachtportier.

'Ik denk dat die slang nu al in Hudsonrivier zwemt.'

* * *

De herenclubs in West 44th Street waren gevestigd tussen Sixth en Fifth
Avenue, met stallen en garages. Isaac Bell had al zijn aandacht nodig
om paardenmest en gevaarlijke rijdende auto's te ontwijken, dus hij
maakte zich geen zorgen over ontsnapte gifslangen. Maar toen hij bij
het hoge gebouw van de Yale Club New York City kwam zag hij dat
de ingang geblokkeerd werd door drie heren van middelbare leeftijd
met rood aangelopen gezichten. Ze stonden gearmd op het bordes en
waren gekleed in blazers met sjaals van de reünisten van '83 en ze zon-
gen uit volle borst 'Bright College Years'. Isaac Bell voegde zijn ver-
moeide bariton toe aan het trio en probeerde langs de zangers te lopen.

'Wij zijn beter dan de Harvard Club!' riep het drietal, met spottende
gebaren naar het lage gebouw aan de overkant van de straat.

'Kom mee met ons, we gaan naar het dak!'

'We gooien boeketten naar die Crimsons!'

De portier kwam naar buiten en maakte de weg vrij voor Bell. 'Dat
heb je met die leden van buiten de stad.'

'Bedankt voor je hulp, Matthew. Zonder jou was ik nooit binnen
gekomen.'

'Welterusten, meneer Bell.'

Er werden ook studentenliederen gezongen in de Grill Room, maar
niet zo luidruchtig als op het bordes. Bell ging niet met de lift maar
via de trap naar boven. De grote lounge was op dit late uur verlaten.
Hij had een kamer op de derde verdieping, waar nog twaalf spartaans
ingerichte slaapvertrekken waren, zes aan elke kant van de gang en
aan het einde was een badkamer. Een hutkoffer stond in de gang en
versperde zijn deur gedeeltelijk.

Kennelijk was iemand zojuist gearriveerd met een boot uit Europa.

Bell geeuwde weer en hij verschoof de hutkoffer. Hij was verbaasd dat de koffer zo licht en dus leeg was. Het personeel haalde een lege koffer meestal meteen weg. Bell bekeek de koffer met meer aandacht. Het was een gehavende hutkoffer, met verbleekte etiketten van het Ritz Hotel in Barcelona, Brown's Hotel in Londen en van de Servia, een schip van de Cunard Line. Hij kon zich niet herinneren wanneer hij die naam voor het laatst had gelezen: het schip was waarschijnlijk al sinds eeuwwisseling uit de vaart genomen. Tussen de verbleekte etiketten was ook een nieuw label: Cumberland Hotel New York. Toevallig was daar ook de gifslang ontsnapt. Hij vroeg zich af waarom een lid van de Yale Club New York in het Cumberland Hotel zou logeren en daarna verhuizen naar een sobere kamer. Waarschijnlijk omdat de eigenaar van de hutkoffer langere tijd in New York wilde blijven. Het logies was aanmerkelijk goedkoper in de club.

Bell opende zijn kamerdeur en stapte naar binnen. Een vreemde geur drong in zijn neusgaten, heel vaag en nauwelijks waarneembaar. Hij bleef staan en strekte zijn hand uit naar de lichtschakelaar. Hij probeerde het eigenaardige aroma te herkennen. Het deed hem denken aan een bezweet lederen schermkostuum. Maar zijn eigen schermkleding hing in een kast om de hoek van 45th Street in het gebouw van de schermclub.

Het licht op de gang viel over zijn schouder in kamer. Op het bed glinsterde iets.

Isaac Bell was opeens klaarwakker. Hij sprong opzij om niet als silhouet in de deuropening gezien te kunnen worden. Tegen de wand gedrukt en met al zijn zintuigen alert trok hij snel zijn Browning pistool uit de schouderholster en knipte het licht aan.

Op het smalle bed stond een glazen bak, zo zwaar dat de sprei diep werd ingedrukt. De glazen bak had de vorm van een kubus, met zijden van ongeveer zestig centimeter. Het deksel was ook van glas en hing open in de scharnieren die verbogen waren. Het leek wel of iemand het deksel haastig had geopend en meteen weggerend was.

Bell voelde zijn nekhaar overeind komen.

Hij keek snel om zich heen in de kleine slaapkamer. Op het dressoir stond alleen een doos met zijn manchetknopen. Op het nachtkastje zag hij een kleine schemerlamp, een *pocket guide* voor New York, een boek van Mahan over de historische invloed van zeevarende mogendheden, en een handboek over de navigatie aan boord van onderzeeboten. De kastdeur was gesloten en de kleine brandkast waarin hij zijn wapens bewaarde was afgesloten. Nog steeds met zijn rug tegen de wand gedrukt keek Bell naar de glazen bak. Door het spiegelende glas was moeilijk te zien wat er in de bak zat. Hij bewoog zijn hoofd langzaam om er vanuit verschillende hoeken naar te kijken.

De bak was leeg.

Bell bleef onbeweeglijk staan, als een jager. De slang kon zich alleen onder het bed verschuilen, in het donker achter de afhangende sprei. Opeens zag hij iets bewegen. Een lange gespleten tong flitste onder de sprei vandaan, aftastend waar toe te slaan. Tegen de wand gedrukt en heel behoedzaam bewegend schuifelde Bell naar de deur om uit de kamer te vluchten en het reptiel op te sluiten. Chloroform tussen deur en drempel naar binnen laten stromen zou de slang onschadelijk maken.

Maar voordat hij een stap kon doen begon de slangentong sneller te bewegen, alsof het reptiel wilde aanvallen. Bell zette zich schrap om met een grote sprong uit de kamer te vluchten. Juist toen hij wilde springen hoorde hij dat de liftdeur open ging. De groep dronken clubleden wankelde de gang in, luid zingend:

'Where'er upon life's sea we sail:
For God and Country and...'

Bell besefte dat hij geen keus had. Als hij het dronken groepje waarschuwde dat ze moesten vluchten zouden ze hem niet horen of begrijpen. En zijn waarschuwing zou voor de gifslang het sein zijn om hem aan te vallen, of naar de deur te kronkelen en de mannen op de gang te bedreigen.

Hij gebruikte de loop van zijn pistool om de deur dicht te duwen. Door de beweging van de lucht in de kamer kwam de slang in actie. Met een razendsnelle beweging deed de gifslang een uitval naar zijn been.

Bell had nooit eerder zo snel bewogen. Hij trapte naar de sissende slangenkop. De slang raakte zijn enkel met een verbazende spierkracht en een klodder geel gif belandde op zijn broekspijp. Dankzij snelle reflexen en het feit dat zijn enkel beschermd werd door een hoge schoen was Bell niet in levensgevaar. In een oogwenk rolde de slang zich op en viel weer aan. Bell vloog op dat moment door de lucht naar het bed. Hij greep het kussen en smeet het naar de slang. De slang viel weer aan sproeide geel vergif. De giftanden maakten twee diepe gaten in het kussen. Bell griste de sprei van het bed en zwaaide ermee als een toreador. Hij gooide de sprei over het reptiel om het onschadelijk te maken.

De slang glibberde onder de sprei vandaan, rolde zich weer op en keek met kille kwaadaardige ogen naar Bell, die zijn pistool nauwkeurig op de slangenkop richtte en vuurde. De slang viel op hetzelfde moment aan toen het pistoolschot knalde. Bell miste en de kogel sloeg de spiegel boven het dressoir aan scherven. Terwijl het glas nog in het rond vloog troffen de scherpe giftanden Bell in zijn borst, recht boven zijn hart.

20

Bell liet zijn pistool vallen en zijn hand sloot zich om de nek van de slang. Het reptiel was enorm sterk. Met een lengte van bijna anderhalve meter kronkelde het hele gespierde lijf zich om los te komen uit de greep en weer aan te vallen. De giftanden blikkerden in de pijlvormige kop. Geel gif droop uit de wijd geopende kaken. Bell dacht dat hij in de kille ogen van het reptiel iets van triomf zag, alsof de slang al zeker wist dat het dodelijke gif zijn werk had gedaan en dat zijn prooi binnen enkele minuten zou bezwijken. Naar adem happend tastte Bell met zijn vrije hand naar het mes in zijn laars. 'Jammer voor jou, slang, maar je maakte de fout die giftanden in mijn schouderholster te zetten.'

Een lid van de club duwde de deur open. 'Wie schiet hier met een pistool?'

Zodra hij de slangenkop in de greep van Bells vuist zag werd de man lijkbleek en hij drukte beide handen tegen zijn mond.

Bell wees met zijn bebloede mes naar de gang. 'Als je moet overgeven, de toiletten zijn daar.'

Matthew, de portier, verscheen bij de deuropening. 'Bent u...'

'Waar komt die hutkoffer vandaan?' wilde Bell weten.

'Dat weet ik niet. Die koffer is kennelijk gebracht voordat mijn dienst begon.'

'Haal de manager!'

De manager van de club kwam even later in pyjama aanlopen. Zijn

151

ogen werden groot toen hij de gebroken spiegel zag, de onthoofde slang nog kronkelend op de vloer en Isaac Bell die zijn mes schoonveegde aan een gescheurde kussensloop.

'Verzamel het personeel,' commandeerde Bell. 'Deze *Lachesis muta* is ofwel door de ballotage gekomen, ofwel door iemand van het personeel in mijn kamer gebracht.'

* * *

Iceman Weeks rende door de stad, nadat hij gezien had dat Isaac Bell de Yale Club binnen ging en niet meer naar buiten kwam. Hij haastte zich over Eighth Avenue en bij een onopvallend huis in 53th Street klopte hij op de deur. Op de bovenverdieping had Tommy Thompson een gokhal geopend. De Gopher die de deur bewaakte vroeg: 'Wat kom jij hier doen?'

'Zeg tegen Tommy dat ik goed nieuws heb.'

'Ga het zelf maar vertellen. Hij is op de tweede verdieping.'

'Dat dacht ik al.'

Weeks beklom de trap, hij passeerde de gokhal, bewaakt door een andere kerel die verbaasd was hem hier te zien, en hij ging verder naar boven. Een van de treden zakte wat onder het gewicht van zijn voet en hij vermoedde dat er een schakelaar was aangebracht om het licht te dimmen in de kamer boven de gokhal zodat Tommy gewaarschuwd werd dat er iemand naar boven kwam.

Weeks wachtte ongeduldig, terwijl hij door een kijkgaatje in de deur geobserveerd werd. Tommy deed zelf de deur open. 'Ik vermoed dat het gelukt is. Anders was je niet hierheen gekomen.'

'Is onze rekening nu vereffend?'

'Kom binnen. Neem een borrel.'

Tommy dronk Schotse whisky. Weeks was zo opgewonden dat de drank meteen naar zijn hoofd steeg. 'Wil je horen hoe ik het gedaan heb?'

'Tuurlijk. Wacht even tot we klaar zijn. Doe het licht uit.'

Tommy's lijfwacht draaide aan de schakelaar en het werd bijna helemaal donker in de kamer. Hij opende een luik in de vloer en Weeks zag dat er een vierkant uit het plafond van de lagere verdieping was gezaagd, en afgedekt met glas. 'Dat is een nieuwe uitvinding,' grinnikte Tommy. 'Een speciale doorkijkspiegel. Wij kunnen zien wat er beneden gebeurt, maar als ze daar omhoog kijken zien ze alleen hun eigen tronies.'

Weeks tuurde door het glas en hij zag zes mannen aan de pokertafel zitten. Weeks herkende een van hen als de beste kaartspeler van New York. Een andere bezoeker was Willy the Roper, die gespecialiseerd was in het ronselen van spelers die kaalgeplukt werden. 'Wie moeten we hebben?'

'Die nette kerel met een rode das.'

'Is hij rijk?'

'Eyes O'Shea zegt dat die rode das betekent dat hij aan Harvard heeft gestudeerd.'

'Wat doet hij voor werk?'

'Hij levert proviand aan de marine.'

Voorraden leveren aan de marine leek Iceman Weeks wel een manier om rijk te worden. De marine groeide snel. Dat Commodore Tommy nu bezig was een zakenman van zijn geld af te helpen door een poker-sessie met hoge inzetten te organiseren was een bewijs dat Tommy hoger op de misdaadladder was geklommen, vergeleken bij het plun-deren van goederenwagons. 'Wat denk je van die Harvardkerel?' vroeg hij nonchalant.

'Eyes zei dat we hem moeten uitkleden en dan geld lenen om nog meer te verliezen.'

'Dan heeft Eyes zeker iets te regelen met hem.'

'Dat is niet zo moeilijk. Ted Whitmark is verslaafd aan gokken.'

'En wat levert het jou op?' vroeg Weeks, zich nog een glas whisky inschenkend.

'Een deel van de opbrengst,' antwoordde Tommy. 'Eyes was heel erg gul. Als hij regelt dat Whitmark zijn centen verliest met pokeren en in het krijt komt om nog meer kwijt te raken, dan wil ik hem daar graag bij helpen.'

Toen Weeks zijn derde glas inschonk besefte hij opeens dat Commo-dore Tommy Thompson gewoonlijk zwijgzaam was. Hij vroeg zich af waarom Tommy opeens zo spraakzaam was geworden.

'Wil je nog horen hoe ik dat met Bell heb aangepakt?'

Tommy sloot het luik in de vloer en wenkte dat zijn lijfwacht het licht weer moest inschakelen. 'Zie je dat daar op tafel? Weet je wat het is?'

'Dat is een telefoon,' antwoordde Weeks. Het toestel was glanzend nieuw, zoals alleen in de beste gelegenheden aanwezig. 'Je bent modern, Tommy. Ik wist niet dat je een telefoon had.'

Tommy Thompson greep de revers van Weeks' colbert en duwde de kleinere man moeiteloos met geweld tegen de wand. Weeks zakte duizelig op het tapijt. 'Wat doe je nou?' hijgde hij.

Tommy trapte tegen zijn gezicht. 'Je hebt Bell niet gedood!' schreeuwde hij. 'Door die telefoon weet ik dat Bell nu iedereen die in de club werkt ondervraagt.'

'Wat?'

'Ik heb gehoord dat die agent van Van Dorn nog leeft. Je hebt hem helemaal niet vermoord!'

Iceman Weeks trok het pistool dat hij weggenomen had van de bewaker in het Cumberland Hotel. Maar Tommy's lijfwacht ging op zijn hand staan en nam het wapen weg.

* * *

De manager van de Yale Club wekte zijn staf en verzamelde iedereen in de grote keuken op de bovenverdieping. Ze kenden Isaac Bell als een regelmatige bezoeker die hun namen onthield en gul was met kerstmis, als de 'geen fooien-regel' tijdelijk werd opgeschort. Al het personeel, de manager, de huishoudster, de barman, de kamermeisjes, portiers en de receptiebediende, iedereen wilde Bell graag helpen toen hij vroeg: 'Waar komt de hutkoffer die voor mijn kamerdeur stond vandaan?'

Niemand wist het antwoord. De koffer was daar niet toen de dagploeg om zes uur werd afgelost. Een kelner van de avonddienst had de hutkoffer gezien toen hij om acht uur naar een gastenkamer liep. De liftbediende had de koffer niet gezien, maar hij was tussen zes en acht uur weg geweest voor het avondmaal. Toen zei Matthew, die bij de voordeur was gebleven waar Bell hem enkele vragen stelde: 'De nieuwe wasmeid? Ik zag haar huilend aan de overkant van de straat.'

Bell wendde zich naar de huishoudster. 'Mevrouw Pierce, hoe heet die wasmeid?'

'Jenny Sullivan, ze is hier nieuw en ze woont nog niet in het huis.'

'Matthew, kun je haar hier brengen?'

Jenny Sullivan was klein en donker. Ze beefde van angst. Bell zei tegen haar: 'Ga zitten, jongedame.'

Ze bleef als verstard naast de stoel staan. 'Ik wilde niets verkeerd doen.'

'Wees maar niet bang, want je...' Hij legde zijn hand troostend op haar arm, maar Jenny slaakte een kreet en deinsde achteruit.

'Neem me niet kwalijk,' zei Bell, 'ik wilde je geen pijn doen. Mevrouw Pierce, wilt u zich over haar ontfermen?'

De goedmoedige huishoudster leidde het meisje weg, terwijl ze zacht tegen haar praatte.

'Ik denk dat iedereen weer naar bed kan gaan,' zei Bell. 'Welterusten, en bedankt voor de hulp.'

Toen de huishoudster terugkeerde had ze tranen in haar ogen. 'Dat arme kind is bont en blauw geslagen, van haar schouders tot haar knieën.'

'Heeft ze gezegd wie dat deed?'

'Een kerel die Weeks heet.'

'Bedankt, mevrouw Pierce. Breng haar naar een ziekenhuis, niet in de buurt waar ze woont, maar naar het beste ziekenhuis van de stad. Ik neem alle kosten voor mijn rekening. Bezuinig nergens op, en hier is alvast wat geld.' Bell drukte de bankbiljetten in haar hand en haastte zich naar zijn kamer.

Snel en behendig maakte hij zijn Browning schoon en deed nieuwe patronen in het magazijn. Hij vroeg zich af of een zwaarder vuurwapen Weeks had gestopt voordat hij Alasdair MacDonald kon neersteken. Bell haalde een Colt. 45 uit zijn brandkast. Hij controleerde of zijn derringer geladen was en zette zijn hoed op. Hij stopte de Colt en extra munitie voor beide wapens in zijn jaszakken en draafde met drie treden tegelijk de trap af.

Matthew keek geschrokken toen hij de uitdrukking op Bells gezicht zag. 'Meneer Bell, is alles in orde?'

'Ik denk niet dat jij een vaste bezoeker bent, maar weet je toevallig het adres van Commodore Tommy's Saloon?'

'Volgens mij is dat een eind voorbij West 39th Street, bijna bij de rivier. Maar als ik al naar die kroeg zou gaan, dan zeker niet alleen.'

21

Isaac Bell rende uit de Yale Club. Wie hem zag naderen deed meteen een stap opzij. Hij stak Sixth Avenue over, daarna kruiste hij Seventh Avenue en hij negeerde de woedend claxonnerende automobilisten. Hij draafde verder over Eighth Avenue. Op het bijna verlaten trottoir kon Bell nog sneller lopen, maar dat verdreef de woede in zijn hoofd niet. Bij West 39th Street begon hij te sprinten.

Een politieagent kruiste zijn pad: een grote man die gewapend met een lange wapenstok en een revolver surveilleerde, maar de agent keek hem alleen aan en stak de straat over. Bij Ninth Avenue stonden groepjes bijeen: mannen en enkele vrouwen, de meeste ouder en armoedig gekleed en met de wanhopige gezichten van daklozen. Ze stonden onder het treinviaduct en staarden naar de donkere balken onder het verhoogde spoor. Bell werkte zich langs hen en bleef opeens met een ruk staan. Een man gekleed in een kostuum bungelde met een strop om zijn hals aan een touw dat aan een dwarsbalk was geknoopt.

Een sneltrein passeerde met donderend geraas. Toen het geratel van de wielen was verstomd mompelde iemand: 'Zo te zien wilden de Gophers dat de Iceman een langzame dood zou sterven.'

Bell begreep wat de man bedoelde. De handen van de bungelende man waren niet vastgebonden. Zijn vingers klemden zich om de strop, alsof hij nog probeerde zich te bevrijden. Zijn ogen puilden uit de kassen en een akelige grimas tekende zich af rond zijn mond. Maar ondanks het verwrongen gezicht was het onmiskenbaar de man die Alasdair MacDonald in Camden had gedood.

Een dronkenlap grinnikte: 'Misschien heeft de Iceman zelfmoord gepleegd.'

'Ja,' antwoordde zijn maat schamper. 'En misschien komt de paus wel een biertje drinken bij Commodore Tommy.'

De omstanders lachten. Een tandeloze oude vrouw keek hem verwijtend aan. 'Moeten jullie ook nog de spot drijven met een dode?'

'Hij kreeg zijn verdiende loon. Hij was een boosaardige schurk.'

Een oude man met een vale hoed bromde: 'Geen enkele Gopher heeft ooit een andere vermoord omdat hij boosaardig was, stelletjes sukkels. Ze hebben de Iceman gedood omdat hij te brutaal werd.'

Isaac Bell liep weer verder.

Beide meningen waren onjuist. De Gophers hadden Weeks gedood, zodat hij niets meer kon verklaren over de moord in Camden en de betrokkenheid van zijn opdrachtgever. De man was alleen opgehangen uit zelfbescherming. Welk verband was er nog tussen de dood van Alasdair MacDonald en de spion die daar opdracht voor had gegeven?

Bell voelde de kilte van de rivier en hij hoorde scheepshoorns en de stoomfluiten van sleepboten. De dood van Weeks bracht hem niet dichter bij de spion die de ontwerpers van Hull 44 had laten vermoorden.

Bell versnelde zijn passen maar stopte toen hij een uithangbord zag aan de vervallen gevel van een saloon, zo oud dat er geen nooduitgang was. Met vaalwitte letters op een grijze ondergrond las hij 'Commodore Tommy's Saloon'.

Het gebouw leek eerder een fort dan een saloon. Gedempt licht scheen door de getraliede ramen. Hij hoorde binnen stemmen. Maar de voordeur bleek afgesloten. Bell haalde de .45 uit zijn jaszak en vuurde vier patronen af rond het slot, voordat hij de deur open trapte.

Hij stapte door de deuropening en zijdelings bewoog hij met zijn rug tegen de muur gedrukt de schaars verlichte saloon in. Een tiental Gophers stoof uiteen, de tafels werden gekanteld en de gokkers zochten dekking.

158

'De eerste met een pistool schiet ik neer!' waarschuwde Bell.

Met open mond keken de mannen naar Bell, dan naar de deur en weer terug. Ze wisselden verraste blikken en beseften dat Bell alleen was. Dreigend kwamen ze overeind.

Bell nam de .45 in zijn linkerhand en trok zijn Browning met zijn rechterhand.

'Ik wil alle handen zien! Nu meteen!'

Voor de meesten was de aanblik van de woedende detective bij de muur, zwaaiend met twee vuurwapens reden om hun wapen te laten vallen en de handen omhoog te steken. Bell richtte op twee mannen die dat niet deden. 'Nu meteen!' herhaalde hij dreigend.

Langzaam werd een ouderwets pistool omhoog getild. Bell schoot het wapen meteen uit de hand van de gangster. De man schreeuwde het uit van pijn en schrik. De tweede gangster zwaaide met een groot dubbelloops geweer naar Bell, die meteen opzij dook en tegelijk met de Browning vuurde. Een kogel sloeg in de wand waar Bell even eerder stond. Een tweede patroon schampte zijn linkerarm met een kracht die bijna de .45 uit zijn hand sloeg. Bell rolde over de vloer en sprong meteen weer overeind, met beide wapens in aanslag, maar de gangster die op hem geschoten had lag languit achterover, met een hand zijn schouder grijpend.

'Wie van jullie stinkdieren is Tommy Thompson?'

'Die is hier niet.'

'En waar is hij dan wel?!' schreeuwde Bell, amper in staat helder te denken.

'In een van zijn nieuwe kroegen.'

'Waar?'

Een innerlijke stem waarschuwde Bell dat hij gedood kon worden als hij hier in de schemerige ruimte bleef. Maar hij vermande zich en bleef staan. Slechts twee Gophers hadden wapens op hem gericht, de andere zouden hem ook moeten bestoken met lood, maar ze bleven hem met open mond aanstaren.

'Waar is hij?'

'Weet ik niet.'

'In een van zijn nieuwe kroegen.'

Angst en verwarring klonk door in de stemmen van de gangsters en Bell keek beter naar de wapens die ze hadden laten vallen: boksbeugels en messen. Geen vuurwapens. Toen begreep hij het: dit waren oudere mannen, ze misten tanden, ze waren kromgebogen en ze hadden littekens. Het waren bewoners van Hell's Kitchen, waar veertig bejaard is en vijftig jaar stokoud.

Nieuwe kroegen. Dat was het. Commodore Tommy Thompson had carrière gemaakt en deze kerels achtergelaten. De arme duivels waren in de steek gelaten door hun baas en ze werden doodsbang van de woedende detective die de deur met een salvo geforceerd had en meteen op de enige twee gewapende aanwezigen schoot.

Bell kalmeerde en hij zag de situatie opeens helder. Bij de Gophers van Hell's Kitchen was veel veranderd en de reden leek wel duidelijk. De oude mannen zagen dat Bell milder keek en een van hen vroeg: 'Mogen we onze handen laten zakken?'

De lange detective was nog te kwaad om te glimlachen. 'Nee,' zei hij. 'Ik wil die handen zien.'

Een taxi toeterde op straat.

Bell keek naar de deur. De taxi kwam met piepende banden tot stilstand. Vijf ervaren detectives van Van Dorn en een jongeman in opleiding sprongen met getrokken vuurwapens uit de auto. Een groep New Yorkse politieagenten kwam aanrennen. Harry Warren, de bendespecialist leidde de mannen van Van Dorn. Hij had een geweer met afgezaagde loop ter hoogte van zijn dijbeen en in zijn broekband zat een revolver. Hij gaf de jongeman in opleiding een stapeltje bankbiljetten en wenkte dat hij iets moest regelen met de agenten. Met een blik op de entree van de saloon leek hij even te aarzelen voordat hij naar binnen zou stormen.

Bell kwam naar buiten. 'Goedenavond, heren.'

'Isaac! Alles onder controle?'

'Jazeker. Wat doen jullie hier?'

'De portier van de Yale Club belde naar ons kantoor. Hij leek erg bezorgd en zei dat je hulp nodig had.'

'Die Matthew is altijd zo bezorgd als een moederkloek.'

'Maar wat doe je hier eigenlijk?'

'Ach, een eindje wandelen.'

'Wandelen? Hier?' Ze keken door de donkere en armoedige straat. 'Meen je dat?' Ze staarden Isaac Bell vragend aan. 'En een mug heeft zeker dat gat in je mouw gemaakt?' merkte een van de detectives op.

'Dezelfde mug die gaten om het deurslot maakte?' vroeg een ander.

'En die Gophers binnen opdracht gaf hun handen in de lucht te steken?' zei de derde.

Harry Warren wenkte de jongeman die weer terug kwam. 'Eddie, zeg tegen die agenten dat ze een ambulance moeten sturen.'

Isaac Bell grinnikte. 'We gaan maar eens terug, jongens. Bedankt voor jullie komst. Harry, wil jij met mij mee lopen? Ik heb nog een paar vragen.'

Harry gaf zijn geweer aan de anderen, stak de revolver in zijn jaszak en hij gaf een zakdoek aan Bell. 'Je bloedt.'

Bell propte de zakdoek in zijn mouw.

Ze liepen naar Ninth Avenue. De agenten hadden de omgeving onder de plek waar Weeks hing afgezet. Brandweerlieden hadden ladders opgesteld, voor de mannen van het lijkenhuis die probeerden het lichaam te bergen.

'Er is dus een relatie tussen de Iceman en Tommy en jouw buitenlandse spion,' zei Harry.

'Over die relatie wil ik met je praten,' zei Isaac Bell. 'Ik krijg de indruk dat Tommy Thompson vooruit gaat in de wereld.'

Harry knikte. 'Ja, ik hoor die verhalen ook.'

'Ik wil dat jij uitzoekt wie zijn nieuwe vrienden zijn. Dan wordt er meer duidelijk.'

'Je bent mogelijk iets op het spoor. Ik maak er meteen werk van. Wacht, dit kreeg ik net voordat we hierheen kwamen.' Harry zocht in zijn zakken. 'Een telegram voor je, van het kantoor in Philadelphia.'

Ze waren bij de hoek met 42th Street gekomen. Bell bleef onder een straatlantaarn staan, om het telegram te lezen.

'Slecht nieuws?'

'Ze verdenken een Duitser die in Camden rondneusde.'

'De Duitser die ook in Bethlehem was?'

'Mogelijk.'

'Wat gebeurt er in Camden?'

'Daar wordt het slagschip Michigan te water gelaten.'

22

De spion liet met een cryptisch bericht, achtergelaten in het pension in Camden, zijn Duitse agent komen. Ze ontmoetten elkaar in Philadelphia, in het bootsmanshok van een aak die afgemeerd lag aan de westelijke oever van de druk bevaren Delaware, recht tegenover de scheepswerf. Achter de eindeloze stroom sleepboten, lichters, koopvaardijschepen en veerboten en onder de rookwolken konden ze de achtersteven zien van de Michigan. De scheepsschroeven staken uit de loods op de werf. De rivier was hier maar een paar honderd meter breed, en ze hoorden het gestage hameren van de timmerlieden die de houten krammen op hun plek brachten.

De timmerlieden hadden een gigantische houten stellage gebouwd, groot genoeg om het 16.000 ton metende schip over de ingevette rails in het water te laten glijden. Nu dreven ze wiggen onder de kooi, zodat het geheel werd opgedrukt en de romp los kwam van de grond.

De Duitser was zwijgzaam.

De spion zei: 'Luister... Wat hoor jij?'

'Ze hameren de wiggen onder de romp.'

De spion was eerder met een stoomsloep dicht langs de werf gevaren om de situatie te bekijken. De romp was vaalrood geschilderd en de hamers waren eigenlijk lange staken voorzien van een zware metalen kop.

'Die wiggen zijn erg plat,' zei hij. 'Hoeveel zou die kooi omhoog gaan, na elke klap?'

'Dat kun je alleen met een micrometer bepalen.'

'Hoeveel wiggen worden er gebruikt?'

'Geen idee. Honderden, denk ik.'

'Duizend?'

'Dat zou kunnen.'

'Kan een enkele wig die kooi opdrukken?'

'Nee, onmogelijk.'

'Kan een enkele wig het schip en de kooi omhoog drukken?'

'Onmogelijk.'

'Iedere Duitser moet zijn aandeel leveren, Hans. Als één man faalt, dan falen we allemaal.'

Hans keek hem aan met een vreemd afwezige blik. 'Ik ben niet onnozel, mein Herr. Ik begrijp hoe het werkt, maar de consequenties maken me bezorgd.'

De spion antwoordde: 'Ik weet best dat jij niet onnozel bent. Ik probeer alleen te helpen.'

'Bedankt, mein Herr.'

'Maken die detectives je bang?' vroeg hij, al betwijfelde hij of dat het geval was.

'Nee. Ik kan ze ontwijken, tot op het laatste moment. De pas die je voor mij liet maken zal ze gerust stellen. En als ze beseffen wat ik ga doen, is het al te laat om mij tegen te houden.'

'Ben je bang dat je niet levend wegkomt?'

'Het zou me verbazen als dat gebeurt. Maar gelukkig heb ik daar vrede mee. Daar maak ik mij niet druk om.'

'Dan zijn we weer bij de kernvraag, Hans. Wil jij dat Amerikaanse oorlogsschepen Duitse schepen tot zinken brengen?'

'Misschien maakt het wachten me nerveus. Ik hoor overal dat hameren op die wiggen. Het lijkt wel een tikkende klok. Tiktak.Tiktak. De tijd tikt weg voor mannen die niet weten dat ze zullen sterven. Dat maakt me gek... Wat betekent dat?'

De spion drukte geld in zijn hand. Hans deinsde achteruit. 'Ik wil geen geld.'

De spion greep zijn pols met opmerkelijke kracht. 'Ontspanning. Zoek een meid. Dan gaat de nacht sneller voorbij.' Hij ging staan.

'Ga je weg?' Hans leek opeens bang om alleen achter te blijven met zijn geweten.

'Ik blijf in de buurt, en ik zie alles.' De spion glimlachte geruststellend en gaf Hans een kameraadschappelijk klap op zijn schouder.

'Ga nu een meid zoeken, en geniet van de nacht. Dan is het ochtend voor je het weet.'

23

Kelners met rode, witte en blauwe vlinderdassen serveerden sandwiches en gekoelde wijn in het paviljoen van de hoogwaardigheidsbekleders.

Barkeepers die ook de nationale kleuren droegen, rolden biervaten en plateaus met hard gekookte eieren naar de tenten voor de arbeiders op de oever van de rivier. De warmte streek door de enorme loods boven de werf, zonlicht werd gefilterd door de glazen panelen in het dak, en het leek wel of de halve bevolking van Camden hierheen gekomen was om de tewaterlating te zien van de Michigan, het schip van 16.000 ton dat nog op de ingevette rails naar de rivier balanceerde.

In de loods weergalmde nog het geluid van metaal op hout, maar er werd minder driftig getimmerd. De wiggen hadden het slagschip al bijna los getild en het gevaarte rustte alleen op de kooi die over de rails naar de rivier zou bewegen.

Het podium bij de stalen boeg van het schip was versierd met rood, wit en blauwe slingers. Een fles champagne met een lint in de kleuren van de nationale vlag stond gereed op een schaal vol rozen.

Een mooi donkerharig meisje dat het schip zou dopen stond in een gestreepte jurk en getooid met een breedgerande hoed op het podium. Ze negeerde de nerveuze instructies van een onderminister van marine – haar vader – die haar waarschuwde niet te aarzelen op het belangrijke moment. 'Je moet de fles champagne meteen met alle kracht gooien als het grote schip in beweging komt. Anders ben je te laat.'

Haar blik was strak gericht op een lange blonde detective in een wit kostuum, die rusteloos in elke richting keek, behalve naar haar.

Isaac Bell had sinds hij twee dagen eerder in Camden was gearriveerd niet in een bed geslapen. Hij wilde met Marion de avond voor de ceremonie naar Philadelphia komen, maar dat was voordat hij het dringende telegram naar New York had gestuurd. Verontrustende geruchten werden gehoord over een mysterieuze Duitser die de tewaterlating wilde verstoren. Detectives in kringen van Duitse immigranten hoorden dat onlangs een man gearriveerd was die beweerde uit Bremen te komen, maar hij sprak in het dialect van Rostock. Hij bleef informeren naar werk bij de werf, maar had zich nooit bij de poort gemeld. En enkele werknemers waren hun toegangspasjes op onverklaarbare manier kwijtgeraakt.

Bij het aanbreken van de dag nam Angelo Del Rossi, de goedgeklede eigenaar van de dansgelegenheid in King Street waar Alasdair MacDonald was vermoord, contact op met Bell. Hij vertelde dat een angstige en verwarde vrouw naar hem gekomen was. Een Duitser die voldeed aan het signalement van de man uit Rostock – lang en blond, met een zorgelijke blik in zijn ogen – had bij haar geslapen en iets verteld. En de vrouw had op haar beurt Del Rossi ingelicht.

'Ze werkt op straat, Isaac, als je begrijpt wat ik bedoel.'

'Ik weet wat dat betekent. Wat heeft ze precies gezegd?'

'Die Duitser had opeens tegen haar gezegd dat onschuldigen niet gedood moesten worden. Ze vroeg wat hij bedoelde. Ze hadden allebei gedronken. Hij bleef eerst zwijgen, maar vertelde toen meer, zoals mensen onder invloed doen. Hij beweerde dat het doel gerechtvaardigd was, maar de methode verkeerd. Weer vroeg ze wat hij bedoelde. En toen begon hij te huilen en hij zei letterlijk: "Dat slagschip valt om, en mensen zullen gedood worden."'

'Geloof je haar verhaal?'

'Ze had geen belang om het mij te melden, behalve een schoon geweten. Ze kent mannen die op de werf werken. Ze wil niet dat hen iets overkomt. Ze was zo dapper om het aan mij te vertellen.

'Ik moet haar spreken,' zei Bell.

'Ze wil niet met jou praten. Ze ziet geen verschil tussen privédetectives en agenten. En ze heeft een hekel aan de politie.'

Bell haalde een gouden munt uit zijn zak en gaf die aan de salooneigenaar. 'Geen enkele agent heeft haar ooit twintig dollar betaald om te praten. Geef deze munt aan haar. Zeg dat ik haar moed bewonder en dat ik haar echt niet in gevaar zal brengen.' Hij keek Del Rossi strak aan. 'Je gelooft me toch, Angelo? Of niet?'

'Waarom denk je dat ik naar jou ben gekomen?' zei Del Rossi. 'Ik zal zien wat ik voor je kan doen.'

'Is het genoeg geld?'

'Meer dan ze in een week verdient.'

Bell gaf hem nog een munt. 'Dan is hier nog een weekloon. Het is echt heel belangrijk, Angelo. Bedankt.'

Ze heette Rose. Ze had geen achternaam genoemd, toen Del Rossi geregeld had dat zij en Bell elkaar konden ontmoeten achter in de dansgelegenheid, en Bell vroeg niet naar haar volledige naam. Ze herhaalde alles wat ze tegen Del Rossi had gezegd. Bell liet haar praten en probeerde meer informatie uit haar te krijgen. Uiteindelijk gaf ze toe dat de Duitser had gezegd, toen hij wankelend uit het kamertje dat ze gehuurd hadden vertrok: 'Het gaat gebeuren.'

'Zou je die man herkennen als je hem ziet?'

'Ik denk het wel.'

'Wil je tijdelijk in dienst treden bij Van Dorn Detective Agency?'

* * *

Ze liep over de werf, gekleed in een zomerse witte jurk en met een gebloemde hoed op haar hoofd. Ze deed alsof ze de jongere zus was van twee Van Dorn-detectives die zich vermomd hadden als pijpfitters. Een tiental andere detectives surveilleerde over het complex en ze controleerden de identiteit van iedereen die in de buurt van de Michigan werkte, vooral de timmerlieden die de wiggen onder de kiel sloegen. Deze mannen hadden een speciaal rood pasje gekregen van Van Dorn, in plaats van de normale toegangspas van de marinewerf, voor het geval er spionnen waren geïnfiltreerd bij de administratie van het bedrijf.

De loopjongens die aan Bell rapporteerden waren uitgekozen op hun jeugdige uiterlijk. Bell had hen instructies gegeven dat ze zich moesten gedragen als studenten in zomerse kleding, om geen argwaan te wekken bij het publiek.

Hij had gepleit de tewaterlating uit te stellen, maar dat werd geweigerd. De ceremonie zou niet geschorst worden. Kapitein Falconer had duidelijk gemaakt dat er te veel afhing van de stapelloop en dat elke betrokken partij heftig zou protesteren als de plechtigheid werd afgelast. De werf New York Ship was trots dat de Michigan eerder te water ging dan de South Carolina die over een paar weken gereed kwam op Cramp's Shipyard. De marine wilde dat het drijvende schip zo snel mogelijk werd afgebouwd. En niemand van zijn staf durfde het aan om president Roosevelt te informeren dat het evenement uitgesteld werd.

De ceremonie zou om precies elf uur beginnen. Kapitein Falconer had Bell gewaarschuwd dat de tewaterlating stipt op dat tijdstip zou plaatsvinden. Nog geen uur later zou het oorlogsschip probleemloos in het water glijden, of de sabotage door een Duitser zou een slachting aanrichten onder de mensen op de werf.

Een kapel van de marine begon een medley van Sousa-marsen te spelen, en het werd steeds drukker rond het podium, waar honderden genodigden van dichtbij wilden zien hoe de fles champagne tegen de boeg aan scherven sloeg. Bell zag de minister van binnenlandse zaken, drie senatoren, de gouverneur van Michigan en enkele leden van president Roosevelts kabinet.

De directie van New York Ship kwam naar het podium, in gezelschap van admiraal Capps, de hoofdontwerper van het schip. Capps had minder belangstelling voor de scheepsbouwers dan voor lady Fiona Abbington-Westlake, de vrouw van de Britse marineattaché. Ze was een beeldschone dame met weelderig kastanjebruin haar. Isaac Bell observeerde haar discreet. De speurders van Van Dorn die de zaak van Hull 44 onderzochten hadden gerapporteerd dat lady Fiona meer geld uitgaf dan haar echtgenoot zich kon permitteren. En ernstiger was dat ze gechanteerd werd door een Fransman met de naam Raymond Colbert. Niemand wist welke feiten Colbert over haar kende, of dat het iets te maken had met haar echtgenoot en Franse marinegeheimen.

De Duitse keizer Wilhelm II werd vertegenwoordigd door een militaire attaché met littekens van verwondingen door een sabel, luitenant Julian Von Stroem, die recent uit Oost-Afrika was teruggekeerd. Hij was getrouwd met een Amerikaanse vriendin van Dorothy Langner. Opeens maakte Dorothy zelf zich los uit het publiek. Ze was in zwarte rouwkleding. De roodharige jongedame die Bell ook gezien had in het Willard Hotel was aan haar zijde. Katherine Dee, was door de onderzoekers gemeld, was de dochter van een Ierse immigrant die weer teruggekeerd was naar Ierland, nadat hij een fortuin had verdiend met het bouwen van katholieke scholen in Baltimore. Katherine werd kort daarna wees en ze was opgevoed in een klooster in Zwitserland.

De knappe Ted Whitmark liep achter het tweetal aan, handenschuddend en af en toe een kameraadschappelijke klap op iemands schouder gevend. Met zijn luide stem die tot het glazen dak van de loods reikte verklaarde hij: 'De Michigan wordt een van de beste vechters van Uncle Sam.'

Hoewel Whitmark in zijn privéleven geregeld losbandig was, gokkend en drinkend, althans voordat hij Dorothy ontmoette, had het speurwerk wel duidelijk gemaakt dat hij uitermate behendig was om overheidscontracten in de wacht te slepen.

Kenmerkend voor de relaties in de groep industriëlen, politici en diplomaten die betrokken waren bij de 'Nieuwe Marine' hadden Whitmark en Dorothy elkaar leren kennen tijdens een barbecue georganiseerd door kapitein Falconer. Grady Forrer, van Van Dorn research, had cynisch opgemerkt: 'Het is gemakkelijk om erachter te komen wie met wie naar bed gaat, maar het is veel lastiger te ontdekken waarom, en waar de grens ligt tussen het streven naar winst of promotie maken en spionage. Het kan ook gebeuren alleen maar om een schandaal te veroorzaken.'

Bell zag een vage glimlach om Dorothy's lippen. Hij volgde haar blik en zag dat de scheepsarchitect Farley Kent naar haar knikte. Daarna sloeg Kent zijn arm om zijn gast, luitenant Yourkevitch, de scheepsbouwer van de tsaar, en het tweetal verdween in de menigte, alsof ze Ted en Dorothy wilden ontwijken. Ted pakte de hand van de oudere admiraal en zei: 'Dit is een grote dag voor de marine, admiraal. Echt een bijzondere dag.'

Dorothy's ogen vonden Bell en ze keken elkaar strak aan. Hij had haar niet meer gezien sinds hun ontmoeting in Washington, maar op aandringen van Van Dorn had hij haar wel telefonisch verteld dat er hoop was dat de naam van haar vader gezuiverd zou worden. Ze had hem bedankt en gezegd dat ze hem in Camden hoopte te ontmoeten tijdens de lunch na de tewaterlating. Bell bedacht dat Ted Whitmark noch Farley Kent ingenomen zou zijn met manier waarop ze nu naar hem keek.

Een warme adem fluisterde bij zijn oor. 'Dat is wel een bijzondere glimlach voor een vrouw in rouwkleding.' Marion Morgan stond achter Bell en ze keek naar kapitein Falconer, indrukwekkend in zijn witte uniform. Een echte held, dacht Marion, met zijn knappe hoofd boven de hoge kraag, de medailles op zijn borst en een sabel langs zijn slanke gestalte.

* * *

'Goedemorgen, miss Morgan,' begroette Lowell Falconer haar hartelijk. 'Ik hoop dat u zich hier amuseert?'

Zij en Isaac hadden de vorige avond aan boord van Falconers jacht gedineerd. Toen Bell hem verzekerd had dat Arthur Langners naam helemaal gezuiverd zou worden van de verdenking dat hij steekpenningen had aangenomen was Marion echt trots op haar verloofde. Maar Falconer besefte dat hij het niet erg vond dat Bell eerder weg moest, om toezicht te houden bij een inspectie van de situatie onder de romp van het grote oorlogsschip. Nadat de detective verdwenen was hadden Falconer en Marion het gesprek moeiteloos voortgezet. Ze spraken over het ontwerpen van oorlogsbodems, maar ook over het maken van speelfilms, de schilderijen van Henry Reutendahl, de politiek in Washington en over Falconers militaire carrière. Achteraf bedacht hij dat er meer over hem gezegd was dan hij zich had voorgenomen.

De Held van Santiago had genoeg zelfkennis om te beseffen dat hij een beetje verliefd werd op Marion.

'Waarom heet deze werf New York Ship, terwijl dit toch Camden, New Jersey is?' vroeg ze aan Falconer.

'Dat is voor iedereen verwarrend,' beaamde Falconer met een innemende glimlach en een schalkse blik in zijn ogen. 'De oprichter, meneer Morse, wilde de werf eigenlijk op Staten Island beginnen, maar Camden had betere spoorverbindingen en er is veel aanbod van geschoold personeel. Waarom lacht u, miss Morgan?'

'Als ik zie hoe u naar mij kijkt, dan is het maar goed dat Isaac in de buurt is, en bovendien gewapend.'

'Nou, dat moet ook zo zijn,' reageerde Falconer kortaf. 'Hoe dan ook, Camden heeft nu de modernste scheepswerf ter wereld. En wat betreft de bouw van slagschepen staat deze werf op de tweede plaats, na Brooklyn Navy Yard, onze belangrijkste marinewerf.'

'En waarom is dat zo?' vroeg ze.

'Er wordt daar heel modern gewerkt. Grote onderdelen worden van tevoren gereed gemaakt. Met hijskranen worden die delen over het terrein van de werf getransporteerd, zoals ingrediënten voor een cake bij elkaar gevoegd worden. Er wordt in loodsen gewerkt, zodat slecht weer de productie niet vertraagt. Vroeger werden veel onderdelen pas na de tewaterlating gemonteerd, maar dat gebeurt nu al in de overdekte loodsen. Het schip loopt van stapel met de kanonnen op het dek.'

'Wat fascinerend.' De man die Marion in de gaten hield stond stil en keek naar de bewapening van het schip. 'Kapitein Falconer, hoeveel personeel zal de Michigan bemannen?'

'Vijftig officieren, en achthonderdvijftig dienstplichtigen.'

Een bezorgde trek verscheen op haar gezicht. 'Dat zijn wel heel veel zeelieden, als er iets gebeurt en het schip zinkt.'

'Moderne oorlogsbodems zijn gepantserde doodskisten,' antwoordde Falconer. Tegen een burger zou hij dat nooit zo botweg zeggen, maar hun gesprekken de vorige avond hadden hen vertrouwelijk gemaakt en hij wist ook dat Marion bijzonder intelligent was. 'Ik heb Russen met duizenden tegelijk zien verdrinken tijdens zeeslagen met de Japanners in de Tsushima zeestraat. Slagschepen verdwenen binnen enkele minuten onder de golven. Alle opvarenden, behalve enkele verkenners en personeel op de brug zat benedendeks opgesloten.'

'Mag ik aannemen dat het ons doel is oorlogsbodems te bouwen die langzaam zinken, zodat de bemanning tijd heeft om het schip te verlaten?'

'Onze slagschepen worden gebouwd om door te strijden. De bemanning, de machines en het geschut moeten beschermd zijn achter bepantsering en het schip moet blijven drijven. De zeelieden die winnen blijven leven.'

'Dus vandaag is een mooie dag: zo'n modern schip te water laten.'

Kapitein Falconer keek Marion vertrouwelijk aan, onder zijn dikke wenkbrauwen. 'Onder ons gezegd, dankzij het Congres dat de omvang heeft beperkt tot 16.000 ton, heeft de Michigan bijna drie meter minder vrijboord dan de oude Connecticut. Dit schip zal natter dan een walvis zijn, en als het in zware zeegang sneller vaart dan achttien knopen, dan eet ik mijn hoed op.'

'Het is al verouderd, nog voor het in de vaart komt?'

'Gedoemd om trage konvooien te escorteren. Maar als deze boot ooit in gevecht raakt met een echt slagschip, dan kan dat maar beter op kalme zee gebeuren.' Falconer snoof verachtelijk. 'We zouden deze boot voor anker moeten leggen in de baai van San Francisco, om daar de Japanners de begroeten.'

Een slanke jongedame met een erg dure hoed die haar haren in model hield kwam aanlopen. 'Neem me niet kwalijk, kapitein Falconer, u bent vast vergeten wie ik ben, maar het was een geweldige picknick aan boord van uw jacht.'

Falconer pakte haar hand die ze aarzelend uitstak. 'Ik kan me u zeker wel herinneren, miss Dee,' lachte hij. 'Als de zon niet had geschenen, dan had uw glimlach ons wel verwarmd. Marion, deze jongedame is Katherine Dee. En dit is Marion Morgan.'

Katherines blauwe ogen werden nog groter. 'Bent u de filmregisseur?' vroeg ze bewonderend.

'Ja, inderdaad.'

'Ik vind *Hot Tome in the Old Town Tonight* geweldig. Die film heb ik al vier keer gezien.'

'Dank je wel voor het compliment.'

'Acteert u zelf wel eens in uw films?'

Marion lachte. 'Mijn hemel, nee nooit!'

'Maar waarom niet?' vroeg kapitein Falconer. 'Je bent zo'n aantrekkelijke vrouw?'

'Dank je, kapitein.' Marion glimlachte even naar Katherine Dee. 'Maar een fraai uiterlijk heeft niet altijd het gewenste effect op film. De camera kent zijn eigen wetten, en heeft een voorkeur voor een bepaald soort gelaatstrekken.' Zoals die van Katherine Dee, dacht ze, beseffend dat de camera en belichting een voorkeur hadden voor een type zoals Katherine, met haar slanke gestalte en grote ogen.

Alsof Katherine haar gedachten kon raden zei ze: 'O, ik zou zo graag eens zien hoe een film wordt opgenomen.'

Marion Morgan bekeek haar met meer aandacht. Ze leek lichamelijk sterk, ondanks haar tengere postuur. Achter het meisjesachtige voorkomen van Katherine vermoedde Marion iets bijzonders. Dat was juist wat de camera kon overbrengen naar het publiek. Marion was er bijna zeker van dat Katherine fotogeniek was voor een filmrol, en ze wilde haar al bijna uitnodigen, maar er was iets wat haar weerhield en een ongemakkelijk gevoel gaf.

Marion merkte dat Lowell Falconer alweer een andere aantrekkelijke jongedame had opgemerkt. Een rijzige brunette kwam naar hen toe, en Lowell stak zijn hand uit.

Marion vond Dorothy nog stralender dan ze had verwacht. Ze moest denken aan wat haar vader, al lang weduwnaar, zou zeggen: 'Een oogverblindende schoonheid...'

'Dorothy, wat ben ik blij dat je hier bent,' zei Falconer. 'Je vader zou heel erg trots zijn op je aanwezigheid.'

'En ik ben trots dat ik zijn kanonnen kan zien. Die zijn al gemonteerd. Dit is een prachtige scheepswerf. Je kent Ted Whitmark?'

174

'Ja, natuurlijk,' zei Falconer, de hand van Whitmark schuddend. 'Je zult het wel druk krijgen als de vloot in San Francisco is. Dorothy, mag ik je voorstellen aan Marion Morgan?'

Marion besefte dat ze nieuwsgierig bekeken werd toen ze elkaar begroetten.

'En uiteraard ken je Katherine,' zei Falconer zelfverzekerd.

'Wij reisden in dezelfde trein,' zei Whitmark. 'Ik had een privéwagon gehuurd.'

'Neem me niet kwalijk, kapitein Falconer,' zei Marion, 'maar ik zie een heer en Isaac Bell wil dat ik hem spreek. Het was leuk kennis te maken, miss Langner, mr. Whitmark, miss Dee.'

* * *

Het gehamer op de wiggen verstomde opeens. Het schip werd helemaal gedragen door de kooi. Isaac Bell liep naar de ladders voor een laatste blik op de romp.

Dorothy Langner trof hem boven aan de trap. 'Meneer Bell, ik hoopte al dat we elkaar hier zouden ontmoeten.'

Ze stak haar gehandschoende hand uit. Bell schudde die beleefd. 'Hoe maakt u het, miss Langner?'

'Het gaat veel beter, sinds ons gesprek. Dat de naam van mijn vader gezuiverd wordt is een hele troost, al komt hij niet terug. Ik ben u erg dankbaar.'

'Ik hoop dat we spoedig het definitieve bewijs hebben, maar zoals ik al zei twijfel ik er niet aan dat uw vader vermoord werd. En we zullen de dader voor de rechter slepen.'

'Wie verdenkt u van de moord?'

'Ik kan daar niets over zeggen. Maar Van Dorn zal u op de hoogte houden.'

'Isaac... Mag ik Isaac zeggen?'

'Jazeker, als u dat wilt.'

'Ik heb je eerder iets gezegd, en dat wil ik verduidelijken.'

'Als het over Whitmark gaat, besef dan wel dat hij deze kant op komt,' glimlachte Bell.

'Ik doe niets overhaast. En trouwens, hij vertrekt naar San Francisco.'

Het viel Bell op dat er een belangrijk verschil was tussen Marion en Dorothy zoals ze mannen beschouwden. Dorothy vroeg zich af of ze weer een naam aan haar lijst met veroveringen kon toevoegen, terwijl Marion daar nooit aan twijfelde en er ook nooit over piekerde. Het was te zien aan hun glimlach: Marions glimlach was zo uitnodigend als een omhelzing, en Dorothy glimlachte eerder uitdagend. Maar Bell zag ook haar kwetsbaarheid, ondanks haar dappere houding. Het was alsof ze door een man beschermd wilde worden, na het verlies van haar vader, maar Whitmark leek daar niet de juiste persoon voor.

'Bell is toch de naam?' klonk de luide stem van Whitmark toen hij voor het tweetal opdook.

'Inderdaad, Isaac Bell.'

Hij zag sleepboten op de rivier naderen om de grote romp te manoeuvreren na de tewaterlating. 'Neem me niet kwalijk, maar ik word verwacht bij de helling.'

* * *

Yamamoto Kenta had foto's bestudeerd van Amerikaanse oorlogsschepen tijdens de tewaterlating, om de juiste kleren te kiezen. Hij kon niet verhullen dat hij Japanner was. Maar als hij zo min mogelijk opviel kon hij zich vrijer op de marinewerf bewegen en dichter bij de hoge gasten komen. Tijdens de treinreis van Washington naar Camden had hij de andere passagiers geobserveerd en hij was tevreden dat hij zich perfect voor de ceremonie gekleed had: een lichtblauw kostuum, en een groene stropdas die paste bij de band om zijn strohoed.

Na zijn aankomst op de scheepswerf in Camden groette hij met zijn hoed de dames, belangrijke personen en oudere heren. De eerste persoon die hij trof op de moderne marinewerf was kapitein Lowell Falconer, de Held van Santiago. Ze hadden elkaar de vorige herfst gesproken bij de onthulling van een bronzen plaquette, ter nagedachtenis aan Commodore Thomas Tingey, de eerste commandant van de

176

Washington Navy Yard. Yamamoto had bij Falconer de indruk gewekt dat hij afgezwaaid was bij de Japanse marine, met behoud van de rang luitenant, om zich daarna weer te wijden aan zijn grote liefde: de Japanse kunst. Kapitein Falconer had hem rondgeleid door het hele arsenaal, met uitzondering van de kanonnenfabriek.

Yamamoto wilde Falconer feliciteren met de tewaterlating van het eerste Amerikaanse slagschip, maar Falconer had schamper gereageerd met de opmerking dat het bíjna een slagschip was, in de veronderstelling dat de gewezen Japanse marineman de tekortkomingen zelf ook wel kon zien.

Yamamoto tikte weer tegen de rand van hoed, deze keer voor een rijzige blonde vrouw.

Anders dan de Amerikaanse dames die koel voorbij liepen, een van hen mompelde tegen haar dochter 'Wat een magere Aziaat', verraste ze hem met een hartelijke glimlach en de opmerking dat het heerlijk weer was voor een tewaterlating.

'En met dit mooie weer komen de bloemen ook snel uit,' antwoordde de Japanse spion, die zich op zijn gemak voelde bij Amerikaanse vrouwen, omdat hij in het geheim enkele romances had beleefd met dames in Washington die zichzelf ervan overtuigden dat een bezoekende curator van Aziatische kunst een artistieke ziel had en een exotische minnaar moest zijn. Na zijn flirtende opmerking kon hij verwachten dat ze voor hem terugdeinsde of juist dichterbij kwam.

Hij voelde zich diep gevleid toen ze het laatste deed.

Haar ogen waren opvallend zeegroen, als koraal.

Ze was ook kordaat. 'Wij zijn allebei niet in marineuniform,' zei ze. 'Wat brengt u hierheen?'

'Dit is mijn wekelijkse vrije dag van het werk in het Smithsonian Institute,' antwoordde Yamamoto. Hij zag geen bolling van een trouwring onder haar dunne katoenen handschoen. Waarschijnlijk was ze de dochter van een belangrijke hoogwaardigheidsbekleder. 'Een collega van de kunstafdeling gaf mij zijn toegangskaart en een introductiebrief die mij veel belangrijker doet lijken dan ik werkelijk ben. En u?'

'Kunstafdeling? Bent u artiest?'

'Nee, ik ben curator. Onlangs is een grote collectie aan het instituut geschonken. Mij werd gevraagd een deel te catalogiseren. Een heel klein deel,' zei hij met een glimlach.

'U bedoelt de Freer Collectie?'

'Ja, kent u die?'

'Toen ik nog een klein meisje was nam mijn vader mij mee naar het huis van meneer Freer, in Detroit.'

Yamamoto was niet verbaasd dat ze ooit op bezoek was geweest bij de fabelachtig rijke bouwer van treinwagons. In de sociale kringen rond de nieuwe Amerikaanse vloot bewogen zich ook mensen met de juiste connecties, de bevoorrechten en de nieuwe rijken. Deze jongedame scheen tot de eerste categorie te behoren. Het was in elk geval duidelijk dat ze met haar welgemanierdheid en gevoel voor stijl niet bij de banale nouveaux riches paste. 'Herinnert u zich nog iets van dat bezoek?'

Haar hartelijke groene ogen leken nog meer te stralen. 'Die kleuren van Ashiyuki Utamaro's houtsneden zal ik nooit vergeten.'

'Die theaterstukken?'

'Ja! De kleuren waren zo fel en toch bij elkaar passend. Dat maakte zijn prenten nog meer bijzonder.'

'Bedoelt u zijn tekeningen?'

'De eenvoudige zwarte lijnen op een wit vlak van zijn kalligrafie waren zo... zo helder, alsof kleur eigenlijk overbodig is.'

'Maar Ashiyuki Utamaro heeft nooit prenten gemaakt.'

Haar glimlach verdween. 'Laat mijn geheugen me in de steek?' Ze lachte even op een manier die Yamamoto waarschuwde dat niet alles klopte. 'Ik was toen tien jaar oud,' zei ze haastig. 'Ik dacht echt dat mijn herinnering... Nee, ik zal me wel vergissen. Wat dom van mij. Ik word er verlegen van. In uw ogen ben ik nu een onnozele gans.'

'Nee, helemaal niet,' zei Yamamoto, intussen om zich heen spiedend of iemand op het podium hem in de gaten hield. Niemand leek speciale aandacht voor hem te hebben. Hij dacht koortsachtig na. Had deze dame geprobeerd hem te betrappen op lacunes in zijn haastig vergaarde kennis op kunsthistorisch gebied? Of had ze zich echt vergist? Gelukkig wist hij dat Ashiyuki Utamaro leiding had gegeven aan een grote drukkerij, en niet als een kluizenaar eenzaam met enkele penselen, inkt en rijstpapier zijn werken had gemaakt.

Ze leek naar een excuus te zoeken om weg te gaan. 'Ik moet helaas gaan,' zei ze. 'Ik heb afgesproken met een vriendin.'

Yamamoto tikte tegen de rand van zijn hoed. Maar ze verraste hem weer. Ze verdween niet schielijk maar stak haar slanke hand in de katoenen handschoen naar hem uit en zei: 'We zijn nog niet aan elkaar voorgesteld. Het was erg leuk met u te praten. Ik ben Marion Morgan.'

Yamamoto maakte een buiging, verrast door haar openhartigheid. Misschien was hij veel te achterdochtig. 'Yamamoto Kenta,' zei hij, haar hand schuddend. 'Tot uw dienst, miss Morgan. Als u ooit een bezoek brengt aan het Smithsonian, vraag dan naar mij.'

'O, dat zal ik zeker doen,' zei ze, en ze liep weg.

De Japanse spion zag Marion Morgan soepel bewegen tussen de zee van met bloemen versierde hoeden. Ze liep naar een vrouw met een paarse hoed, bezaaid met zijden rozen. De randen van beide hoeden vormden een boog toen de vrouwen elkaar kusten.

Yamamoto's mond viel open. Hij herkende de vrouw die Marion Morgan begroette als de minnares van een corrupte Franse marineofficier, die zijn eigen moeder nog zou verkopen om een blik te werpen op de ontwerptekeningen van een hydraulische gyromachine. Hij kreeg aanvechting zijn hoed af te nemen en zich op het hoofd te krabben. Was het toeval dat Marion Morgan een kennis was van Dominique Duvall? Of zou de aantrekkelijke Amerikaanse voor de verdorven Française spioneren? Voordat hij daar over kon piekeren moest hij weer tegen de rand van zijn hoed tikken, als begroeting van een knappe dame die van top tot teen in het zwart was gekleed.

'Mag ik u condoleren?' vroeg hij aan Dorothy Langner, die hij had ontmoet bij de onthulling van de bronzen plaquette op de marinewerf, kort voordat hij haar vader vermoordde.

* * *

Een meestertimmerman in blauwgestreepte overall diende als gids voor Isaac Bell, bij de laatste inspectie onder de romp. Ze liepen twee keer langs het gevaarte, eerst aan de ene kant en terug langs de andere kant.

De laatste houten keggen die het schip blokkeerden waren weggehaald, evenals de lange staken bij de boeg en de achtersteven. Waar eerst een dicht woud van timmerhout oprees was nu vrij zicht langs de kooi van voor tot achter. Tegen de flanken van de romp stonden nog enkele stutten, die opzij zouden vallen zodra het schip in beweging kwam op de ingevette rails van de scheepshelling.

Bijna alle blokken onder de kiel waren verwijderd. De laatste blokken waren gevormd uit vier driehoeken die met bouten aan elkaar waren bevestigd. Timmerlieden schroefden de bouten los en als de driehoekige blokken vielen drukte het schip zwaarder op de kooi. De mannen werkten snel en toen het volle gewicht van de Michigan op de kooi lag kraakten en kreunden de stalen platen en de klinknagels.

'Het schip wordt nu alleen nog tegengehouden door de blokken,' zei de timmerman tegen Bell. 'Als die weggetrokken worden glijdt de romp langs de helling.'

'Zie je iets wat opvallend is?' vroeg de detective.

De timmerman haakte zijn duimen achter zijn bretels en tuurde scherp langs de romp. Voorlieden maanden de arbeiders weg te gaan van de helling en de loods te verlaten. Toen het gehamer eindelijk verstomde werd het vreemd stil. Bell hoorde fluitsignalen van de sleepboten op de rivier en het geroezemoes van het wachtende publiek boven hem op het platform.

'Alles lijkt helemaal normaal, meneer Bell.'

'Weet je het zeker?'

'Ze moeten nu alleen nog de fles tegen de boeg gooien.'

'Wie is de kerel daar met die lange paal?' Bell wees naar een man die opeens verscheen met een lange paal op zijn schouder.

'Dat is een prima werker die extra betaald krijgt om een blok weg te duwen als het klemt.'

'Ken je hem?'

'Hij heet Bill Strong. Een aangetrouwde neef van mijn vrouw.'

Een stoomfluit loeide aanhoudend. 'We moeten hier weg, meneer

Bell. Er valt van alles naar beneden als die romp gaat bewegen. En als wij daardoor bedolven worden, dan zullen de mensen zeggen dat het een ongeluksschip is.'

Ze keerden terug naar de ladders onder het platform. Toen ze uit elkaar gingen, omdat de timmerman zich weer bij zijn collega's op de rivieroever wilde voegen en Bell de doop vanaf het podium wilde zien, keek de lange detective nog een keer langs de sleephelling, de kooi en de dofrode romp. Onder aan de helling waar de rails in het water verdwenen lagen zware kettingen in hoefijzervorm. De kettingen waren vastgemaakt aan de trossen van het schip en dienden om het gevaarte af te remmen als het in het water gleed.

'Wat doet die man daar met een kruiwagen?'

'Hij brengt meer talg om de rails te smeren.'

'Ken je hem?'

'Nee, dat niet. Maar een van uw mensen gaat hem al controleren.'

Bell zag dat een detective van Van Dorn de man tegenhield. De man liet een felrode pas zien, zoals elke werker onder de romp moest hebben. De detective deed een stap opzij en wenkte dat de man verder kon kruien, en op dat moment floot iemand. De detective rende weg in die richting. De man pakte de handgrepen weer vast en duwde de kruiwagen naar de rails.

'Een echte patriot,' zei de timmerman.

'Wat bedoel je?'

'Nou, zijn das is rood, wit en blauw. Een echte Uncle Sam. Tot later, meneer Bell. Als u bij de werkploeg komt, dan trakteer ik op een glas bier.' De timmerman mompelde grinnikend voor zich uit: 'Ik koop zo'n strik voor Independence Day.'

Bell bleef nog even staan, kijkend naar de man die de kruiwagen duwde naar de achterkant van de romp. De man was lang en bleek, zijn haar was verborgen onder zijn pet. Hij was als enige nog op de sleephelling, afgezien van Bill Strong die gehurkt met zijn houten paal tientallen meters verder bij de boeg zat. Was het toeval dat de man een strik als van een kelner droeg? Zou hij door de poort gekomen zijn door zich voor te doen als een kelner, tot de weg vrij was en hij ongehinderd in actie kon komen? Toch was de pas die hij toonde overtuigend voor de detective die hem controleerde. Van een afstand had Bell gezien dat de kleur juist was.

De man begon haastig brokken talg uit de kruiwagen te scheppen op de rails. Hij deed het zo snel dat het eerder leek of hij alleen de kruiwagen wilde legen, zonder de rails zorgvuldig in te vetten.

Isaac Bell draafde de trap af. Even later rende hij langs de romp en trok tegelijkertijd zijn Browning.

'Blijf staan!' schreeuwde hij. 'Handen omhoog!'

De man draaide zich snel om. Zijn ogen waren groot en hij leek geschrokken. 'Laat die schep vallen en steek je handen omhoog!'

'Wat is er mis? Ik heb mijn pas toch getoond?' De man sprak met een Duits accent.

'Laat die schep vallen!'

De man klemde de schep zo stevig vast dat de pezen als strakke kabels op zijn handen zichtbaar waren.

Boven hen ging een gejuich op. De Duitser keek omhoog. Het schip sidderde. Opeens kwam het in beweging. Bell keek ook omhoog. Vanuit zijn ooghoek zag hij een zware houten stut wegspringen van de romp en in zijn richting tuimelen. Hij sprong achteruit. De stut belandde krakend op de plek waar Bell even eerder stond, sloeg de breedgerande hoed van zijn hoofd en schampte langs zijn schouder. Nog voor Bell zijn evenwicht had hervonden, zwaaide de Duitser met de schep, zo grimmig en vastberaden als een honkballer die een homerun wil maken.

24

Het platform begon zonder waarschuwing te schudden. De menigte werd stil.

Het was alsof de Michigan, na drie jaar bouwtijd en elke dag zwaarder van tonnen staal die werden vastgeschroefd en met klinknagels bevestigd, geen moment langer wilde wachten. Niemand had de elektrische drukknop aangeraakt waarmee de laatste pallen ontgrendeld werden. Maar het schip bewoog. Eerst een centimeter, en dan weer een centimeter.

'Nu!' schreeuwde de onderminister van marine schril naar zijn dochter. Het meisje reageerde meteen en wierp de champagnefles.

Glas sloeg tegen de romp, champagne droop langs de stalen boeg en het meisje riep luid en met heldere stem: 'Ik doop u de Michigan!'

De honderden toeschouwers op het platform begonnen te juichen. En duizenden mensen op de oevers, te ver weg om de brekende champagnefles en de eerste beweging van de grote romp te zien, hoorden de opklinkende stemmen en begonnen ook te juichen. Sleepboten en stoomschepen op de rivier lieten hun scheepshoorns loeien. Een machinist trok aan het touw van de stoomfluit van zijn locomotief. De grote romp gleed eerst langzaam, en toen steeds sneller naar het water.

* * *

Onder de romp sloeg de schep van de Duitser het pistool uit Bells hand en schampte langs zijn schouder. Bell was al uit zijn evenwicht gebracht door de vallende stut. Hij tolde rond door de klap met de schep.

De Duitser sprong achteruit en begroef zijn handen in de gelatineachtige brokken talk in de kruiwagen. Bell besefte dat hij het goed had gezien, toen hij boven aan de trap stond. De Duitser had niet alleen talk verspreid om de indruk te wekken dat hij gewoon zijn werk deed, maar ook omdat er iets onder de brokken talk verborgen was. Met een kreet haalde de man een bundel dynamietstaven te voorschijn.

Bell sprong overeind. Hij zag geen ontsteker, en ook geen lont: de Duitser had kennelijk een slaghoedje aangebracht dat zou exploderen als de bundel tegen de kooi werd gesmeten. Het gezicht van de Duitser veranderde in een triomfantelijk masker, terwijl hij naar de kooi rende, met de staven dynamiet in zijn opgeheven handen. Isaac Bell zag dat de man zo kil en fanatiek was dat hij zijn leven wilde offeren voor de explosie.

Alle stutten en blokken waren los en de Michigan balanceerde vervaarlijk op de rails van de scheepshelling. Een explosie zou het evenwicht verstoren en het 16.000 ton metende schip zou kantelen naar het platform met de toeschouwers en honderden de dood injagen.

Bell viel de Duitser aan en werkte de man tegen de grond, maar zijn tegenstander was als bezeten door het vooruitzicht van zijn naderende dood en dat gaf hem kracht zich los te worstelen uit de greep van de detective. Het traag glijdende schip was nog niet uit de loods en had het water nog niet bereikt. De Duitser krabbelde overeind en draafde zo snel hij kon naar de romp.

Bell wist niet waar zijn Browning was gevallen. Zijn hoed met daarin de derringer was verdwenen. Hij haalde het mes uit zijn laars, en steunend op een knie gooide hij het mes met een soepele overhandse worp. Het vlijmscherpe lemmet raakte de nek van de Duitser. De man bleef met een ruk staan en tastte naar zijn nek, alsof hij een vlieg wilde verjagen. Ernstig gewond zakte hij door zijn knieën, maar nog wankelend hief hij de bom omhoog. Geraakt door Isaac Bells mes verloor hij enkele seconden en op de plek waar hij even stond tuimelde een andere balk naar beneden. De Duitser werd vol geraakt en zijn hoofd werd verbrijzeld.

De staven dynamiet vielen uit zijn hand. Isaac Bell dook naar de springstof en met beide handen ving hij de bundel op, voordat het slaghoedje de grond raakte. Hij klemde de bundel tegen zijn borst, terwijl de roodgeschilderde romp steeds sneller langs hem gleed.

De aarde beefde. De kettingen ratelden. Rook steeg op bij de kooi. De Michigan kwam uit de loods en bij het zonverlichte water. Achter de romp rees de scherpe geur van talk op, heet geworden door de wrijving. Boven de rivier sproeide het water hoog op en de zonnestralen tekenden regenbogen in de nevels.

* * *

Alle ogen in Camden waren op het drijvende schip gericht, terwijl Isaac Bell de dode Duitser in de kruiwagen legde. De detective die eerder het pasje van de saboteur had gecontroleerd kwam aanrennen, gevolgd door nog meer mannen. 'Breng hem via de achterdeur naar het lijkenhuis, voordat iemand hem ziet. Scheepsbouwers zijn bijgelovig en we willen hun feestje niet bederven.'

Terwijl ze het lichaam met resten hout bedekten vond Bell zijn wapen en hij zette zijn hoed weer op. Een detective gaf hem zijn mes terug. Bell deed het weer in zijn laars. 'Ik ga met mijn verloofde lunchen. Hoe zie ik eruit?'

'Alsof iemand je kostuum met een schep heeft gestreken.'

Met zakdoeken werd Bells kleding gefatsoeneerd. 'Ooit overwogen donkere kleding te dragen voor een gelegenheid als vandaag?'

Toen Bell het paviljoen betrad keek Marion hem onderzoekend aan en ze vroeg: 'Is alles in orde?'

'Prima!'

'Je hebt de tewaterlating gemist.'

'Niet helemaal,' zei Bell. 'Kon je het vinden met Yamamoto Kenta?'

'Die Yamamoto is een bedrieger,' zei Marion Morgan.

25

'Ik zette een val voor hem op, en hij liep er met open ogen in, Isaac. Hij wist niets van Ashiyuki Utamaro's exil-tekeningen.'

'Wat zijn dat? Ashiyuki Utamaro's exil-tekeningen?'

'Ashiyuki Utamaro was een beroemde Japanse kunstenaar. Hij maakte houtsneden tijdens de latere Edo-periode. Zulke kunstenaars hadden grote ateliers, waar hulpkrachten en leerlingen werkten: het opzetten, kerven en inkten, nadat de meester een tekening had gemaakt. Daar werden geen kalligrafieën gemaakt.'

'Waarom is het belangrijk dat Yamamoto niets wist van iets wat niet bestaat?'

'Er bestaan wel prenten die Ashiyuki Utamaro in ballingschap maakte. Maar die werden in het geheim gemaakt, en alleen echte wetenschappers weten dat.'

'En jij weet het ook! Hoe kan dat?'

'Voor mij zou het ook onbekend zijn, als mijn vader niet geregeld Japanse prenten kocht. Ik herinnerde me een merkwaardig verhaal dat hij me vertelde. Ik telegrafeerde hem in San Francisco om meer details. Hij telegrafeerde heel uitvoerig terug. Dat was een duur telegram. "Ashiyuki Utamaro was op het toppunt van zijn carrière als prentkunstenaar, toen hij problemen kreeg met de Keizer, omdat hij kennelijk een oogje had op diens favoriete geisha. Alleen omdat de Keizer de houtsneden van Ashiyuki zo mooi vond werd hij niet gedood. In plaats van hem te onthoofden werd hij verbannen naar de noordelijkste kaap van het noordelijkste eiland van Japan: Hokkaido. Voor een kunstenaar die een atelier en knechten nodig heeft is dat erger dan opgesloten worden in de gevangenis. Zijn minnares smokkelde papier, inkt en een penseel naar hem. Tot zijn dood, alleen in een kleine hut, maakte hij pentekeningen. Maar niemand kon dat bekend maken. Zijn minnares en iedereen die haar hielp om hem te bezoeken zou zeker geëxecuteerd worden. De tekeningen konden ook niet tentoongesteld of verkocht worden. Op de een of andere manier kwamen de tekeningen bij een kunsthandelaar in San Francisco en die heeft een exemplaar aan mijn vader verkocht.'

'Neem me niet kwalijk, maar het verhaal klinkt wel als een typisch verkooppraatje van een antiquair,' zei Bell sceptisch.

'Toch is het waar. Yamamoto Kents weet niets van de exil-tekeningen. En dus is hij geen deskundige en ook geen conservator van Japanse kunst.'

'Dat maakt hem dus tot een spion,' zei Bell ernstig. 'En een moordenaar. Je hebt dat slim gedaan, lieveling. We zullen hem laten boeten.'

* * *

De toespraken die gehouden werden tijdens de feestelijke lunch waren gelukkig kort en de speech van kapitein Lowell Falconer, de speciale inspecteur van schietoefeningen was volgens Ted Whitmark 'echt aanstekelijk'.

Met brede armgebaren prees de Held van Santiago de moderne werf in Camden, de toegewijde arbeiders, hij bedankte het Congres en complimenteerde de scheepsarchitect en de verantwoordelijken voor de bouw.

Tijdens een opklinkend applaus fluisterde Bell tegen Marion: 'Hij heeft alles geprezen, behalve de Michigan.'

Marion fluisterde terug: 'Hij heeft wel een schamper oordeel over het schip. Hij vergeleek de Michigan met een walvis. En dat was volgens mij bepaald niet als een compliment bedoeld.'

'Hij zei ook dat de lengte amper de helft van Hull 44 is.'

Met een hoffelijke buiging naar Dorothy hief Falconer het glas en hij begon een lofrede op Arthur Langner. 'Hij was de held die het geschut

187

van de Michigan ontwierp. De beste kanonnen ter wereld. En hij zou die zelfs nog verder verbeteren. Iedereen bij de marine zal hem missen.'

Bell keek naar Dorothy. Haar gezicht straalde omdat een eigenzinnig man als Falconer iedereen duidelijk had gemaakt dat haar vader een held was.

'Moge Arthur Langner rusten in vrede,' besloot Falconer, 'in het besef dat zijn vaderland vreedzaam kan slapen dankzij de machtige kanonnen die hij maakte.'

Het laatste plechtige moment was het aanbieden van een halsketting met edelstenen door de directeur van New York Ship aan de alerte dochter van de onderminister van marine, die de fles champagne tegen de boeg van de Michigan had gegooid, voordat het schip was weggegleden. De werfdirecteur kwam naar het podium en schudde hartelijk de hand van een heer in een elegant Europees rokkostuum, die hem de halsketting overhandigde. En voordat hij het sieraad om de hals van het meisje drapeerde maakte hij gebruik van de gelegenheid om de snelgroeiende edelsmeedkunst in Camdens zusterstad Newark aan te prijzen.

* * *

Omdat Bell de drukte van het naar New York terugkerende publiek wilde ontwijken had hij Barney George van de politie in Camden geld toegestopt en zo een politiesloep geregeld die hem en Marion naar de overkant van de rivier bracht, waar een politieauto hen snel naar Broad Street Station reed. Ze stapten in de sneltrein naar New York en zochten een plek in het restauratierijtuig, waar ze met een fles champagne vierden dat de tewaterlating goed was verlopen, dat de sabotagepoging verijdeld was en dat de Japanse spion spoedig opgepakt zou worden.

Bell besefte dat hij deze dag te veel zichtbaar was geweest om Yamamoto te schaduwen tot in Washington. Daarom had hij de beste detectives van Van Dorn opdracht gegeven de Japanner te volgen.

'Wat denk jij van Falconer?' vroeg Bell aan Marion.

'Lowell is een fascinerende man,' antwoordde ze en ze voegde er geheimzinnig aan toe: 'Hij wordt verscheurd door wat hij wil, wat hij vreest en wat hij ziet.'

'Dat klinkt mysterieus. Wat wil hij dan?'

'Slagschepen.'

'Ja, dat is duidelijk. En waar is hij bang voor?'

'Japan.'

'Ook geen verrassing. Wat ziet hij?'

'De toekomst. De torpedo's en onderzeeboten die zijn oorlogsbodems onbruikbaar maken.'

'Voor een man die zo innerlijk verscheurd is maakt hij toch een zelfverzekerde indruk.'

'Zo zeker is hij niet. Hij vertelde over zijn slagschepen maar opeens veranderde zijn gezicht, toen hij zei: "Er was een periode in de riddertijd dat de wapenrusting van de ridders zo zwaar werd dat ze op hun paard getild moesten worden met een hijskraan. Toen kwam de kruisboog, en projectielen die een harnas doorboren. Een simpele boer kon leren hoe een ridder te paard gedood moest worden. En in onze tijd zijn torpedo's en onderzeeboten de nieuwe wapens."'

'Zei hij ook iets over de luchtgevechten bij Kitty Hawk?'

'Jazeker. Hij volgt de ontwikkelingen nauwlettend. De marine ziet een taak voor vliegtuigen om het terrein te verkennen. Ik vroeg wat hij ervan dacht als in plaats van een verkenner een torpedo wordt vervoerd? Toen werd Lowells gezicht erg bleek.'

'Zijn toespraak was anders helemaal niet bleekjes. Zag je die senatoren stralen?'

'Ik heb die jongedame Langner ontmoet.'

Bell en Marion keken elkaar vragend aan. 'Wat is jouw indruk van haar?'

'Ze heeft volgens mij een oogje op jou.'

'Ik moet zeggen dat ze een goede smaak heeft wat de heren betreft. En wat denk je nog meer over haar?'

'Ik denk dat ze onder haar knappe uiterlijk erg kwetsbaar is. Ze heeft steun nodig.'

'Dat is dan een taak voor Ted Whitmark. Als hij daartoe in staat is.'

* * *

In de Pennsylvania Railroad-sneltrein was de spion ook op weg naar New York, twee wagons verder in de trein. Wat sommigen als wraak zouden zien beoordeelde hij zelf als een noodzakelijke tegenaanval. Tot vandaag was de bemoeizucht van Van Dorn en zijn detectives meer irritant dan bedreigend geweest. Maar dat het zorgvuldig uitgedachte plan om de Michigan te vernietigen was mislukt vereiste maatregelen. Niets mocht zijn aanval op de Grote Witte Vloot belemmeren.

Toen de trein in Jersey City arriveerde volgde hij Bell en zijn verloofde door de stationshal en hij zag hen wegrijden in de rode Locomobile, die met draaiende motor door een garagist voor de uitgang was geparkeerd. De spion ging de stationshal weer in en liep naar de veerpont. Met de St. Louis van de Pennsylvania Railroad voer hij naar de overkant van de rivier, naar Cortlandt Street en na een korte wandeling stapte hij in de tram. Bij Hell's Kitchen stapte hij uit en liep naar Commodore Tommy's Saloon, waar Tommy vaker te vinden was dan in zijn nieuwe uitgaansgelegenheden in het stadscentrum.

'Brian O'Shay!' De bendeleider begroette hem opgewekt. 'Iets drinken?'

'Welke sporen heb je naar de heren van Van Dorn?'

'Die luizige Harry Warren en zijn mannen neuzen rond. Daar heb ik je voor gewaarschuwd.'

'Het wordt tijd dat je enkele koppen kraakt.'

'Wacht even. Alles loopt prima. Wie wil er oorlog met Van Dorn?'

'Prima?' vroeg O'Shay sarcastisch. 'Hoezo prima?'

'Die opmerking had ik al verwacht,' reageerde Tommy. Hij haakte zijn duimen in zijn vest en keek trots als een winkelier. 'Daarom heb ik ook aansluiting gezocht bij de Hip Sing.'

Brian O'Shay moest een glimlach onderdrukken.

'Volgens mij is Hip Sing niet bepaald dol op detectives. Hoelang kunnen jouw Chinezen bij Van Dorn de indruk wekken dat ze hier op jouw terrein de baas zijn?'

'Waarom doe je dit, Brian?'

'Ik geef een signaal.'

'Ja, stuur maar een telegram,' lachte Tommy schamper. 'Die is goed: stuur een telegram. Prachtig!'

O'Shay haalde zijn vlijmscherpe mesje uit een vestzak. De lach van Tommy bestierf.

'Het doel van een bericht, Tommy, is om de tegenstander duidelijk te maken wat je met hem kan doen.' O'Shay hield het scherpe mesje in het licht en schoof het om zijn duim. Hij keek naar Tommy. De gangsterbaas keek weg.

'Als hij nadenkt over wat jij kan doen, dan gaat hij twijfelen. En als hij twijfelt wordt hij traag. De kracht van twijfel, Tommy, is dat jij hem daardoor de baas bent.'

'Ja, ja... We zullen wat koppen tegen elkaar slaan, maar ik zal geen detectives doden. Ik wil geen oorlog.'

'Wie neust er nog meer rond, behalve Harry Warren en zijn mannen?'

'De Hip Sing heeft een nieuwe medewerker van Van Dorn gezien in Chinatown.'

'Nieuw? Bedoel je een jong iemand?'

'Nee, nee... Hij is geen groentje. Hij komt van buiten en hij is gevaarlijk.'

'Hij is dus nieuw in New York? Waarom zouden ze iemand van buiten New York hierheen brengen? Dat is toch onzinnig?'

'Hij is bevriend met die ellendige Isaac Bell.'

'Hoe weet je dat?'

'Een van de jongens zag hen samenwerken op de Brooklyn marinewerf. Hij komt niet uit New York. Het lijkt wel of Bell hem doelbewust daar naartoe bracht.'

'Die moeten we hebben, Tommy. Ik wil dat hij scherp geobserveerd wordt.'

'Waarom?'

'Ik zal een bericht naar Bell sturen. Dan heeft hij iets om over na te denken.'

'Mijn Gophers laat ik nooit een medewerker van Van Dorn vermoorden,' zei Tommy koppig.

'Je liet Weeks toch een aanval op Bell doen?' merkte O'Shay op.

'De Iceman was een ander verhaal. Van Dorn zal gedacht hebben dat het een persoonlijke twist was tussen Weeks en Bell.

Brian 'Eyes' O'Shay keek Tommy Thompson verongelijkt aan. 'Maak je geen zorgen. Ik laat een briefje achter op het lijk met de woorden: 'Geef de schuld niet aan Tommy Thompson.'

'Ach, kom nou, Brian.'

'Ik vraag of je hem in de gaten wil houden.'

Tommy Thompson nam nog een slok uit zijn glas. Hij keek schichtig naar het mes op de duim van O'Shay. 'Ik vermoed dat ik hierover weinig te zeggen heb.'

'Volg hem. Maar onopvallend.'

'Goed hoor. Als jij dat wilt, dan gebeurt het ook. Ik zal de beste schaduwers inzetten die ik kan vinden. Kinderen en politieagenten. Niemand let op kinderen en agenten, want die zijn er altijd.'

'En zeg tegen die kinderen en agenten dat ze Bell ook in de gaten moeten houden.'

* * *

John Scully liep over de Bowery en door de smalle kronkelende straatjes van Chinatown. Hij keek naar de lange vlechten van de mannen, naar de wirwar van brandtrappen en waslijnen en uithangborden van Chinese restaurants en theehuizen. Hij had zich vermomd als een bezoeker van buiten de stad die zich eens kwam amuseren. En hij leek dat te vinden in de armen van een magere straatmeid, toen een paar kerels opdoemden en dreigend met een mes en een ploertendoder geld eisten.

Scully keerde zijn zakken om. Een rol munten viel op straat. De twee belagers grepen het geld en renden weg, zonder ooit te weten hoeveel geluk ze hadden dat de koelbloedige detective zich onvoldoende bedreigd voelde om meteen zijn Browning te trekken en het vuur te openen.

De vrouw die de beroving had gezien zei: 'Verwacht niets van mij, nu je blut bent.'

Scully trok de voering van zijn jas open en haalde een envelop tevoorschijn. Hij keek naar de inhoud en zei: 'Kijk dan, genoeg geld voor ons allebei.'

Haar gezicht klaarde op toen ze het geld zag.

'Zullen we eerst iets gaan drinken?' stelde Scully voor. Ze was niet gewend aan zoveel vriendelijkheid.

Toen ze een tafeltje hadden gevonden achter in de zaak van Mike Callahan, in een zijstraat van Chatham Square, bestelden ze na de eerste twee glazen whisky meteen een tweede rondje. Scully vroeg nonchalant: 'Zeg, waren die rovers ook Gophers?'

Ze lachte. 'Allemachtig, waar kom jij vandaan?'

'Nou? Waren dat Gophers?'

'Best mogelijk. Ze komen de laatste maanden wel vaker uit Hell's Kitchen deze kant op.'

Scully had dit ook van anderen gehoord. 'Wat bedoel je met "de laatste maanden"? Is het ongebruikelijk?'

'Vroeger zouden de Five Pointers hun de schedel inslaan. Of ze werden onthoofd door de Hip Sing. Maar nu lopen ze hier rond alsof ze de wijk van hun is.'

'Wat is Hip Sing?' vroeg Scully argeloos.

26

'Isaac,' protesteerde Joseph Van Dorn met een zucht. 'Je hebt Japanners en Duitsers op heterdaad betrapt, de Fransen spioneren bij de Grote Witte Vloot en een Rus woont zo ongeveer in de tekenkamer van Farley Kent. Waarom begin je nu een frontale aanval op het Britse imperium? Ik heb de indruk dat de Engelsen als enigen onschuldig zijn in dit hele netwerk.'

'Ogenschijnlijk onschuldig,' verbeterde Isaac Bell hem nadrukkelijk.

De agenten van Van Dorn probeerden te bepalen tot waar het Japanse spionagenet zich uitstrekte, door Yamamoto Kenta te schaduwen, en de groep van Harry Warren speurde in Hell's Kitchen om inzicht te krijgen in de nieuwe contacten van Commodore Tommy Thompson. En Bell besloot dat het tijd werd de Britse marine te onderzoeken.

'De Engelsen bouwden de machtigste vloot ter wereld, en daarbij hielden ze hun rivalen scherp in de gaten.'

'Maar heb je al overwogen die Yamamoto op te pakken?'

'Voordat hij verdwenen is of nog meer schade aanricht? Uiteraard! Maar hoe kunnen we dan bepalen met wie hij nog meer contacten heeft?'

'Zijn partners?'

'Mogelijk. Of ondergeschikten, of zijn baas.' Bell schudde zijn hoofd. 'Ik maak mij zorgen over wat we niét weten. Stel eens dat Yamamoto inderdaad de spion is. Hoe kon hij die Duitser dan overhalen om de Michigan te saboteren? En hoe kreeg hij deze Duitser of misschien een andere zo ver de aanslag bij de Bethlehem staalfabriek te plegen? Wij weten via het Smithsonian dat hij in Washington was op de dag dat die arme kerel van de rotswand stortte. Gaf Yamamoto iemand opdracht het slachtoffer een duw te geven? Wie stuurde hij naar Newport, waar Wheeler bijna werd vermoord?'

'Ik neem aan dat Wheeler nu veilig overnacht in een van de torpedoloodsen?'

'Ja, maar wel met tegenzin. En zijn vriendinnen vinden het ook heel vervelend. De lijst wordt steeds langer, Joe. We moeten de onderlinge verbindingen vinden. Hoe kon Yamamoto contact leggen met een gangster als Weeks, in Hell's Kitchen?'

'Hij heeft hem kennelijk geleend van Commodore Tommy Thompson.'

'Als dat zo is, hoe kan een Japanse spion opeens samenwerken met de leider van de Gophers? Dat weten we niet.'

'Kennelijk wist je wel genoeg om kogels af te vuren in zijn saloon,' merkte Van Dorn op.

'Ik werd uitgedaagd,' protesteerde Bell meteen. 'Maar je begrijpt wat ik duidelijk wil maken. Wie zijn er nog meer bij betrokken, zonder dat we het weten?'

'Ja, ik begrijp het wel, maar het bevalt me niet.' Van Dorn schudde zijn grote hoofd, streek zijn rossige snor glad en wreef over zijn Romeinse neus. Na een tijdje glimlachte de oprichter van het detectivebureau zuinig naar Bell. 'Dus nu wil jij de confrontatie aan met het Britse rijk?'

'Niet het hele imperium,' grinnikte Bell. 'Ik begin met de Royal Navy.'

'En wat zoek je bij de marine?'

'Iemand die helpt.'

Opeens keek Joseph Van Dorn belangstellend 'Een hoger geplaatste?'

'Yamamoto en zijn mensen beschouwen zichzelf misschien wel als spionnen, maar ze gedragen zich als gangsters. En wij weten hoe we misdadigers moeten opsporen.'

'Juist! Aan het werk!'

Isaac Bell ging meteen naar de Brooklyn Bridge en voegde zich bij Scudder Smith op het gedeelte voor voetgangers. Het was een heldere, zonnige ochtend. Smith had gekozen voor de betrekkelijke schaduw van de oprit van de brug aan de zijde van Manhattan om op de uitkijk te staan. Smith was een van Van Dorns meest ervaren schaduwers in New York. Hij had als journalist bij een dagblad gewerkt, en hij was ontslagen omdat hij – afhankelijk van wie het verhaal vertelde – de waarheid schreef, of omdat hij al dronken was voor het middaguur. Maar hij was bekend met elke wijk van de stad. Hij gaf zijn verrekijker aan Bell.

'Ze lopen over de brug heen en weer, alsof ze toeristen zijn en kiekjes maken. Maar hun camera's zijn altijd op de marinewerf gericht. En ik denk dat die toestellen een speciale lens hebben. De grote kerel is Abbington-Westlake, en die fantastisch mooie dame naast hem is zijn vrouw, Lady Fiona.'

'Ik heb haar eerder gezien. Wie is die kleine man?'

'Peter Sutherland, gepensioneerd majoor van het Britse leger. Hij beweert dat hij naar Canada gaat om olievelden te inspecteren.'

Het opmerkelijk koude voorjaar hield aan in mei en de kille wind woei hard over East River. De drie wandelaars droegen allemaal overjassen. De jas van de vrouw had een bontkraag, passend bij haar hoed, die ze met een hand vasthield in de windvlagen.

'Hoezo inspecteert hij olievelden?'

'Gisterenavond, tijdens het diner, zei Sutherland: "Olie is de brandstof van de toekomst voor het transport over water". En aangezien Abbington-Westlake marineattaché is, wil ik wedden dat hij met dat transport over water eigenlijk oorlogsbodems bedoelt.'

'Hoe kon je dat gesprek afluisteren?'

'Ze dachten dat ik een kelner was.'

'Ik neem het van je over.'

'Wil je de verrekijker?'

'Nee, ik ga naar hen toe.'

Scudder Smith verdween tussen de voetgangers die over de brug naar Manhattan liepen.

Bell liep over de brug in de richting van de drie die zich voordeden als toeristen. Halverwege had hij duidelijk zicht op de Brooklyn Navy Yard, dicht naast de noordelijke kant van de brug. Hij kon de sleephellingen zien, zelfs een gedeelte van de meest noordelijke waar Hull 44 in aanbouw was. De werf was niet overdekt, in tegenstelling tot de grote loodsen van New York Ship in Camden. Grote portaalkranen bewogen boven de schepen in aanbouw. Rangeerlocomotieven verplaatsten goederenwagons geladen met staalplaten over het complex.

Naast de werf waar gebouwd werd leverden vrachtauto's en met paarden getrokken wagens de proviandering aan de marineschepen die afgemeerd lagen langs de kade. Rijen sjouwers in witte kleding droegen zakken over de loopplanken aan boord. Bell zag een droogdok, meer dan tweehonderd meter lang en dertig meter breed. Er was een kunstmatig eiland voor de oever aangelegd, waar ook sleephellingen en dokken waren. Een veerboot voer heen en weer tussen het eiland en de vaste wal. Vissersboten en kleine stoomschepen voeren langzaam door de drukke vaargeul tussen het kunstmatige eiland en de stad.

Het drietal maakte nog steeds foto's toen Bell bij hem kwam. Hij dook plotseling op uit de stroom passerende voetgangers en hield zijn 3A Pocket Kodak omhoog. 'Zeg, zal ik een foto van jullie alle drie maken?' stelde hij opgewekt voor.

'Dat is niet nodig, beste man,' antwoordde Abbington-Westlake hooghartig. 'En trouwens, hoe zouden we de filmrol krijgen?'

Bell nam toch een foto van het drietal. 'Ik kan ook een van uw camera's gebruiken. U heeft er genoeg.'

Een argwanende trek verscheen op Fiona Abbington-Westlakes aantrekkelijke gezicht. 'Nee maar!' zei ze verrast en tegelijk bits. 'Ik heb u eerder gezien. En heel kort geleden. Ik onthoud elk gezicht.'

'En dat was in een vergelijkbare situatie,' vulde Isaac Bell aan. 'Verleden week, op de werf New York Ship, in Camden.'

Lady Fiona en haar echtgenoot keken elkaar even aan. De majoor leek opeens waakzaam.

Bell zei: 'En vandaag observeren wij de New York Navy Yard in Brooklyn. Die verwisselde namen zijn verwarrend voor toeristen.'

197

Hij hield zijn camera weer omhoog. 'Eens kijken of ik jullie alle drie op de foto krijg, met de scheepswerf op de achtergrond.'

Abbington-Westlake reageerde geërgerd. 'De brutaliteit! Loop alstublieft door, man. Ga weg!'

Bell keek de gepensioneerde majoor Sutherland indringend aan. 'Wordt er in Brooklyn ook naar olie geboord?'

Sutherland glimlachte besmuikt, zoals iemand die zich betrapt voelt. Maar Abbington-Westlake reageerde fel. De marineattaché deed een stap naar voren en brieste tegen Isaac Bell: 'U loopt nu meteen door, als u verstandig bent. Anders roep ik de politie.'

Bell antwoordde kalm. 'Een politieagent is wel de laatste die u hier wilt zien, commandant. We ontmoeten elkaar in de kelder van het Knickerbockergebouw, om zes uur. Ga via de corridor van de metro naar binnen.'

Na de woorden van Bell veranderde de houding van Abbington-Westlake. Hij sprak niet meer als arrogante marineofficier, maar deed eerder blasé als een verveelde student. 'Ik reis niet met de metro, beste man. Dat is een nogal vulgair transportmiddel, vindt u ook niet?'

'De ingang via de metro maakt het mogelijk dat we samen een cocktail kunnen drinken, zonder dat uw komst opvalt. Om zes uur precies. Kom zonder uw vrouw en zonder Sutherland. Dus alleen.'

'En als ik niet kom?' vroeg Abbington-Westlake uitdagend.

'Dan kom ik naar u in de Britse ambassade.'

De marineattaché werd bleek. Dat had Bell wel verwacht, want in het Britse ministerie van buitenlandse zaken waren de inlichtingendiensten van de marine en het landleger uiterst wantrouwig tegenover elkaar. 'Wacht eens even!' fluisterde de marineman. 'Zo doen we dat niet. Men stapt niet botweg de ambassade van een andere natie in om daar luidkeels over geheimen te praten.'

'Ik wist niet dat zulke regels bestaan.'

'Het zijn regels van fatsoen,' antwoordde Abbington-Westlake met een bestudeerde knipoog. 'U kent het spel: doe wat je wilt, maar geef het goede voorbeeld voor de bedienden en laat de paarden niet schrikken.'

Isaac Bell gaf hem zijn visitekaartje. 'Ik hoef mij niet aan de regels bij spionage te houden. Ik ben privédetective.'

'Een *detective*?' herhaalde Abbinton-Westlake schamper.

'Wij hebben onze eigen regels. We grijpen misdadigers in de kraag en dragen ze over aan de politie.'

'Wat voor de duivel…'

'In zeldzame gevallen laten we een crimineel met rust, maar alleen als hij dan meewerkt om een veel gevaarlijker misdadiger te grijpen. Zes uur precies. En vergeet niet iets voor mij mee te nemen.'

'Wat?'

'Een spion die veel gevaarlijker is dan u,' glimlachte Isaac Bell koel. 'Veel gevaarlijker.'

Hij draaide zich op zijn hakken om en liep terug naar Manhattan, er zeker van dat Abbington-Westlake op het afgesproken tijdstip zou opdagen. Toen Bell de trappen van de brug afdaalde zag hij niet dat een aan één oog blinde knaap uit de achterbuurten vermomd was als krantenjongen die de middageditie van de Herald verkocht.

* * *

Bell liep naar de ingang van de metro, toen een zesde zintuig hem waarschuwde dat hij bekeken werd. Hij passeerde de ingang, stak Broadway over en liep verder langs de drukke weg waarover bussen, trams, auto's en karren reden. Hij bleef af en toe staan en keek in de weerspiegeling van etalageruiten, hij dook weg achter bewegende voertuigen en stapte winkels in om snel weer naar buiten te gaan. Werd hij geschaduwd door handlangers van Abbington-Westlake? Of van die zogenaamde majoor? Sutherland leek ervaren, een man die oorlogen had meegemaakt. Maar Bell mocht niet vergeten dat Abbington-Westlake, ondanks zijn bombastische en wat dwaze houding wel successen had behaald met spionage.

Bell sprong in een trolley die over de drukke Fulton Street reed en hij keek achterom. Kennelijk werd hij niet gevolgd. Hij reed mee tot aan de rivier en stapte uit, alsof hij naar de veerpont wilde lopen, maar veranderde opeens van richting en stapte op de trolley die naar het westen reed. Bell stapte bijna even snel weer uit en liep door Gold Street. Nog steeds zag hij niemand die hem volgde. Maar toch bleef het sterke vermoeden dat hij geschaduwd werd.

Hij stapte een druk bezocht oesterrestaurant binnen en gaf een kelner een dollar, om via de keuken weer naar buiten te gaan. Door een steeg liep hij naar Platt Street. Toen hij nog steeds niemand zag die hem achtervolgde maar toch dat gevoel bleef houden, liep hij naar de brede lanen van Manhattan.

Hoe alert hij ook was, Bell zag niemand die zijn spoor volgde.

Hij keek in de weerspiegeling van een groot raam van een atelier waar weegschalen voor legeringen en diamanten werden gemaakt, nadat hij even eerder snel naar binnen was gegaan bij het Nassau Café, en via de achterdeur weer naar buiten gestapt. Hij was in Maiden Lane, waar de juweliers van New York hun bedrijven hebben. De bovenverdiepingen van de gebouwen met gietijzeren gevels werden bevolkt door diamantwerkers, goudsmeden, sieradenmakers en horlogemakers. Onder de ateliers waren de winkels met ramen aan de straat en etalages flonkerend als een piratenschat.

Bell keek scherp door de smalle straat heen en weer en zijn strakke gezicht verzachtte door een glimlach om zijn mondhoeken. De meeste mannen op het trottoir waren ongeveer even oud als hij, keurig gekleed met overjassen en bolhoeden, maar op hun gezichten was vertwijfeling te lezen, telkens als ze een juwelierszaak betraden of weer verlieten. Het waren vrijgezellen die een huwelijksaanzoek zouden doen, en kennelijk probeerden dat besluit te bezegelen met de aankoop van een sieraad of kostbare edelstenen waar ze geen verstand van hadden.

Bells glimlach werd breder. Dit was een gunstig toeval. Misschien werd hij inderdaad niet geschaduwd. Misschien had een hogere macht met gevoel voor humor zijn anders zo betrouwbare zesde zintuig misleid en hem met opzet naar het centrum van Manhattan geleid, om een ring voor zijn knappe verloofde te kopen.

Maar de glimlach zwakte af toen hij zich in de parade van heren voegde die peinzend keken naar de etalages met achter het glas de oneindige mogelijkheden waar amper een keus uit gemaakt kon worden.

Uiteindelijk vatte de rijzige detective de koe bij de horens. Hij rechtte zijn rug en stapte zelfverzekerd de winkel in die het meest exclusief leek.

* * *

De jongen die zag dat Isaac Bell de juwelierszaak binnenging was zo netjes gekleed dat hij niet weggejaagd werd uit het juweliersdistrict. Op zijn rug droeg hij een schoenpoetserskist, als deel van zijn vermomming. Hij bleef even wachten, voor het geval de detective alleen heel kort in de winkel bleef om eventuele volgers te misleiden. De jongen was al de vierde die Bell schaduwde tijdens zijn wandeling door het centrum. Zodra hij de silhouetten van Bell en de juwelier achter het raam zag, wenkte hij een andere knaap en gaf de schoenpoetskist aan hem. 'Neem het van mij over. Ik moet rapporteren.'

De jongen rende een paar blokken verder naar de armoedige wijk grenzend aan de North River en hij stormde de Hudson Saloon in, om de lunch die hij als beloning zou krijgen te verorberen.

'Wegwezen!' beval de barkeeper.

'Ik moet met de Commodore telefoneren!' reageerde de schoenpoetsknaap kwaad en hij deed leverworst op een paar sneden brood. 'En vlug ook!'

'Sorry, jongen, ik herkende je niet. Kom hierheen.' De barkeeper leidde hem naar het kantoortje achter de saloon, met de enige telefoon van de hele wijk. De eigenaar keek hem vermoeid aan.

'Ga even weg,' zei de jongen. 'Dit hoef jij niet te horen.'

De eigenaar sloot zijn bureau af en verdween uit het kantoortje. Er was een periode dat een Gopher uit Hell's Kitchen die zich in deze buurt waagde al spoedig aan een lantaarnpaal bungelde, maar die tijd was voorbij.

De jongen telefoneerde naar Commodore Tommy's Saloon. Hij hoorde dat Tommy niet aanwezig was, maar spoedig terug zou bellen. Dat was vreemd. De baas was altijd in de saloon. Men zei dat Tommy in geen jaren buiten was geweest. De jongen ging nog een snee brood halen en toen hij weer naar het kantoortje liep hoorde hij de telefoon rinkelen. Commodore Tommy was woedend dat het zo lang duurde voordat de jongen had opgenomen. Toen hij uitgetierd was vertelde de jongen hem over Isaac Bells zwerftocht door de stad, vanaf de Brooklyn Bridge.

'En waar is hij nu?'

'In Maiden Lane.'

27

Isaac Bell stapte in totale verwarring uit de vierde juwelierswinkel die hij binnen een uur had bezocht. Hij had nog tijd om twee andere juweliers te bezoeken, voordat hij naar het Knickerbocker gebouw moest om Abbington-Westlake te confronteren.

'Poetsen, meneer? Schoenpoetsen?'

'Dat is een goed idee.'

Bell leunde tegen de gevel en de smoezelige vingers van een magere knaap namen zijn linkerlaars onder handen op de poetskist. Bells gedachten maalden rond. Hem was verzekerd dat een diamant op een platina ring 'de enig passende edelsteen was waarmee een jongedame zich echt verloofd voelt', maar ook dat een halfedelsteen in goud gevat 'beschouwd werd als het meest stijlvol', hoewel een kleine diamant 'ook heel acceptabel was als bezegeling van een verloving'.

'Uw andere voet, meneer.'

Bell haalde zijn mes uit de rechterlaars en liet de knaap het leer glanzend poetsen.

'Is het hier altijd zo druk?'

'Mei en juni zijn de maanden van trouwerijen,' antwoordde de jongen, zonder op te kijken van de poetsdoek die hij razendsnel bewoog.

'Wat kost het?' vroeg Bell, toen de jongen klaar was en zijn laarzen glansden als spiegels.

'Een kwartje.'

'Hier heb je een dollar.'

'Ik heb geen wisselgeld, meneer.'

'Laat maar zitten. Je hebt goed werk geleverd.'

De jongen staarde hem aan, en het was alsof hij iets wilde zeggen.

'Wat is er?' vroeg Bell. 'Alles in orde?'

De jongen opende zijn mond. Hij keek schichtig om zich heen en greep toen zijn poetskist en draafde weg, zigzaggend tussen het winkelende publiek verdween hij om de hoek van de straat.

Bell haalde zijn schouders op en betrad de juwelierswinkel Solomon Barlowe, een kleinere zaak op de parterre van een vier verdiepingen tellend gebouw in Italiaanse stijl met gietijzeren geveldelen. Barlowe keek Bell aan, met bruine ogen zo onderzoekend als de blik van een politierechter.

'Ik wil een verlovingsring kopen. Ik denk aan een diamanten ring.'

'En heeft u voorkeur voor een enkele diamant, of een aantal?'

'Wat zou u mij adviseren?'

'Als de prijs een rol speelt, dan...'

'Dat is niet belangrijk,' zei Bell kortaf.

'Aha! Ik zie dat u een heer met smaak bent. Laten we samen enkele stenen bekijken, om te zien wat u bevalt.' De juwelier opende een kist en legde een met zwart fluweel bekleed paneel op de toonbank.

Bell floot veelbetekenend. 'Ik heb kinderen wel zien spelen met kleinere knikkers dan deze.'

'Wij hebben een heel goede leverancier, meneer. Wij importeren zelf, en meestal heb ik een grotere collectie, maar in deze bruidsmaanden is er al veel verkocht.'

'Met andere woorden: koop voordat het te laat is?'

'Alleen als u nu meteen een ring nodig heeft. Is de huwelijksdatum al dichtbij?'

'Dat niet,' zei Bell. 'We zijn allebei geen kinderen meer, en we hebben het erg druk. Maar aan de andere kant wil ik de trouwerij wel vastleggen.'

'Een grote diamant met een bijzondere tint kan dat zeker bevestigen. Kijk, deze diamant bijvoorbeeld...'

De deur werd geopend en een goed geklede heer, ongeveer even oud als Bell, stapte de winkel van Barlowe binnen. Hij had een wandelstok met een gouden knop en bezet met edelstenen. De man kwam Bell vaag bekend voor, maar hij kon hem niet plaatsen. Bell had een uitstekend geheugen voor gezichten, en hij vermoedde dat hij de man ooit in een heel andere situatie had gezien, bijvoorbeeld in een saloon in Wyoming, of zittend op de tribune bij een bokswedstrijd in Chicago. De man was duidelijk niet een vertwijfelde vrijgezel. Hij glimlachte zelfverzekerd en leek in niets op een aarzelende koper.

'Meneer Riker!' riep Barlowe uit. 'Wat een aangename verrassing.' Tegen Bell zei de juwelier: 'Neem me niet kwalijk, dit duurt maar even.'

'Nee, nee,' protesteerde Riker. 'Ik wil niet storen tijdens een verkoop.'

'Maar ik noemde juist uw naam tegen deze heer, die iets bijzonders wil kopen en nog tijd heeft om rustig te kiezen.'

Barlowe keerde zich naar Bell. 'Dit is de heer die ik noemde: onze leverancier van edelstenen. Erhard Riker, van Riker & Riker. We hebben geluk, want als meneer Riker niet de ideale diamant kan vinden, dan bestaat die niet. Hij is de meest vooraanstaande leverancier van de beste edelstenen ter wereld.'

'Mijn hemel, Barlowe,' glimlachte Riker, 'jouw loftuigingen zullen bij de klanten nog de indruk wekken dat ik een tovenaar ben, in plaats van een nederige handelsman.'

Riker sprak met een Engels accent, lijkend op de aristocratische stem van Abbington-Westlake, maar aan de kleur van zijn overjas te oordelen dacht Bell dat de handelaar een Duitser was. Riker droeg een Chesterfieldjas, met een traditionele zwarte bontkraag. Een Engelsman of een Amerikaan zou eerder een donkerblauwe of grijze kleur kiezen. Rikers loden jas was donkergroen.

Riker trok zijn handschoenen uit, nam de wandelstok in zijn linkerhand en strekte zijn rechterhand uit naar Bell. 'Goedendag, heer. Mijn naam is Erhard Riker, zoals u juist hoorde.'

'Isaac Bell.'

Ze schudden elkaar de hand. Rikers handdruk was stevig en kordaat.

'Als u mij toestaat zoek ik de perfecte steen voor uw verloofde. Welke kleur ogen heeft ze?'

'Zeegroen.'

'En haar haarkleur?'

'Ze is blond. Stroblond.'

'Door de glimlach op uw gezicht krijg ik al een beeld van haar schoonheid.'

'En vermenigvuldig die gerust met tien.'

Riker boog hoffelijk. 'In dat geval zal ik een edelsteen vinden die bíjna gelijk aan haar schoonheid is.'

'Dank u wel,' zei Bell. 'Dat is heel vriendelijk. Hebben wij elkaar al eens eerder ontmoet? Uw gezicht komt mij bekend voor.'

'We zijn niet eerder aan elkaar voorgesteld,' antwoordde Riker, 'maar ik herken u ook. Ik meen dat we elkaar in Camden, New Jersey hebben gezien, eerder deze week.'

'Bij de tewaterlating van de Michigan! Ja, daar was het. Nu herinner ik me weer dat u aan de directeur van de scheepswerf de halsketting gaf voor de jongedame die het schip doopte.'

'Ik was de plaatsvervanger van een van mijn klanten in Newark, die de halsketting met mijn edelstenen heeft bezet.'

'Is dat niet toevallig?' merkte Solomon Barlowe op.

'Het zijn twee toevalligheden,' verbeterde Isaac Bell hem. 'In de eerste plaats dat meneer Riker toevallig hier is, terwijl ik op zoek ben naar een bijzondere diamant. En het tweede toeval is dat wij maandag allebei aanwezig waren bij die tewaterlating in Camden.'

'Alsof het in de sterren geschreven stond!' lachte Riker. 'Of moet ik zeggen in diamanten? Want diamanten zijn sterren op menselijk formaat! Ik begin meteen met mijn zoektocht. Aarzel niet contact met mij op te nemen, meneer Bell. In New York logeer ik in het Waldorf-Astoria. Dat hotel stuurt mijn post door als ik op reis ben.'

'U kunt mij vinden in de Yale Club,' zei Bell en ze wisselden visitekaartjes uit.

* * *

Elke medewerker bij Van Dorn, van stagiair tot hoofdonderzoeker, kreeg vanaf de eerste werkdag ingeprent dat toevalligheden helemaal niet toevallig zijn, tot dat het tegendeel bewezen is. Bell vroeg op kantoor nadere inlichtingen over de diamantleverancier Riker & Riker. Daarna gaf hij zijn fotocamera en vroeg de filmrol zo snel mogelijk te ontwikkelen. Hij ging naar beneden, waar een rustige, schemerig verlichte bar was.

Abbington-Westlake was al voor hem gearriveerd: een duidelijk teken dat de marineattaché onder de indruk was van Bells dreigement naar de Britse ambassade te gaan.

Bell bedacht dat hij meer informatie zou verzamelen als hij de man wat milder bejegende.

'Fijn dat u gekomen bent,' zei Bell.

Meteen besefte hij dat het een verkeerde opmerking was. Abbington-Westlake keek hem stuurs aan en zei bits: 'Ik dacht anders dat ik geen keus had.'

'De foto's die u maakte zouden reden voor arrestatie zijn, als ik in dienst was de regering.'

'Niemand kan mij arresteren, want ik geniet diplomatieke onschendbaarheid.'

'Maar kan die diplomatieke onschendbaarheid ook problemen met uw superieuren in Londen voorkomen?'

Abbington-Westlake hield zijn lippen stijf op elkaar.

'Natuurlijk niet,' wist Bell. 'Maar ik ben niet in dienst van de overheid, al heb ik daar wel goede contacten. Het laatste wat u wilt is dat uw rivalen binnen het ministerie van buitenlandse zaken horen dat u op heterdaad betrapt werd.'

'Waarom moest ik hierheen komen?'

'Wat heeft u voor mij meegebracht?'

'Neem me niet kwalijk?' vroeg Abbington-Westlake in verwarring gebracht.

'*Wie* brengt u mij? Geef me een naam. Een spion die ik in uw plaats kan laten arresteren.'

'Beste man, u heeft een sterk overtrokken idee over mijn invloed. Ik zou niemand weten.'

'En u heeft een sterk overdreven idee over mijn geduld.' Bell keek speurend om zich heen. Aan de tafeltjes in de donkere bar zaten stelletjes met een drankje. Enkele heren stonden bij de bar. 'Ziet u die man daar rechts? Met die bolhoed?'

'Wat is er met hem?'

'Geheime dienst. Zal ik vragen of hij bij ons komt zitten?'

De Engelsman likte langs zijn lippen. 'Oké, Bell. Ik zal vertellen wat ik weet. Maar ik waarschuw je dat het erg weinig is.'

'Vertel op,' zei Bell koel. 'Dan zien we daarna wel verder.'

'Ja, ja.' Abbinton-Westlake likte weer langs zijn lippen en keek schichtig om zich heen. Bell vermoedde dat hij een leugen zou opdissen. Hij wilde de Engelsman laten praten, zonder hem te onderbreken. Als hij verstrikt raakte in zijn verhaal, dan was het gemakkelijker om hem onder druk te zetten.

'Er is een Fransman, een zekere Colbert,' begon Abbington-Westlake. 'Hij handelt in wapens.'

'Colbert? Is dat zijn naam?' Bell dacht goedkeurend aan de afdeling inlichtingen bij Van Dorn.

'Ja. Raymond Colbert. En al is wapenhandel niet bepaald smaakvol, het is eerder een dekmantel voor het sinistere werk dat Colbert ook doet... Weet u iets over de Holland-klasse onderzeeboot?'

Bell knikte. Falconer had hem daarover verteld, en hij had informatie over de onderzeeboot gelezen.

Terwijl de marineattaché zijn verhaal vertelde kreeg Isaac Bell bewondering – al liet hij dat niet blijken – voor Abbington-Westlakes koelbloedigheid. Al dreigde het gevaar dat hij ontmaskerd werd, hij greep zijn kans om de man die zijn vrouw chanteerde te blameren. Hij praatte enige tijd door over gestolen ontwerptekeningen van scheepsarchitecten en een speciaal gyroscopisch kompas om een vaartuig onder water op koers te houden. Bell liet hem praten, tot de deur geopend werd en een stagiair van Van Dorn binnen kwam met een grote gele envelop in zijn handen. Bell zag goedkeurend dat de jongeman op een afstandje bleef staan, tot hij een wenk kreeg en de envelop aan Bell gaf, voordat hij weer zwijgend verdween.

'Op dit moment is Colbert onderweg naar New York, aan boord van een mailboot van de Compagnie Générale Transatlantique. U kunt hem ontmoeten zodra dat schip is afgemeerd aan Pier 42.'

Bell opende de envelop en bekeek de afgedrukte foto's vluchtig.

Abbington-Westlake vroeg ijzig: 'Verveel ik u, meneer Bell?'

'Nee, zeker niet, commandant. Ik kan me geen spannender verzonnen verhaal herinneren.'

'Verzonnen? Hoor eens even...'

Bell legde een foto op tafel. 'Dit is een kiekje van u en lady Fiona met op de achtergrond de Brooklyn Navy Yard. Pas op, het papier is nog vochtig.'

De Engelsman zuchtte diep. 'U maakt overduidelijk dat ik geheel aan uw genade ben overgeleverd.'

'Wie is Yamamoto Kenta?'

Bell gokte dat, evenals bankrovers, de spionnen die betrokken waren bij de nieuwste ontwikkelingen in de internationale oorlogsvloten bekend waren met hun rivalen op dat gebied. En Bell had goed gegokt. Zelfs in de schemerige bar zag hij dat Abbington-Westlakes ogen even oplichtten omdat hij opeens een uitweg zag uit zijn netelige positie.

'Denk erom,' waarschuwde Bell. 'Als ik ook maar iets gefantaseerds hoor dan gaat deze foto meteen naar die man van de geheime dienst, en kopieën naar de Britse ambassade en de Amerikaanse marine-inlichtingendienst. Begrijpen wij elkaar?'

'Ja.'

'Wat weet u over hem?'

'Yamamoto Kenta is een Japanse spion met veel militaire onderscheidingen. Hij doet dit werk al jaren. En hij is de belangrijkste persoon in de Black Ocean Society, die zich inzet voor de buitenlandse belangen van Japan. Hij nam het initiatief om te infiltreren in de Russische vloot, en daardoor heeft Japan nu het gezag over Port Arthur. Na de oorlog werkte hij in Europa en hij maakte alle pogingen van Engeland en Duitsland om hun scheepsontwerpen geheim te houden totaal belachelijk. Hij weet meer van de Krupp-fabrieken dan de Kaiser, en meer over de HMS Dreadnought dan de kapitein op die boot.'

'Wat doet hij hier?'

'Ik heb geen idee.'

'Commandant...' waarschuwde Bell.

'Ik weet het echt niet. Dat zweer ik. Maar ik kan wel iets vertellen.'

'Ik mag hopen dat het interessant is,' merkte Bell op.

'Het is zeker interessant,' zei Abbington-Westlake, 'want het is bizar dat een Japanse spion van Yamamoto's niveau hier in de Verenigde Staten actief is.'

'Hoezo?'

'De Japanners willen geen strijd met Amerika. Niet nu, want ze zijn daar nog niet klaar voor. Zelfs al weten ze dat Amerika daar ook niet klaar voor is. Men hoeft geen genie te zijn om te zien dat de Grote Witte Vloot een aanfluiting is. Maar ze weten heel goed dat hun vloot ook niet optimaal is, en dat zal nog jarenlang zo blijven.'

'Maar waarom is Yamamoto dan hierheen gekomen?'

'Ik vermoed dat Yamamoto een dubbelspel speelt.' Bell keek de Engelsman aan en hij zag dat er iets van oprechte twijfel op zijn gezicht te lezen was. 'Wat bedoelt u?'

'Yamamoto werkt voor een andere opdrachtgever.'

'Een andere dan de Black Ocean Society?'

'Inderdaad.'

'Voor wie dan?'

'Ik heb geen idee. Maar niet voor Japan.'

'Maar waarom vermoedt u dan dat hij voor een ander werkt, en niet voor Japan?'

'Omdat Yamamoto informatie van mij wilde kopen.'

'Welke informatie?'

'Hij veronderstelde dat ik informatie had over een nieuwe Franse oorlogsbodem. En hij bood daar een flink bedrag voor. Geld speelt kennelijk geen rol.'

'En had u die informatie?'

'Niet direct,' antwoordde Abbington-Westlake ontwijkend. 'Japan heeft geen belangstelling voor de Franse marine. Die kan niet in actie komen op de Grote Oceaan. De Fransen zijn amper in staat de Golf van Biskaje te verdedigen.'

'Waarom wilde hij die informatie dan?'

'Dat is het probleem. En dat probeer ik ook duidelijk te maken. Yamamoto wilde die informatie doorverkopen aan iemand die wel interesse heeft in de Fransen.'

'Wie?'

'Dat kan alleen Duitsland zijn.'

Bell keek wel een minuut lang onderzoekend naar het gezicht van de Engelsman. Hij leunde naar voren en zei: 'Commandant, het is mij nu wel duidelijk dat u bijzonder goed op de hoogte bent van uw collegaspionnen. Ik vermoed zelfs dat u meer over hen weet dan over de schepen waar u moet spioneren.'

'Welkom in de wereld van de spionage, meneer Bell,' reageerde Engelsman cynisch. 'En ik wil u als eerste feliciteren met dit heugelijke feit.'

'Welke Duitsers?' vroeg Bell bits.

'Dat kan ik niet bepalen, maar…'

'U gelooft geen seconde dat de Duitsers geld aan Yamamoto betalen om voor hen te spioneren,' onderbrak Bell hem. 'Wie verdenkt u wel?'

Abbington-Westlake schudde zijn hoofd, duidelijk verongelijkt. 'Niemand die mij bekend is. Het is een raadsel.'

'Een vrijbuiter,' peinsde Bell hardop.

28

'Inderdaad, een vrijbuiter. U slaat de spijker op de kop, meneer Bell. Maar dat roept een andere vraag op.' Abbington-Westlake's ronde gezicht straalde van opluchting omdat Bell zo nieuwsgierig werd. De rijzige detective zou hem zeker laten gaan. 'Voor wie werkt een vrijbuiter?'

'Worden zulke lieden veel ingezet bij spionage?' vroeg Bell.

'Alle beschikbare bronnen worden daarbij gebruikt.'

'Heeft u weleens gewerkt als vrijbuiter?'

Abbington-Westlake glimlachte misprijzend. 'De Royal Navy húúrt vrijbuiters. Wij werken niet voor hen.'

'Ik bedoelde of u persoonlijk wel eens zo werkte. Als u geld nodig had?'

'Ik ben in dienst van Hare Majesteits marine. Ik ben geen huurling.' Hij ging staan. 'Wilt u mij nu excuseren, meneer Bell? Ik denk dat ik u met gelijke munt heb betaald voor die foto. Akkoord?'

'Akkoord,' zei Bell.

'Dan wens ik u goedendag.'

'Commandant, voordat u gaat...'

'Wat is er?'

'Ik heb met u gesproken als privé-onderzoeker. Als *Amerikaan*. Maar ik wil u waarschuwen: als ik ooit zie of hoor dat u foto's maakt van de Brooklyn Navy Yard, of welke andere werf in mijn land, dan smijt ik uw camera van de brug, en u er achteraan.'

* * *

Isaac Bell haastte zich naar boven, naar het kantoor van Van Dorn. De zaak werd steeds groter en belangrijker. Als Abbinton-Westlake de waarheid sprak – en daar was Bell van overtuigd – dan was Yamamoto Kenta niet de leider van een groep spionnen die het op Hull 44 had gemunt, maar slechts een van de vele geheim agenten. Zoals de Duitser, en de huurmoordenaar Weeks, en de onbekende die de jonge brandveiligheidsdeskundige van een rotswand had geduwd. Wie was de vrijbuiter? En voor wie werkte hij?

Bell besefte dat hij voor een keus stond. Hij moest beslissen of hij Yamamoto zou arresteren en proberen zoveel mogelijk informatie uit hem te krijgen, of hem blijven volgen in de hoop dat de Japanse spion hem verder zou brengen in de zaak. Langer wachten was riskant: hoelang zou het duren voordat een ervaren agent als Yamamoto in de gaten kreeg dat hij geschaduwd werd en spoorloos zou verdwijnen?

Toen Bell het kantoor betrad zei iemand aan de telefoon: 'Hij is hier, meneer. Hij stapt juist binnen.' Bell pakte hoorn aan. 'De chef.'

'Waar is hij?'

'In Washington.'

'Yamamoto is zojuist in de trein naar New York gestapt,' zei Van Dorn snel. 'Hij komt jouw kant op.'

'Is hij alleen?'

'Niet als je drie van onze mensen in dezelfde wagon meetelt. En anderen houden elk tussenstation waar gestopt wordt in de gaten.'

'Ik zal bij de veerboot gaan kijken, om te zien wie hij wil ontmoeten.'

* * *

Yamamoto Kenta kon kiezen uit drie veerboten om van het Jersey City-eindstation over de rivier naar Manhattan Island te varen. Nadat hij uit de trein was gestapt en door de enorme stationshal met het glazen plafond liep, kon hij de veerboot naar 23rd Street nemen, een andere ferry naar Desbrosses Street, in de buurt van Greenwich Village, of de pont die bij Cortlandt Street afmeerde. Er was ook een verbinding met Brooklyn, en een over de East River naar de Bronx.

213

Welke veerboot hij zou kiezen was afhankelijk van de acties van Van Dorns mannen die hem schaduwden.

Hij had twee detectives opgemerkt in de treinwagon. En hij vermoedde dat een oudere Anglicaanse priester hem enkele dagen eerder had gevolgd, maar toen vermomd als tramconducteur in uniform. Hij had overwogen in Philadelphia uit de trein te stappen en de heren van Van Dorn die het perron observeerden te ontwijken, maar omdat er zoveel alternatieven mogelijk waren in New York leek het hem niet noodzakelijk zijn reis te onderbreken.

Het was na middernacht en er waren maar weinig reizigers in de stationshal, zodat hij minder dekking had dan hij zou willen. Maar Yamamoto had een voorsprong: de detectives wisten niet dat ze al een week eerder door hem waren opgemerkt. Een vage glimlach speelde om zijn lippen. Had hij het juiste karakter voor spioneren? Of was het alleen ervaring? Hij deed dit werk al voordat de mannen die hem schaduwden geboren waren.

Zoals altijd reisde hij met weinig bagage: hij droeg alleen een klein koffertje. De Black Ocean Society beschikte over onbeperkte geldmiddelen, dus hij kon kleding kopen als dat nodig was, in plaats van een garderobe meezeulen. En dat was een voordeel als hij zich snel moest verplaatsen. Zijn regenjas had een lichte kleur, bijna wit, en zijn Panamahoed had dezelfde kleur, met een zwarte band.

Bij de overgang van de perrons naar de stationshal zag hij de Anglicaanse priester wenken naar een lange man die hij het laatst in Camden had gezien. Yamamoto had snel informatie gezocht, vooral omdat hij wist dat hij geschaduwd werd, en hij meende dat de lange man Isaac Bell in eigen persoon was. Bell had bij de tewaterlating van de Michigan een wit kostuum en een breedgerande hoed gedragen, maar nu was hij gekleed als dekmatroos, met een trui en een gebreide muts op zijn goudblonde haar. Yamamoto glimlachte weer, en hij volgde de stroom reizigers en kruiers van de stationshal naar de veerboten. Een rij ponten lag gereed bij de steigers. Het waren grote vaartuigen, met dubbele dekken en rokende schoorstenen. De veerponten waren vernoemd naar belangrijke Amerikaanse steden: Cincinnatti, St. Louis, Pittsburgh, Chicago. Met de stoommachines ingeschakeld drukten de schroeven de veerboten tegen de kade en de Japanner kon kiezen of hij naar het onderdek of het bovendek zou gaan.

Paarden met roffelende hoefijzers trokken karren aan boord op het benedendek, waar ook auto's en trucks stonden opgesteld. De voetgangers konden aan weerszijden van de voertuigen de overtocht maken in de wachtlokalen. Op het bovendek waren salons en privéhutten. Yamamoto kon als eersteklas passagier tijdens de vaart over de rivier gebruik maken van een eigen hut. Hij kon ook in de buitenlucht blijven, waar de zilte bries de rook en as verjoeg.

Hij koos een veerboot, niet voor de bestemming, maar omdat de dekmatrozen al bezig waren de hekken te sluiten. Passagiers mochten niet meer aan boord stappen, maar Yamamoto kwam met grote passen aanlopen.

'Niet zo snel, spleetoog!' schreeuwde een matroos. Yamamoto had al een biljet van tien dollar in zijn hand. De ogen van de matroos werden groot en terwijl hij het geld aanpakte, riep hij: 'Kom snel aan boord! Opschieten!'

Yamamoto liep meteen verder en in de richting van de trap naar het bovendek.

De stoomfluit snerpte en het dek trilde niet meer toen de scheepsschroeven de veerpont niet langer tegen de kade drukten. Zodra de schroeven in tegenovergestelde richting begonnen te draaien leek de hele pont te sidderen.

Yamamoto kwam bij de met houtsnijwerk versierde trap die met een sierlijke boog naar het bovendek leidde. Voor het eerst keek hij om over zijn schouder en hij zag Isaac Bell op volle snelheid naar de veerpont draven. De detective sprong in een poging nog op de pont te belanden, al werd de afstand naar de steiger snel groter. De Japanse spion wachtte even, tot hij ervan overtuigd was dat Bell in het kolkende water was gevallen.

Maar Isaac Bell landde sierlijk als een zeemeeuw op de veerpont, hij sprong over de hekken en sprak de dekmatrozen aan.

Yamamoto draafde de trap op. Hij toonde zijn treinkaartje om toegang te krijgen tot de eersteklassalon, hij liep door naar de herentoiletten en sloot de deur achter zich. Daar keerde hij zijn overjas met de donkere voering binnenstebuiten. De band om zijn hoed bestond uit een opgerolde zijden lap. Hij wikkelde die af tot een lange sjaal, boog de randen van zijn hoed naar beneden en bond de hoed met de sjaal om zijn hoofd. In zijn kleine koffer had nog een attribuut voor zijn vermomming. Daarna moest hij alleen wachten tot de veerboot weer afgemeerd was en alle passagiers de eersteklassalon verlaten hadden. Hij had juist zijn koffertje geopend toen het trillen van de scheepsschroeven onder zijn voeten abrupt stopte.

De veerpont remde zo snel af dat hij zich schrap moest zetten. Er klonken drie korte stoten van de stoomfluit. De schroeven begonnen weer te draaien, en het dek sidderde weer. Geschrokken en ongelovig besefte Yamamoto dat de grote veerpont weer terug voer naar de kade waarvandaan het vaartuig zojuist was vertrokken.

* * *

Het luidruchtigste protest van de honderden passagiers aan boord van de veerboot kwam van een senator. Hij brulde als een verstoorde leeuw naar de kapitein van de veerboot. 'Wat heeft dit te betekenen? Ik ben al de hele dag onderweg van Washington en ik ben al te laat voor een vergadering in New York.'

Niemand waagde te vragen aan de senator, die zonder zijn echtgenote reisde, wie hij midden in de nacht moest spreken. Zelfs de kapitein van de veerboot, een ervaren zeeman had niet de moed om te zeggen dat een detective van Van Dorn, verkleed als matroos, in het stuurhuis was gekomen en een spoorwegpas toonde die hij nooit eerder had gezien. De pas gaf de houder meer rechten dan de senator. Het document was ondertekend en gezegeld door de directeur van de spoorweg, en had als enig voorbehoud de veiligheid van de reizigers.

'Hoe heeft u deze pas gekregen?' had de kapitein gevraagd, nadat hij de machinekamer 'stop de motor' geseind had.

'De directeur heeft mij een wederdienst gedaan,' zei de detective. 'En ik zeg hem altijd dat ik uiterst voorkomend bejegend wordt door zijn personeel.'

De kapitein zei tegen de senator: 'We hebben technische problemen, helaas.'

'En hoelang gaat dat duren?'

'Alle passagiers gaan van boord om met de volgende veerboot de oversteek te maken, meneer. Zal ik uw koffer dragen?'

De kapitein pakte de koffer van de senator en ging hem voor naar de loopplank, waar detectives met een strak gezicht elke passagier onderzoekend aankeken.

Isaac Bell stond achter de detectives van Van Dorn en hij keek ook scherp naar elk gezicht. Dat Yamamoto op het laatste moment aan boord was gesprongen maakte wel duidelijk dat de man wist dat hij geschaduwd werd. Nu begon de jacht.

Driehonderdtachtig mannen, vrouwen en slaperige kinderen schuifelden voorbij. Goddank is het middernacht, dacht Bell. Tijdens het spitsuur waren er wel duizend passagiers aan boord.

'Dit was de laatste persoon.'

'Mooi. Doorzoek nu alle hoeken en gaten van de boot, want hij heeft zich ergens verstopt.'

* * *

Een kleine oudere vrouw, gekleed in een lange zwarte jurk, met een warme sjaal om en een strohoed die met een donkere hoofddoek was vastgebonden, stapte in een tram voor het station Jersey City. Het was een korte rit met veel haltes naar Hoboken. De tram reed door Ferry Street en River Street. De vrouw stapte uit en daalde de trappen af naar de metro. Ze kocht een kaartje en stapte in de elektrische trein met acht wagons. Alles was zo nieuw dat het nog naar verf rook.

De metro bracht haar snel naar de andere oever van de Hudson. Tien minuten later stapte ze uit bij het eerste station in New York. De conducteurs die de pneumatische deuren bedienden wisselden een snelle blik. De omgeving van Christopher Street en Greenwich Street, boven de verlichte metrogewelven vormde een schril contrast met het onderaardse station, en zeker in het holst van de nacht. Voordat de conducteurs haar konden waarschuwen liep de vrouw al haastig langs een bloemenkiosk onder aan de trappen. De kiosk was gesloten, maar de bloemen werden verlicht door de elektrische lampen. De vrouw verdween in het trappenhuis. Ze kwam boven en zag een grauw plein met smoezelige straatstenen. Pakhuizen rezen op boven de vroeger fraaie stadshuizen die nu voor kamerverhuur waren ingericht. Ze trok de aandacht van een grote kerel die haar volgde toen ze naar een steeg liep. Met een ruk draaide ze zich om en drukte de loop van een klein pistool tegen zijn voorhoofd. Met een zachte mannelijke stem en een accent dat de grote kerel nooit eerder had gehoord zei ze: 'Ik kan jou betalen om mij naar een schone kamer te brengen waar ik kan overnachten. Of ik kan de trekker overhalen. Je mag kiezen.'

29

'Ik heb een klus voor Harry Wing en Louis Loh,' zei Eyes O'Shay.
'Wie?' vroeg Tommy Thompson, die meer met Eyes te maken dan hij aangenaam vond.

'Die Hip Sing-gangsters,' verduidelijkte Eyes ongeduldig. 'De Chinezen die je ontmoette op de dag dat ik weer opdook. Hou je niet van de domme, want we hebben hier al eerder over gesproken.'

'Ik ken die kerels niet, en dat heb ik je gezegd. Ik heb alleen met hen geregeld dat ze een paar zaken openen.'

'Ik heb werk voor die twee.'

'Waarvoor heb je mij nodig?'

'Ik wil ze niet ontmoeten. Ik wil dat jij dat voor mij regelt. Ben ik duidelijk?'

'Je wilt niet dat ze jouw smoel zien.'

'En ook niet dat ze iets over mij horen. Geen woord, Tommy. Tenzij jij de rest van de leven blind wil zijn.'

Tommy Thompson had er genoeg van. Hij leunde achterover met zijn stoel wiebelend op twee poten en zei kil: 'Het wordt tijd om een pistool te pakken en je kop eraf te schieten, O'Shay.'

Brian O'Shay ging razendsnel staan. Hij trapte tegen de stoel en een van de poten versplinterde. De gangsterbaas viel op de vloer. Gealarmeerd door het kabaal kwamen twee van Tommy's uitsmijters het kantoor in. Maar de mannen bleven met een ruk staan. O'Shay had hun chef in de houdgreep, met het gezicht naar boven gekeerd. O'Shay schraapte met zijn Gouge langs Tommy's linkeroog.

'Zeg iets tegen de kerels.'

'Ga weg!' commandeerde Tommy met half gesmoorde stem.

De twee uitsmijters deinsden achteruit en verdwenen door de deuropening. O'Shay liet Tommy weer los en de grote man rolde op zijn rug. O'Shay ging staan en klopte het zaagsel van zijn kleding. 'Ik wil het volgende,' zei hij opgewekt. 'Ik wil dat je Harry Wing en Louis Loh naar San Francisco stuurt.'

'Wat is er te doen in San Francisco?' vroeg Tommy nog verdwaasd. Hij krabbelde overeind en haalde een fles uit zijn bureau.

'Daar is de Mare Island scheepswerf.'

'Wat is daar mee?'

'Het is een marinewerf. Zoals de Brooklyn Navy Yard. Daar zullen de schepen van de Grote Witte Vloot bevoorraad worden en de rompen worden geschilderd, voordat er koers gezet wordt naar Honolulu en Auckland en naar Japan.'

'Eyes, waar ben je mee bezig?'

'Er is een munitiemagazijn bij de Mare Island scheepswerf. Ik wil dat Harry Wing en Louis Loh dat depot laten exploderen.'

'Een scheepswerf opblazen?' Thompson zette de fles neer en hij sprong overeind. 'Ben je gek geworden?'

'Nee.'

Tommy keek schichtig om zich heen, alsof hij vreesde dat politie-agenten met hun oor tegen de wanden het gesprek afluisterden. 'Waarom vertel je dit aan mij?'

'Omdat jij meer geld zult verdienen dan je ooit van je leven bij elkaar hebt gezien. Als dat munitiedepot inderdaad wordt opgeblazen.'

'Hoeveel?'

Eyes vertelde het en Commodore Tommy ging grijnzend weer zitten.

* * *

John Scully, de detective van Van Dorn, bleef speuren in Chinatown, telkens in een andere vermomming. Hij was de ene dag een straatventer, de volgende dag een voddenraper, of een dronkaard die buiten op een bankje in het park sliep. Hij kreeg meer te horen over de Gopher-bende, die steeds actiever werd in het centrum. Er werd gepraat over een chique gokhal en een opiumkit waar men erg kieskeurig was wat betreft de meisjes die ingehuurd werden. Een vriendin van de hoofd-man van Hip Sing bestierde de zaak persoonlijk en dat deed ze heel vakkundig.

'Chinese meisjes?' vroeg Scully verbaasd. De vrouwen die hem ge-zelschap hielden met een drankje in Canal Street begonnen te lachen.

'Er zijn helemaal geen Chinese meisjes in Chinatown.'

'Nee?'

'Die komen het land niet in.'

'Maar waar komen de meiden dan vandaan?'

'Het zijn Ierse meiden, wat had je anders verwacht?'

'Dus deze Chinees heeft een Ierse vriendin?' vroeg Scully, alsof hij zich die combinatie nauwelijks kon voorstellen.

Een van de vrouwen liet haar stem dalen en ze keek om zich heen voordat ze fluisterde: 'Ik heb gehoord dat ze een Gopher is.'

Toen hij dat hoorde hoefde Scully geen verbazing te veinzen. Het was zo ongewoon dat het onmogelijk leek, of het was een bewijs dat er een nieuw en gevaarlijk verbond was gesloten tussen Hell's Kitchen en Chinatown.

Scully wist dat hij zelfs een vaag gerucht over samenwerking tussen bendes meteen moest rapporteren aan het hoofdkantoor. Of het in elk geval melden aan Isaac Bell. Maar zijn intuïtie en jarenlange er-varing leerden hem dat hij dicht bij een doorbraak was in het onder-zoek naar Hull 44. Hij was daar zo zeker van dat hij besloot voorlopig nog geen verslag te doen.

Hadden de Gophers het meisje aangeboden als beloning om de deal te bezegelen? Of was het haar initiatief geweest? Volgens Harry Warren waren de vrouwen bij de Gophers vaak grotere criminelen dan de mannen: ze waren veel slimmer en geslepener. Wat ook de con-nectie was, detective John Scully beschouwde het als een erezaak om naar het hoofdkantoor in het Knickerbocker gebouw te gaan met het hele verhaal en niet met slechts vage geruchten.

Een paar dagen later had hij beet.

Hij keerde terug in een blauw kostuum. Een slecht gesneden colbert hing ruim om zijn bovenlijf. De zoom van zijn broekspijpen bedekte amper zijn onmodieuze schoeisel. Maar de dure nieuwe strohoed, gekocht bij Brooks Brothers op Broadway, die zijn ronde gezicht beschaduwde en de glanzend gouden horlogeketting op zijn vest waren een duidelijk teken dat hij een welgestelde kandidaat was om beduveld te worden.

Hij ging naar binnen bij een Chinese operazaal in Doyers Street, die sinds kort in de kranten de bijnaam "de bloedige hoek" had gekregen, als gevolg van de slechte reputatie en als strijdperk voor de rivaliserende Hip Sing en On Leon bendes. Ergens in Doyers Street, had Scully gehoord, was het trefpunt van de Hip Sing bende, en daar waren de mooiste meisjes, de zuiverste opium en een roulettetafel die bediend werd door een croupier die het vak beheerste.

De detective had genoeg ervaring met opium en roulette en liet de speeltafel links liggen. Maar hij had geen bezwaar tegen aantrekkelijke meisjes en al wist hij niet waarom, ze schenen vaak een oogje op hem te hebben. Als dat gebeurde, dan maakte de opium de ontmoeting alleen maar beter.

Toen hij de operavoorstelling een tijdje had bekeken en weer naar buiten ging, stond een man naar de Amerikaanse vlag te kijken aan de gevel van de operazaal. 'Een Chinese opera?' vroeg hij aan Scully. 'Hoe is dat?'

'Het lijkt niet op de opera's die ik heb gehoord,' antwoordde Scully. 'Het klinkt als knarsende tandwielen die nodig gesmeerd moeten worden. Maar de kostuums en de make-up zijn geweldig. Je kijkt je ogen uit.'

'Leuke meiden?'

'Moeilijk te zeggen.'

De man stak zijn hand uit. 'Ik heet Tim Holian. Ik werk bij Waterbury Brass Works.'

'Mijn naam is Jasper Smith, werkzaam bij Schenectady Dry Goods,' antwoordde Scully en toen hoorde hij wat elke detective vreest.

'Schenectady? Maar dan kent u zeker mijn neef Ed Kelleher. Hij is voorzitter van de Rotary in Schenectady.'

'Niet meer, sinds hij er met een nicht van mijn vrouw vandoor ging.'

'Wat? Dat moet een misverstand zijn, want Ed is getrouwd.'

'Mijn bloed begint weer te koken als ik daar aan denk. De arme meid is amper vijftien.'

Holian liep wankelend weg in de richting van Mott Street. Scully bleef heen en weer lopen tussen de ingang van de operazaal en een venster voorzien van een rolluik.

Het duurde niet lang voordat een pooier hem opmerkte.

'Hé, broer, op zoek naar een avontuurtje?'

Scully keek de man aan. Hij was van middelbare leeftijd, hij had een gehavend gebit en droeg rafelige kleren. Kennelijk was hij vroeger een straatvechter geweest, maar nu niet meer gewelddadig en vooral geschikt om klanten te werven.

'Wil je meisjes?'

Scully wees naar Mott Street. 'Een man met een strohoed stond daar. Hij is op zoek naar meiden.'

'En jij? Wil je ook in een opiumkit naar de meiden?'

'Donder op.'

De man nam de woorden serieus en liep weg. Scully bleef op straat heen en weer lopen.

Maar zonder succes. Hij verzamelde geen nieuwe informatie, sinds hij voor de operazaal was. Geen wenk van een komende of vertrekkende bezoeker. Misschien was het nog te vroeg. Maar deze gelegenheden waren gedurende het hele etmaal in bedrijf.

Hij bleef nog een uur rondhangen, zonder dat er iets gebeurde. De kerels die hem naar de meisjes wilden lokken zouden hem nooit naar een dure gelegenheid sturen, en daarom weerde hij hen telkens af, zoals hij met de eerste die hem benaderde had gedaan. Scully bleef alert op lieden die hem de weg konden wijzen.

Een ongewoon tafereel trok zijn aandacht. Een Ierse vrouw met een Chinese baby in haar armen liep snel en ze keek telkens bezorgd om naar een agent die haar kennelijk volgde. Ze had een stevig postuur. Scully tikte tegen zijn hoed en deed een stap opzij op het smalle trottoir, om haar te laten passeren. De baby was van dichtbij gezien toch niet echt Chinees: een blonde kuif was te zien op het hoofdje.

De politieagent passeerde Scully en haalde de vrouw in op de hoek van Doyers Street. Hij keek argwanend naar de deken. Scully liep naar het tweetal en hij had al een vermoeden wat er zou gebeuren.

'Ik moet u arresteren,' zei de agent.

'Waar is dat voor nodig?' vroeg de moeder.

'Voor uw bestwil. Elke blanke vrouw die met een Chinees getrouwd is moet aantonen dat ze niet ontvoerd is, of tegen haar wil wordt vastgehouden.'

'Ontvoerd? Ik ben helemaal niet ontvoerd. Ik ga boodschappen doen om eten voor mijn man te koken.'

'U moet mij uw trouwboekje tonen, anders geloof ik u niet.'

'Ik heb mijn trouwboekje nooit bij me. Allemachtig, ik zeg toch dat ik getrouwd ben? Val mij niet lastig.'

Het gezicht van de agent liep rood aan. 'Meekomen,' zei hij en greep haar arm.

John Scully stapte naar de agent. 'Kunnen wij even praten?'

'Wie bent u? Wegwezen hier!'

'Waar ik vandaan kom wordt altijd geluisterd naar geld,' zei Scully en hij drukte enkele dollarbiljetten in de hand van de agent. De agent draaide zich om en liep weg in de richting van de Bowery.

'Waarom deed u dat?' De vrouw had tranen in haar ogen.

'Het leek me de beste oplossing,' zei Scully. 'Valt de politie u vaak lastig?'

'Dat overkomt alle vrouwen die met een Chinese man zijn getrouwd. Alsof een meisje niets te zeggen heeft over met wie ze wil trouwen. Die agenten vinden het afschuwelijk dat een blanke vrouw met een Chinees trouwt, en daarom beweren ze dat wij dat alleen doen omdat we verslaafd zijn aan opium. Wat is er verkeerd aan een huwelijk met een Chinees? Mijn man werkt hard. Hij komt op tijd naar huis en hij drinkt niet. Hij slaat me nooit, al zou ik hem vloeren als hij dat wel probeerde. Hij is tamelijk klein.'

'Dus hij drinkt niet?' begreep Scully. 'Rookt hij opium?'

'Hij komt voor het avondeten thuis,' glimlachte de vrouw. 'Ik ben opium voor hem.'

Scully haalde diep adem en keek schichtig om zich heen en fluisterde: 'Als iemand een keer opium wil roken, gewoon om te weten hoe dat is?'

'Dan speelt hij met vuur.'

'Laten we aannemen dat hij het risico wil nemen. Ik woon niet in deze stad, en ik vraag me af of hier ergens een veilige plek is om het te proberen.'

De vrouw zette haar handen op haar heupen en keek Scully argwanend aan. 'Ik zag dat u die agent veel geld gaf. Bent u soms rijk?'

'Jazeker, mevrouw. Ik heb alles goed geregeld maar nu wordt het tijd dat ik me losmaak. Ik moet iets nieuws proberen.'

'Dat wordt u fataal.'

'Toch wil ik het proberen. Maar ik betaal liever extra, als ik dan ergens terecht kom waar ik geen klap op mijn hoofd krijg.'

'U staat voor het juiste adres.' Met een hoofdknik gebaarde de vrouw naar de operazaal. Scully keek naar de hoge vensters op de verdieping.

'Daar? Ik ben daar al binnen geweest, toen werd er een opera opgevoerd.'

'Op de bovenverdieping is een speciale ruimte. Daar kunt u opium proberen. En andere dingen.'

'Daar?' Scully krabde op zijn hoofd en deed alsof hij het niet begreep. Zijn speurwerk had hem dichtbij gebracht, maar zonder de hulp van de vrouw had nog een week langer moeten zoeken.

'U gaat naar het balkon, alsof u de opera wilt bijwonen. Helemaal achteraan is een kleine deur. Klop op die deur en ze laten u binnen.'

'Is het zo simpel?'

'Voor Chinezen bestaan er maar twee soorten mensen: onbekenden buiten, en familie en vrienden binnen.'

'Maar ik ben een onbekende.'

'Zeg maar dat Sadie u heeft gestuurd, en dan bent u niet langer een onbekende.'

Scully glimlachte. 'Dus u speelde daar ook met vuur?'

'Welnee,' lachte ze, en ze gaf hem een klap op zijn schouder. 'Ga maar naar binnen. Ik ken daar enkele meisjes.'

Scully kocht weer een entreekaartje en liep de trap op naar het balkon. Hij vond de kleine deur en klopte aan. Achter hem klonken de schelle stemmen van de acteurs. Hij hoorde dat een luikje voor een kijkgat werd geopend en grijnsde onzeker. De deur werd op een kier geopend en was gezekerd met een stevige ketting.

'Wat wilt u?' vroeg een mollige Chinees.

Scully zag het handvat van een bijl uit zijn tuniek steken. 'Sadie heeft mij hierheen gestuurd.'

'Aha.' De bewaker maakte de ketting los en deed de deur nu helemaal open. 'Kom binnen,' zei hij ernstig. Hij wees naar de trap en John Scully beklom de treden naar een ruimte vol zoetgeurende rook.

Eerst hoefde hij niet te veinzen dat hij een plattelander was die verbaasd naar de grote ruimte keek, badend in gouden licht. Het plafond was bespannen met rood doek en de wanden waren bedekt met gordijnen en hangende tapijten. Op zijden panelen waren schilderingen van draken, bergen en dansende meisjes. Met verfijnd houtsnijwerk versierde meubelen stonden op de vloer en alles werd verlicht met gekleurde lantaarns. De inrichting deed Scully denken aan de troonzaal in een paleis in Peking, al waren er geen eunuchs als bewakers.

Heren van Hip Sing met strakke gezichten en gekleed in donkere kostuums waakten bij het roulettewiel en de pokertafels. Knappe meisjes brachten opiumpijpen naar de bezoekers die op sofa's lagen. De meisjes, gekleed in strakke rokken die tot hun knieën reikten, waren blank, maar degenen met zwart haar waren opgemaakt zodat ze Chinees leken. Zoals Scully op straat al had gehoord waren echte Chinese vrouwen heel schaars in Chinatown.

Sommige bezoekers waren Aziatisch, anderen blank, ze lagen half bewusteloos in de rook. Scully zag Chinese zakenlieden die welgesteld leken, in traditionele Mandarijnse jas of in westers kostuum. Onder de blanken waren geslaagde zakenlui en rijke studenten, het type dat gokschulden vereffent met het chequeboek van hun vader. Het meest interessant waren enkele gangsters in strakke kostuums en ordinaire stropdassen. Scully wilde er een maandsalaris onder verwedden dat het Gophers uit Hell's Kitchen waren.

Hoelang waren deze lieden al hier? Scully had urenlang buiten gestaan en niemand naar binnen zien gaan. Kennelijk was er nog een andere ingang dan via het balkon in de operazaal.

Een blanke man ging rechtop zitten, hij zette zijn hoed op en kwam onvast overeind. Toen de man stond, keken hij en Scully elkaar recht in de ogen. Scully's mond viel open. Wat deed Harry Warren hier in vredesnaam?

Beide detectives keken snel een andere kant op.

Had Harry dezelfde geruchten gehoord? Nee, bedacht Scully. Harry Warren had de Gophers geschaduwd. De bendespecialist wist nog niets van de alliantie met de Hip Sing. Hij had gewoon een Gopher gevolgd en was uiteindelijk hier beland, zonder het verband te leggen. Scully besefte trots dat hij al veel meer wist dan Harry en zijn zogenaamde experts. Hij was de detectives van Van Dorn in hun eigen stad te slim af.

Twee meisjes kwamen naar hem toe.

Een van hen, een welgevormde Ierse meid, was opgemaakt als een Chinese vrouw. De andere was een kleine roodharige, met blauwe ogen die oplichtten in het schemerige lantarenlicht. Ze deed Scully denken aan Lillian Russell in haar slanke jaren, al kon die indruk ook gewekt worden door haar enorme hoed met opgeslagen rand. Of door de bedwelmende rook en haar zware make-up, alsof ze een actrice was.

De roodharige maakte het donkere meisje met een korte hoofdknik duidelijk dat ze weg moest gaan.

Scully's hartslag werd sneller. Zo jong als deze vrouw was, ze gedroeg zich alsof ze hier de baas was. Dit was de vriendin van de Hip Sing-bendeleider naar wie hij had gezocht.

'Welkom in ons eenvoudige huis,' zei ze, bij Scully de indruk wekkend dat ze een Chinese prinses was op een vaudevillepodium. Maar haar accent was duidelijk dat van Hell's Kitchen. 'Hoe heeft u ons kunnen vinden?'

'Sadie heeft mij gestuurd.'

'Dan bewijst Sadie ons een grote eer. Waarmee kunnen wij u een plezier doen?' Scully keek haar schaapachtig aan, alsof hij van het platteland kwam en overweldigd werd door de mogelijkheden. En hij was ook wel enigszins beduusd. Ze sprak zakelijk, zoals elke madam zou doen, maar ze keek hem aan alsof ze zichzelf aanbood, waardoor hij in verwarring raakte.

'Welk plezier kunnen wij u doen?' herhaalde ze.

'Ik wilde altijd al een beetje opium proberen.'

Ze leek teleurgesteld. 'Opium kunt u bij de apotheek krijgen. Waar komt u vandaan?'

'Uit Schenectady.'

'Kan iemand zoals u geen opium bij een apotheek halen?'

'Ik wil niet dat het thuis bekend is, als u begrijpt wat ik bedoel.'

'Dat begrijp ik best. Goed, dan krijgt u opium. Kom mee.' Ze pakte zijn hand in de hare, die klein, sterk en warm was. Ze leidde hem naar een sofa, half verborgen achter gordijnen en hielp hem zich gerieflijk neer te vlijen, met zijn hoofd gesteund door zachte kussens. Een van de meisjes die Chinees geschminkt was bracht hem een pijp. De rood-harige zei: 'Geniet ervan, ik kom later weer terug.'

30

'De Gophers hebben een van mijn jongens te grazen genomen,' telefoneerde Harry Warren naar Isaac Bell in het hoofdkantoor van Van Dorn in het Knickerbockergebouw.

'Wie?'

'Eddie Tobin, die kleine jongen.'

Bell ging zo snel hij kon naar het Roosevelt Ziekenhuis, op de hoek van 59th Street en Ninth Avenue.

Harry kwam hem in de hal tegemoet. 'Ik heb een kamer voor hem alleen geregeld. Als de baas niet wil betalen, dan doe ik dat zelf.'

'Nee, als de baas niet betaalt, dan doe ik dat,' zei Bell. 'Hoe is het met hem?'

'Ze hebben hem in zijn gezicht geschopt met schoenen met stalen neuzen, met een ijzeren staaf sloegen ze een barst in zijn schedel, en ze hebben zijn rechterarm en beide benen gebroken.'

'Denk je dat hij dit overleeft?'

'De Tobins zijn gehard, ze werken op sleepboten, ze smokkelen, en ze vissen op oesters, dus hij is sterk. Dat was hij in elk geval. Moeilijk om te voorspellen of iemand zo'n aanval overleeft. Voor zover ik weet werd hij door vier kerels belaagd, dus hij was kansloos.'

Bell ging naar de ziekenkamer en bleef met gebalde vuisten voor het bed van de bewusteloze patiënt staan. Het hoofd van Eddy was verbonden en bloed sijpelde uit de wonden. Een arts luisterde met een stethoscoop naar zijn borst. Een verpleegster in een gesteven uniform stond naast het bed. 'De kosten maken mij niet uit,' zei Bell, 'maar ik wil dat dag en nacht een verpleegster bij hem blijft.'

Hij ging weer naar Harry Warren in de hal. 'Dit is jouw stad, Harry. Wat gaan we doen?'

De bende-expert aarzelde, duidelijk niet gelukkig met het antwoord dat hij moest geven. 'Als ze alleen zijn durven ze niets te doen tegen iemand van Van Dorn. Maar de Gophers zijn met velen, en als het oorlog wordt, dan vechten ze op eigen terrein.'

'Het is al oorlog,' zei Isaac Bell.

'Van de politie kunnen we geen hulp verwachten. Hier is de stad verdeeld door de gangsters, de politici, de aannemers, de kerk en de straatagenten. En zolang niemand zo hebzuchtig wordt dat er hervormingen nodig zijn, zullen de partijen elkaar niet lastig vallen over een privédetective die in elkaar geslagen werd. Dus we staan er alleen voor. Luister, Isaac, dit is wel eigenaardig. Het is niet wat je van Tommy Thompson zou verwachten, want hij vermijdt problemen gewoonlijk liever. Is dit een waarschuwing om ons af te schrikken? Het lijkt eerder iets om een rivaliserende bende, zoals de Dusters of de Five Pointers te waarschuwen. Hij weet dat je zoiets niet met een detective van Van Dorn doet. Het lijkt wel of hij in opdracht van die spion handelt.'

'Ik wil dat je hem ook een duidelijke boodschap stuurt.'

'Ik kan dat doorgeven aan mensen die het aan hem vertellen, als je dat bedoelt?'

'Zeg hem dat Isaac Bell een telegram stuurt naar zijn oude vriend Jethro Watt, hoofd van de Southern Pacific-spoorwegpolitie met de vraag tweehonderd potige kerels naar New York te sturen, om de goederenwagons op het emplacement bij Eleventh Avenue te bewaken.'

'Kun je dat regelen?'

'Jethro zal dat graag doen en ik weet dat de spoorwegen er genoeg van krijgen dat hun goederentreinen steeds weer worden beroofd. Tommy Thompson zal zich wel twee keer bedenken voordat hij weer een detective van Van Dorn een aframmeling geeft. Die kerels van de spoorwegpolitie zijn gehard en ze zijn alleen bang voor Jethro. Tot ze hier zijn zullen onze mensen niet meer alleen de straat op gaan.

Ze gaan met minstens twee man en ze moeten op hun hoede zijn in hun vrije tijd.'

'Dat is waar ook, ik trof jouw collega John Scully.'

'Waar? Ik heb al weken niets van hem gehoord.'

'Ik schaduwde een Gopher door Chinatown, maar zonder resultaat. Die man rookte de hele dag opium. Scully was ook in die opiumkit, verkleed als toerist.'

'Wat deed Scully?'

'Het laatste wat ik zag was dat hij een pijp rookte.'

'Tabak?' vroeg Bell, al betwijfelde hij dat.

'Ik vrees van niet.'

Bell keek Harry Warren aan. 'Nou, als jij het overleefde, dan kan Scully dat ook.'

* * *

Boven het transatlantische stoomschip *Kaiser Wilhelm der Grosse II* rezen vier grote zwarte schoorstenen en twee nog langere masten op naar de rokerige hemel aan de rand van Greenwich Village. De rechte boeg rees hoog op boven de sleepboten, de pier en de door paarden getrokken karren en de taxi's op de kade.

'Stop hier maar, Dave,' zei Isaac Bell in de spreekbuis van de groene Packard limousine die hij mocht gebruiken van de vader van Lillian, de vrouw van Archie Abbott.

De spoorwegmagnaat kon niet aanwezig zijn, omdat hij in zijn privé-trein door het land reisde, waarschijnlijk zoekend naar een onafhankelijke spoorwegmaatschappij die hij bij zijn zakenimperium kon inlijven. Bell had een dringende reden om Archie te spreken, en aangeboden de honneurs waar te nemen.

'Pik mij op in Jane Street, als ze ingestapt zijn.'

Bell stapte uit de auto op de kade en keek naar de loopplank. Het was geen verrassing dat het pasgetrouwde stel als eerste van boord ging, begeleid door behulpzame sjouwers en gevolgd door een horde journalisten, die bij Sandy Hook aan boord waren gekomen om het jonge echtpaar te verwelkomen. Meer verslaggevers stonden op de kade te wachten. Sommigen hadden fotocamera's, anderen werden vergezeld door sneltekenaars.

Bell, die zijn gezicht liever niet in de krant zag als hij incognito bezig was met een onderzoek, liep weg van de kade en wachtte in een zijstraat met lage huizen en stallen.

Een kwartier later stopte de limousine en Bell stapte in de auto.

'Excuus voor het spektakel,' begroette Archibald Angell Abbott IV hem, hartelijk Bells hand grijpend. Ze waren al goed bevriend sinds ze deelnamen aan bokswedstrijden tussen rivaliserende scholen. 'Heel New York kijkt uit naar mijn stralende bruid.'

'Dat verbaast me niet,' zei Bell en hij kuste Lillian op haar wang, voordat hij ging zitten op de klapstoel tegenover het echtpaar op de achterbank. 'Lillian, je ziet er fantastisch uit.'

'Dat komt door mijn echtgenoot,' lachte ze en streek met haar vingers door Archies rossige haar.

Toen ze in het imposante huis aan Park Avenue waren gingen Bell en Archie naar de bibliotheek. 'Lillian straalt, maar jij lijkt afgemat,' zei Bell.

Archie hief zijn glas op met een bevende hand. 'De hele nacht feesten, overdag ontvangsten, het hield niet op. Je vergeet hoeveel energie je had als negentienjarige.'

'Welke informatie heb je aan boord verzameld?'

'De Europeanen verwachten oorlog,' zei Archie ernstig. 'Iedereen is op zijn hoede dat de tegenstander de eerste klap uitdeelt. De Britten zijn overtuigd van een oorlog met Duitsland. Ze weten dat het Duitse leger enorm is, en de Kaiser luistert naar de legerleiding. Hij luistert niet alleen, hij is met hart en ziel verknocht aan het leger. De Duitsers weten zeker dat er oorlog met Engeland komt, omdat de Britten niet zullen toestaan dat het Duitse rijk nog meer expandeert. De Britten weten ook dat de Duitse marine verslaan geen garantie voor de overwinning is, terwijl een nederlaag van de Engelse vloot het einde betekent van het gezag over de overzeese gebiedsdelen. En als dat nog niet genoeg is, de Duitsers vermoeden door Rusland aangevallen te worden, om zo de revolutie te breken, door de boeren afleiding te geven met een oorlog. Als dat gebeurt, en dat vrezen de Duitsers, dan zal Engeland de kant van Rusland kiezen, omdat Frankrijk een alliantie heeft met Rusland. Dan zal Duitsland forceren dat Oostenrijk en Turkije bondgenoten worden. Maar geen van deze partijen beseft dat die allianties tot een wereldoorlog kunnen leiden zoals nooit eerder is voorgekomen.'

'Is het zo erg?'

'Gelukkig voor ons wil geen van de Europese landen de Verenigde Staten als vijand.'

'En daarom vraag ik mij af,' zei Bell peinzend, 'of Engeland en Duitsland proberen Amerika in de waan te brengen dat de ander de vijand is.'

'Dat is precies wat ik aan boord ook hoorde zeggen,' beaamde Archie. 'Jij hebt een sluwe geest.'

'Ach, de laatste tijd had ik contact met verkeerde lieden.'

'Ik dacht dat het een resultaat van jouw opvoeding in Yale was,' zei Archie, die in Princeton had gestudeerd.

'Door als mogelijke bondgenoot naar de Verenigde Staten te lonken, kunnen Engeland en Duitsland in het geheim manoeuvreren zodat hun vijand onze vijand lijkt.'

'En wat denk je van Japan?'

'Kapitein Falconer beweert dat alles wat de Europese steunpunten in de Pacific verzwakt de Japanners driester zal maken. Ze zullen zo lang mogelijk afzijdig blijven in de strijd, en dan de kant van de winnaar kiezen. Eerlijk gezegd lijkt hij bezeten van angst voor de Japanners. Hij heeft hen van dichtbij meegemaakt tijdens de Russisch-Japanse oorlog, en daarom denkt hij het beter te weten dan de meeste mensen. Hij houdt vol dat het briljante spionnen zijn. Overigens hebben we een week lang een Japanner geobserveerd, maar helaas zijn we hem kwijtgeraakt.'

Archie schudde spottend zijn hoofd. 'Ik ga een tijdje weg voor een korte huwelijksreis en al het werk van de detectives loopt vast. Heb je enig idee waar hij is?'

'Hij werd het laatst gezien op een veerboot in New York. We kammen de hele stad uit, want hij is onze belangrijkste troef in deze zaak. Ik moet hem beslist vinden.'

* * *

'Ik heb een rapport over Riker & Riker,' zei Grady Forrer, toen Bell weer terug was in het hoofdkantoor. 'Het ligt op je bureau.'

Erhard Riker was de zoon van de oprichter van het bedrijf Riker & Riker, importeurs van kostbare edelstenen en metalen voor de edelsmeedindustrie in New York en Newark. De jonge Riker had het bedrijf uitgebreid, sinds hij zeven jaar geleden de leiding overnam, nadat zijn vader in een vuurgevecht gedood was tijdens de Boerenoorlog in Zuid-Afrika. Hij reisde regelmatig met luxueuze passagiersschepen naar Europa, en had een voorkeur voor de Duitse Wilhelm der Grosse en voor de Britse Lusitania, terwijl zijn vader de Umbria van de Cunardlijn en de Havel van de Duitse Lloyd prefereerde. Een feit vond Bell opmerkelijk: Riker & Riker beschikten over een eigen beveiligingsdienst, zowel voor de edelstenen als voor Riker persoonlijk als hij met kostbaarheden reisde.

Bell deed navraag bij de chef van de onderzoeksafdeling. 'Zijn particuliere bewakingsdiensten gebruikelijk in de juwelenhandel?'

'In Europa kennelijk wel,' antwoordde Grady Forrer. 'Met hun manier van reizen moet dat ook wel.'

'Wat voor soort beveiligers huurt hij in?'

'Nette knapen, het type dat zich netjes en modieus laat kleden.'

Een receptionist stak zijn hoofd om de deur. 'Telefoon voor u, meneer Bell. Iemand die zijn naam niet wilde zeggen. Hij heeft een Engels accent.'

Bell herkende de stem van Abbington-Westlake.

'Zullen wij samen nog een cocktail drinken, vrind?'

'Waarom?'

'Ik heb een heel interessante verrassing voor je.'

31

'Politie! Verroer je niet!'
De deur op het balkon van de operazaal waardoor John Scully de Hip Sing opiumkit was binnen gestapt werd open gesmeten en de zwaarlijvige Chinees die de wacht hield werd tegen de muur geduwd. Als eerste ging een breedgeschouderde brigadier met een helm op zijn hoofd naar binnen.

De Chinezen aan de goktafels waren wel gewend aan politie-invallen. Zij reageerden het snelst. Speelkaarten, fiches en bankbiljetten vlogen door de lucht toen de spelers wegvluchtten naar een gordijn met daarachter een verborgen deur. De Hip Sing-uitsmijters gristen het geld van tafel en renden weg. De blanke spelers bij het roulettewiel probeerden ook weg te komen, maar achter de gordijnen vonden ze alleen massieve wanden. Meisjes gilden. Opiumrokers keken op.

De roodharige madam kwam snel naar Scully's sofa. 'Kom mee!'

Ze trok Scully mee langs gordijnen, terwijl de politieagenten bevelen schreeuwend en zwaaiend met hun gummiknuppels naar binnen stormden. Scully zag geen deur in de duisternis, maar een paneel in de wand zwaaide open. Ze stapten door de opening, de vrouw sloot het paneel en verschoof de stevige grendels. 'Vlug!'

Ze ging hem voor langs een smalle steile trap, amper breed genoeg voor de breedgeschouderde Scully. Op elke verdieping was weer een smalle deur die telkens achter hen vergrendeld werd.

'Waar gaan we naartoe?' vroeg Scully.

'Naar de tunnel.'

Ze opende een deur met een sleutel. Daarachter was een nauwe en lage tunnel. Het rook muf en de tunnel strekte zich uit in de duisternis. Ze pakte een zaklamp uit een nis in de wand en achter de dansende lichtbundel liepen ze door de tunnel. Scully vermoedde dat de tunnel, met bochten en scherpe hoeken een aantal kelders met elkaar verbond. De vrouw opende met een sleutel weer een deur, ze greep zijn hand en leidde hem twee trappen op, naar een normaal ingerichte woonkamer van een appartement met hoge vensters die uitzicht boden op het Chatham Square-station in het felle zonlicht.

Scully was zo lang in het donker geweest dat zijn ogen moeilijk aan het daglicht konden wennen.

'Bedankt voor de hulp, ma'am,' zei hij.

'Ik heet Katy. Ga zitten en ontspan je.'

'Jasper,' zei Scully. 'Jasper Smith.'

Katy zette haar tas op de vloer en ze begon de haarspelden uit haar kapsel te halen.

Scully keek aandachtig toe. In het daglicht was ze nog aantrekkelijker dan in de schemerige opiumkit.

'Als ik een mes bij me had zo lang als die haarspelden, dan werd ik gearresteerd wegens verboden wapenbezit.'

Ze keek hem gespeeld verwijtend aan. 'Mijn haar moet toch netjes in model blijven?'

'Het maakt niet uit of een dame een hoed als een wagenwiel draagt of een klein mutsje: elk hoofddeksel wordt vastgezet met spelden zo lang als een arm. Ik zie dat je ook Republikein bent.'

'Waarom denk je dat?'

Scully pakte de lange haarspeld die ze uit haar kapsel had getrokken en hield de speld omhoog. Aan het uiteinde was een buidelrat met een golfclub afgebeeld in brons. 'Billy Buidelrat. Zo noemen we William Howard Taft.'

'Ze proberen de buidelrat even populair te maken als de teddybeer. Maar iedereen begrijpt dat Taft niet kan tippen aan Roosevelt.'

Ze stak de vier lange haarspelden in een sofakussen en legde haar hoed ernaast. Ze nam een uitdagende houding aan, met haar handen op haar slanke heupen. 'Opium is het enige wat ik hier niet kan aanbieden. Maar wat denk je van een glas scotch?'

'Onder andere,' grijnsde Scully.

Hij keek toe terwijl ze whisky en water in hoge glazen schonk. Ze proostten en namen een slok. Daarna boog hij zich naar haar toe om haar op haar mond te kussen. Ze weerde hem af. 'Ik wil me eerst verkleden, want ik draag deze kleren al de hele dag.'

Scully doorzocht de kamer snel en grondig, zonder geluid te maken. Hij zocht naar een energierekening of een huurkwitantie om te weten wiens appartement dit was. Hij moest zijn speurwerk staken toen een trein met veel kabaal passeerde en hij haar niet uit de slaapkamer kon horen komen. Zodra de trein gepasseerd was zocht hij verder.

'Alles goed met je?' riep Scully.

'Beheers je!' riep ze terug.

Scully zocht weer, zonder iets te vinden. De kasten en laden waren leeg als in een hotelkamer. Hij keek even in de hal en maakte toen Katy's handtas open. Op het moment dat de deur weer geopend werd had hij beet. Twee treinkaartjes voor de trein die de volgende dag om half vier 's middags zou vertrekken naar Chicago. Scully zag dat de kaartjes geldig waren voor de sneltrein die achttien uur over de reis zou doen en aansluiting had met de trein naar San Francisco. Voor wie waren de treinkaartjes? Voor Katy en iemand anders? De baas? De Hip Sing-vriend?

* * *

Toen ze de kleine .25 revolver in de holster voelde wilde ze weten waarom hij dat wapen bij zich had.

'Ik ben ooit beroofd toen ik mijn medewerkers hun loon wilde uitbetalen. Dat zal geen tweede keer gebeuren.'

Ze scheen zijn uitleg te geloven. Tot hij zag dat ze pillen in zijn tweede glas deed.

Scully voelde zich opeens oud en onnozel.

Ze was er goed in. Ze had het geduld te wachten tot hij aan een tweede glas toe was, zodat hij de bittere bijsmaak van de slaappillen niet zou opmerken. Ze had de pillen behendig tussen haar duim en handpalm geklemd en probeerde hem af te leiden door haar benen over elkaar te slaan, op het moment dat ze de pillen in het glas deponeerde, zodat hij even haar witte dijen kon zien. Maar Scully was te ervaren om zich door haar te laten misleiden: ze was nog te jong.

'Proost!' zei ze met een glimlach.

'Ja, proost,' fluisterde Scully. 'Weet je, ik heb nog nooit zo'n mooi meisje als jij ontmoet.' Hij keek zwoel naar haar blauwe ogen en tastte zonder te kijken naar zijn glas, dat hij van de tafel stootte.

* * *

Isaac Bell was tien minuten te vroeg in de kelderbar in het Knicker-bocker gebouw. Op deze zonnige dag, halverwege de middag, waren er amper bezoekers en hij zag meteen dat Abbington-Westlake nog niet gearriveerd was. Er stond een man bij de bar, twee stelletjes zaten aan een tafeltje en op een sofa achter een kleine tafel, in de donkerste hoek van de bar, waar Bell eerder met de Engelse marineattaché had gezeten, zat een tengere gestalte. Keurig gekleed in één ouderwetse jas en met een opstaande boord, wenkte de man hem. Hij kwam overeind en boog zijn hoofd.

Bell liep naar hem toe en kon zijn ogen amper geloven.

'U bent Yamamoto Kenta?'

32

'Meneer Bell, bent u bekend met de Nambu Type B?'
'Dat is een 7 millimeter semiautomatisch pistool, en de kwaliteit is matig,' antwoordde Bell afgemeten. 'De meeste Japanse officieren schaffen zich een Browning aan.'

'Ik ben een sentimentele patriot,' zei Yamamoto. 'En dit wapen is op korte afstand heel effectief. Ik wil uw handen steeds zien.'

Bell ging zitten en legde zijn grote handen op de salontafel, zijn ene hand met de palm boven. Hij keek onderzoekend naar het ondoorgrondelijke gezicht van de man tegenover hem.

'Hoe ver denkt u te komen, als u mij hier in een drukbezocht hotel neerschiet?'

'Als ik bedenk hoe ver ik ben gekomen, ondanks een dozijn detectives die mij al twee weken schaduwen, dan is een achtervolging door burgers die in een hotelbar iets drinken niet bepaald een grote bedreiging voor mij. Maar u begrijpt dat ik u niet hierheen heb gelokt om u neer te schieten. Dat had ik gisterenavond ook kunnen doen, toen u van dit hotel naar uw club in 44th Street liep.'

Bell lachte grimmig. 'Mijn gelukwensen dat de Black Ocean Society zijn spionnen leert onzichtbaar te zijn.'

'Dat compliment neem ik graag aan,' glimlachte Yamamoto. 'Uit naam van het Keizerrijk Japan.'

'Waarom wordt een patriot van het Japanse keizerrijk een instrument voor de wraak van een Engelse spion?'

'U bedoelt Abbington-Westlake. U heeft zijn trots gekrenkt, en dat is riskant bij een Engelsman.'

'Bij mijn volgende ontmoeting met hem zal ik zijn trots niet krenken.' Yamamoto glimlachte weer. 'Dat is iets tussen u en hem. Wij moeten niet vergeten dat wij geen vijanden van elkaar zijn.'

'U heeft Arthur Langner vermoord in de Gun Factory,' zei Bell ijzig. 'Dat maakt ons wel tot vijanden.'

'Ik heb Arthur Langner niet vermoord. Dat deed iemand anders. Een overijverige ondergeschikte, en tegen die persoon heb ik al passende maatregelen genomen.'

Bell knikte. Hij had er geen belang bij die aperte leugen te bestrijden, voordat hij wist wat de bedoelingen van Yamamoto waren.

'Als u Langner niet heeft gedood, en als wij geen vijanden zijn, waarom richt u dan een pistool op mij onder de tafel?'

'Om uw aandacht vast te houden, terwijl ik uitleg wat er speelt en wat ik kan doen om u te helpen.'

'Waarom zou u mij willen helpen?'

'Omdat u mij kunt helpen.'

'Dus u wilt onderhandelen?'

'Ik wil een aanbod doen.'

'Wat voor aanbod?'

'De spion die de moord op Langner regelde én de moord op Lakewood, die brandveiligheidsdeskundige, én de moord op de turbineexpert MacDonald, én de moord op Gordon in Bethlehem, én zijn poging de tewaterlating van de Michigan te saboteren. Dat laatste werd door u handig verijdeld.'

'Wat moet ik als tegenprestatie doen?'

'Mij tijd geven om te verdwijnen.'

Isaac Bell schudde meewarig zijn hoofd. 'Dat is onzinnig. U heeft al gedemonstreerd dat u ongezien kunt verdwijnen.'

'Het is ingewikkelder dan alleen maar verdwijnen. Ik heb mijn verantwoordelijkheden, tegenover mijn land, en die hebben niets met u te maken, want wij zijn geen vijanden. Maar ik moet verdwijnen zonder sporen achter te laten die mijn land in verlegenheid kunnen brengen.'

Bell dacht koortsachtig na Yamamoto bevestigde zijn vermoedens: dat een andere spion het meesterbrein was. En die persoon had niet alleen de Japanse moordenaar gerecruteerd, maar ook de Duitse saboteur, en wie weet hoeveel anderen.

Yamamoto sprak gejaagder. 'Discretie is essentieel. Nederlagen en overwinningen moeten pas naderhand kalm beoordeeld worden. Op afstand.'

Om zijn eigen huid te redden, en mogelijk ook om andere motieven, zou Yamamoto het meesterbrein verraden. Zoals Abbington-Westlake eerder cynisch aan deze tafel had gezegd: 'Welkom in de wereld van spionage, meneer Bell.'

'Waarom zou ik u vertrouwen?'

'Ik zal twee redenen geven om mij te vertrouwen. In de eerste plaats heb ik u niet gedood, hoewel ik dat kon doen. Mee eens?'

'U had het kunnen proberen.'

'En in de tweede plaats: hier is mijn pistool. Ik geef het onder de tafel aan u. Doe ermee wat u wilt.'

Yamamoto gaf het wapen met kolf naar Bell gericht.

'Is de veiligheidspal vergrendeld?' vroeg Bell.

'Ja, want de loop is nu op mij gericht,' antwoordde Yamamoto. 'Ik ga nu staan, als u geen bezwaar heeft.'

Bell knikte.

Yamamoto kwam overeind. Bell zei: 'Ik zou u meer vertrouwen als u dat andere pistool in uw zijzak ook geeft.'

Yamamoto glimlachte vaag. 'U heeft goede ogen, meneer Bell. Maar om mijn aandeel in onze overeenkomst te leveren zal ik dat wapen misschien nodig hebben.'

'In dat geval,' zei Bell, 'neem dit dan ook maar terug.'

'Bedankt.'

'Succes met de jacht.'

* * *

Laat in de avond had Yamamoto Kenta een confrontatie met de spion in het kantoortje in de havenloods bij de kade van Alexandria, Virginia.

241

'Uw plan om de Grote Witte Vloot bij Mare Island aan te vallen is niet in het belang van mijn regering,' zei hij afgemeten als een diplomaat.

Het regende al twee dagen en het water van de Potomac steeg door de aanvoer van water uit de wijde omgeving. Door de sterke stroming in de rivier trilde de vloer van de loods. De regen roffelde op het dak. Door een lek drupte water in een omgekeerde helm op het bureau van de spion, en er droop ook water langs de lens van het grote antieke zoeklicht bij de wand.

De spion kon zijn verbazing niet maskeren. 'Hoe weet u dat?'

Yamamoto glimlachte zuinig. 'Misschien is het mijn natuurlijke aanleg voor spioneren, en zelfbeheersing zoals in het westen niet te vinden is.' Zijn glimlach werd een kille trek, en zijn lippen waren zo strak dat de spion de tanden zag afsteken tegen de huid.

'Ik zal dit niet toestaan,' zei de Japanner. 'U drijft een wig tussen Japan en de Verenigde Staten, en wel precies op het verkeerde moment.'

'Die wig wordt al gedreven,' zei de spion kalm.

'Wat heeft dat voor nut?'

'Dat is afhankelijk van het gezichtspunt. Vanuit Duits perspectief zou onenigheid tussen Japan en de Verenigde Staten kansen bieden rond de Grote Oceaan. En Engeland zal niet treuren als de vloot van de Verenigde Staten gedwongen wordt zich te concentreren aan de westkust. Mogelijk grijpt Engeland de kans het Caribisch gebied weer te bezetten.'

'Dat levert Japan niets op.'

'Ik heb Duitse en Britse vrienden die mij graag betalen voor die kansen.'

'U bent nog verderfelijker dan ik al dacht.'

De spion lachte. 'Begrijpt u het niet? De internationale race om de modernste vloot biedt schitterende kansen voor iemand die ze weet te grijpen. De rivaliserende naties zullen er alles voor over hebben om de ander te overtroeven. Ik ben koopman, en de markt is goed.'

'U speelt beide partijen tegen elkaar uit.'

De spion lachte nog harder. 'U onderschat mij, Yamamoto. Ik speel álle partijen tegen elkaar uit, en ik verzamel een fortuin. Wat kost het mij om u buiten het spel te houden?'

'Ik ben niet te koop.'

'Ach ja, dat was ik vergeten. U bent een patriot.' Hij pakte een dikke zwarte doek die over de leuning van zijn stoel hing. 'Een edele spion met een hoge moraal. Maar zo'n spion is als een pistool waarmee losse flodders worden afgeschoten. Prima om een wielerwedstrijd te starten, maar verder niet.'

Yamamoto was zeker van zichzelf. 'Ik ben geen edele spion. Ik ben een patriot, zoals uw vader, die zijn Kaiser diende, zo ben ik trouw aan mijn keizer. Hij en ik zouden nooit hun vaderland verkwanselen.'

'Wilt u mijn gestorven vader er buiten laten?' vroeg de spion vermoeid.

'Maar uw vader zou wel begrijpen dat ik u moet stoppen.' Yamamoto trok van onder zijn jas zijn Nambu semiautomatische pistool, spande de haan en richtte de korte loop op het hoofd van de spion.

De spion glimlacht schamper. 'Is dit serieus, Kenta? Wat is de bedoeling? Mij uitleveren aan de Amerikaanse marine? Daar zullen ze ook wel vragen aan u stellen.'

'Dat weet ik. Daarom breng ik u naar Van Dorn Detectives.'

'Waarom?'

'Zij zullen u vasthouden tot ik veilig het land verlaten heb. En zíj zullen u overdragen aan de Amerikaanse marine.'

De spion sloot zijn ogen. 'U vergeet één ding. Ik heb geen land.'

'Maar ik weet wel u vandaan komt, Eyes O'Shay. Meneer Brian "Eyes" O'Shay.'

De spion sperde zijn ogen open. Hij keek strak naar de doek die hij naar zijn gezicht bracht, en hield die in zijn handen als een offer.

Yamamoto grijnsde. 'Verbaasd?'

'Dit is zeker verrassend,' moest de spion toegeven. 'Al heel lang werd ik niet Brian O'Shay genoemd.'

'Ik zei toch dat ik dit spel al speelde, voordat u geboren was. Laat uw handen duidelijk zichtbaar voor mij, anders moet ik uw lijk aan Van Dorn geven.'

De spion kneep zijn ogen weer dicht. 'U maakt mij bang, Kenta. Ik wil alleen het zweet van mijn gezicht vegen.' Hij depte zijn voorhoofd en drukte de doek tegen zijn ogen. Verborgen bij zijn voeten was een elektrische kabel die verbonden was met een schakelaar. De spion trapte op de schakelaar, en een felle vonk kraakte als een pistoolschot.

Achter de spion flitste het enorme zoeklicht met een sterkte van 200.000 kaars aan. De schijnwerper kon vijandelijke schepen op tien kilometer afstand beschijnen. Een vurige lichtbundel trof Yamamoto's ogen. Het licht was zo fel dat Yamamoto's netvlies verschroeide en hij onmiddellijk verblind was. De Japanse spion tuimelde krijsend achterover.

De spion trapte weer op de schakelaar en wachtte tot het licht gedoofd was. Hij liet de doek vallen en ging staan, knipperend met zijn ogen omdat hij roze cirkels zag.

'Kapiteins bij de marine hebben mij verteld dat sterke zoeklichten een betere afweer zijn dan geschut,' zei hij nonchalant. 'En ik kan beamen dat ze hetzelfde effect op verraders hebben.'

Uit een bureaulade haalde hij een opgerolde editie van de *Washington Post* waarin een dertig centimeter lange loden pijp verborgen was. Hij liep om zijn bureau heen en langs de gevallen stoel. Hij was niet veel langer dan Yamamoto die kermend op de vloer lag. Maar hij was zo sterk als drie grote kerels en hij bewoog zich doelbewust als een afgevuurde torpedo.

Hij hief de loden pijp omhoog en sloeg de pijp krakend op Yamamoto's schedel.

Eén klap was voldoende.

Hij doorzocht Yamamoto's zakken en vond in zijn portefeuille een introductiebrief van een Japans museum, gericht aan het Smithsonian Institute. Perfect. Hij zocht in de loods tot hij een zwemvest met kurk vond. Hij controleerde of het canvas niet verteerd was en stak toen een arm van de bewusteloze Yamamoto door een lus en knoopte het zwemvest stevig vast.

Hij sleepte het lichaam naar het gedeelte van de loods boven de Potomac. Met een houten hefboom die tot zijn schouders reikte opende hij een valluik in de vloer. Het luik zwaaide open en het lichaam plonsde in het water. Op regenachtige dag als deze zou de sterke stroom het mijlenver meevoeren.

Hij was klaar. Het werd tijd om te verdwijnen uit Washington. Hij liep door de stoffige loods en gooide olielampen omver. Met lucifers stak hij de olie aan en toen het vuur in de loods hoog oplaaide, liep hij door een deur naar buiten en verdween in de regen.

33

Bell wachtte de hele volgende dag op een bericht van Yamamoto. Telkens als de telefoon rinkelde of de telegraaf ratelde schoot hij overeind achter zijn bureau, om teleurgesteld weer terug te zakken. Er was iets verkeerd gegaan. De Japanner had geen reden hem te verraden, want hij was vrijwillig gekomen. En hij had een ruil voorgesteld. De middag verstreek, en telkens rinkelden de telefoons.

Opeens gaf de telefonist een wenk en Bell kwam meteen naar hem toe.

'Ik krijg een bericht door van Scully.'

'Wat zegt hij?'

'Scully meldde alleen: "Grand Central, om half vier 's middags".'

Bell greep zijn hoed. Het raadselachtige bericht kon twee dingen betekenen: Scully was iets heel belangrijks op het spoor, of hij verkeerde in gevaar. 'Blijf alert op Yamamoto. Ik probeer hierheen te telefoneren vanuit Grand Central, als dat mogelijk is. Maar zodra Yamamoto zich meldt, stuur je een koerier naar mij toe.'

* ** *

John Scully had besloten dat het moment gekomen was om Isaac Bell erbij te betrekken. De waarheid moest gezegd worden, hield hij zichzelf voor, zoekend naar de openbare telefooncellen in het Grand Central. Hij vond nergens een telefoon. Het oude treinstation werd gesloopt en vervangen door een grote nieuwe terminal, en door de verbouwing werden de telefooncellen telkens verplaatst naar een andere plek: waar hij de laatste keer getelefoneerd had was nu een gapend gat in de grond met in de diepte de rails van metrolijnen. Toen hij de telefoons na tien minuten zoeken eindelijk had gevonden zei hij tegen de telefonist: 'Van Dorn Detectives, in het Knickerbocker gebouw.' De telefonist in uniform wees naar een van de houten cellen.

'Goedemiddag,' hoorde Scully welluidend zeggen door de receptioniste die in dienst genomen was vanwege haar prettige stem en heldere verstand. 'U bent verbonden met Van Dorn Detective Agency. Wie wenst u te spreken?'

'Ik heb een bericht voor Isaac Bell. Zeg tegen hem dat Scully dit meldt: "Grand Central, half vier 's middags". Begrepen? "Grand Central, half vier 's middags".'

'Jawel, meneer Scully.'

Hij betaalde voor het gesprek en liep haastig naar het perron waar de 20th Century Limited gereed stond. Het was een chaos in het treinstation. Overal zwermden werklieden op steigers en met hamers werd steen, staal en marmer bewerkt. Arbeiders liepen door de hal met karren en kruiwagens. Maar bij de tijdelijke controlepost van de Limited stond een schoolbord met daarop in grote letters CHICAGO en personeel bekeek de treinkaartjes van de passagiers. De befaamde rode loper was uitgerold over het perron. De passagiers kregen het gevoel dat al hun problemen opgelost waren als ze hier bij de sneltrein naar Chicago stonden.

'Jasper! Jasper Smith!'

De tengere jongedame die in de opiumkit boven het operatheater een verdovend middel in zijn glas had gedaan kwam snel naar hem toe. Ze was gekleed in elegante reiskleding en ze droeg een breedgerande hoed. 'Wat een wonderlijk toeval! Goddank heb ik je gevonden!'

'Hoe wist je dat ik hier was?'

'Dat wist ik niet. Ik zag je lopen. O, Jasper, ik dacht dat ik je nooit meer zou zien. Gisteren verdween je zo overhaast.'

Er klopte iets niet. Scully keek om zich heen. Waar was haar Hip Sing-vriend? Zou hij al ingestapt zijn? Toen zag hij in de zich haastende menigte treinreizigers een rijdend sigarenstalletje, voortgeduwd door een Chinees. En er werden ook drie grote karren vol puin door Ierse arbeiders in zijn richting getrokken. Het rijdende kraampje en de grote karren vormden een cirkel, als om Indianen op afstand te houden.

'Wat doe jij hier?' vroeg Scully.

'Dit is mijn trein,' antwoordde ze.

Scully bedacht dat hij de vorige dag lang genoeg voor het operagebouw had gestaan om een gemakkelijk doelwit voor haar Hip Singvriend te zijn.

De Ieren die een kar trokken keken hem aan. Waren het Gophers? Of keken ze naar het knappe meisje dat naar Scully glimlachte alsof ze het meende?

Of hadden ze opgemerkt dat Scully en Harry Warren elkaar herkend hadden in de opiumkit? De Chinees met de rijdende sigarenkraam keek met een effen gezicht naar Scully. Was hij een beul van de bende?

Het treinkaartje! Ze had ervoor gezorgd dat Scully het treinkaartje vond, dus was hij met opzet hierheen gelokt. Scully tastte naar het pistool in zijn vestzak. Zelfs die politie-inval was in scène gezet. De agenten waren omgekocht, zodat Scully met haar naar buiten zou vluchten.

Er bonsde iets op zijn hoofd. Een voetbal stuiterde bij zijn voeten, en een grote grijnzende schooljongen kwam naar hem toe. 'Sorry meneer, dat was niet expres. We zijn wat aan het dollen.'

Hij was gered. Gered door een groepje scholieren die met een bal speelden terwijl ze naar de trein renden. Daardoor werden zijn belager en de Gophers afgeschrikt. De scholieren kwamen dichterbij, ze verontschuldigden zich en wilden Scully's hand schudden, Opeens werden hij en Katy omringd door de groep. Maar pas toen drie schooljongens zijn armen op de rug draaiden en Katy uit haar hoed een twintig centimeter lange stalen pen trok besefte Scully dat de jongedame hem te slim af was en in deze hinderlaag had gelokt.

* * *

Isaac Bell draafde langs de bouwactiviteiten door de stationshal. Hij zag een groepje mensen bij de toegang tot het perron van de 20th Century Limited sneltrein naar Chicago. Een agent schreeuwde 'Achteruit!' De agent vroeg of er een arts in de buurt was. Met het akelige voorgevoel dat hij te laat was werkte Bell zich naar het midden van de menigte.

De agent probeerde hem tegen te houden.

'Van Dorn!' riep Bell. 'Is dat een van mijn mensen?'

'Kijk zelf maar.'

John Scully lag op zijn rug, zijn wijdopen ogen waren verstard en zijn handen lagen gevouwen op zijn borst.

'Zo te zien een hartaanval,' zei de agent. 'Kent u hem?'

Bell knielde naast Scully. 'Ja.'

'Het spijt me, meneer. Wel een vredige dood, en waarschijnlijk heeft hij niet eens gemerkt welk noodlot hem trof.'

Isaac Bell spreidde zijn hand over Scully's gezicht en drukte de oogleden dicht. 'Slaap zacht, mijn vriend.'

Een schril gefluit klonk opeens. 'Instappen!' riepen de conducteurs. 'Dit is de sneltrein naar Chicago. Nu instappen!'

Scully hoed lag onder zijn hoofd op de grond. Bell pakte de hoed om Scully's gezicht de bedekken. Bell voelde dat zijn hand kleverig werd van warm bloed.

'Wel allemachtig!' stamelde de agent, die over Bells schouder keek.

Bell draaide Scully's hoofd en zag de glanzende koperen knop van een hoedenpen uit de nek steken.

'Alle passagiers voor Chicago instappen!' werd weer luid geschreeuwd.

Bell doorzocht de zakken van Scully's kleding. In een binnenzak vond hij een envelop met zijn naam. Bell ging staan en scheurde de envelop open. In blokletters las hij een bericht van de moordenaar:

OOG OM OOG, BELL.

JIJ VERDIENDE WEEKS, DIE TELT NIET MEE.

MAAR VOOR DE DUITSER ZUL JE BOETEN.

'Meneer Bell! Meneer Bell!' Een stagiair van kantoor kwam hijgend aanrennen. 'Een telegram van meneer Van Dorn!'

Bell las het telegram snel.

Yamamoto Kenta's lijk was drijvend aangetroffen in de Potomac.

Alles was verloren.

De lange detective knielde weer naast het lichaam van Scully om alle zakken te doorzoeken. In Scully's vest vond hij een treinkaartje, geldig om met de 20th Century Limited naar Chicago en verder naar San Francisco te reizen.

'Iedereen instappen!'

De laatste waarschuwing van de conducteur werd overstemd door de machinist die de stoomfluit liet loeien. Isaac Bell ging staan en hij dacht koortsachtig na. John Scully had kennelijk een spion of een saboteur geschaduwd die op weg was naar San Francisco, waar de Grote Witte Vloot gereed gemaakt werd voor de tocht over de oceaan.

Hij keek streng naar de stagiair van Van Dorn. 'Kijk me aan, jongen.'

De jongen keek glazig naar de dode detective op het perron.

'Er moet veel gebeuren, en jij bent de enige medewerker van Van Dorn die dat kan doen. Verzamel alle getuigen. Die arbeiders daar, de Chinese man met dat karretje, en wie er gezien heeft wat er gebeurd is. Iemand moet iets gezien hebben. Deze agent zal je daarbij helpen, nietwaar?'

'Ik zal doen wat ik kan,' antwoordde de agent aarzelend.

Bell drukte geld in zijn hand. 'Houd de getuigen hier, als deze jongeman naar het hoofdkantoor van Van Dorn telefoneert om hulp te vragen. Ga dat nu meteen doen! En dan terugkomen om de mensen te ondervragen. Vergeet niet dat ze graag praten als ze de kans krijgen.'

Het perron trilde. De 20th Century Limited begon te rijden, met als bestemming Chicago.

Isaac Bell draafde over het perron met de rode loper en hij sprong aan boord.

De Vloot

34

'Dit vraagt om een toost!' zei de spion.
Een speciale mix ter ere van Isaac Bell.

Even voordat de telefoonverbinding verbroken werd, toen de 20th Century Limited wegreed uit het Grand Central station, had Katherine Dee gemeld dat John Scully dood was. De spion hield de hoorn in zijn handen en wenkte de steward in het panoramarijtuig.

'Weet de barkeeper hoe hij een Yalecocktail moet mixen?'

'Jazeker, meneer.'

'En heeft hij ook Crême Yvette?' vroeg de spion streng.

'Uiteraard, meneer.'

'Breng mij dan zo'n cocktail, en vraag wat deze heren willen drinken.' Hij wees naar enkele zakenlieden uit Chicago die verontwaardigd keken. 'Het spijt me, heren. Ik hoop dat ik niet een belangrijk telefoongesprek verstoorde.'

De aangeboden drankjes stemden de zakenlieden milder en een van hen zei: 'Ik belde alleen naar kantoor om te melden dat ik in de trein zit.'

Zijn reisgenoot voegde eraan toe: 'En ze begrepen wel dat je die trein dus niet gemist hebt.'

Andere passagiers die de opmerking gehoord hadden herhaalden de woorden voor degenen die het niet verstaan hadden.

'Kijk, een kerel die de trein wel bijna miste.'

'Dan moet hij met een sprong op de trein zijn gestapt.'

'Of hij kan vliegen.'

De spion keek door de treinwagon. Een lange man in een wit kostuum kwam van het achterbalkon binnen.

'Misschien heeft hij geen kaartje, en is hij een zwartrijder.'

'Daar komt de conducteur, als een terrier die een konijn ziet.'

'Let op mijn cocktail,' zei de spion. 'Ik moet nog een brief dicteren.'

Aan boord van de 20th Century Limited was kosteloos een stenograaf beschikbaar voor de passagiers. De spion liep snel naar het bureau van de stenograaf, zette zijn kraag op en trok zijn hoed diep over zijn ogen. Hij ging met zijn rug naar de detective zitten. 'Hoelang duurt het voordat een gedicteerde brief gepost wordt?'

'Veertig minuten. De brief wordt verstuurd vanuit Harmon, waar de elektrische locomotief verwisseld wordt voor een stoomlocomotief.' De stenograaf pakte een envelop met de opdruk Via 20th Century. 'Aan wie moet deze brief geadresseerd worden?'

'K.C. Dee, Plaza Hotel, New York.'

'De brief wordt vanavond nog bezorgd.' De stenograaf adresseerde de envelop, legde een vel briefpapier gereed en doopte zijn pen in de inkt.

De trein maakte meer vaart over het traject ten noorden van de stad. Stenen muren wierpen schaduwen en verduisterden de ramen, zodat het interieur van het druk bezette rijtuig op het glas weerspiegelde. De spion keek naar het spiegelbeeld van Isaac Bell. De conducteur liep voorbij en het was duidelijk dat Bell, met of zonder treinkaartje, welkom was als passagier.

'Ik ben klaar om te beginnen, meneer,' zei de stenograaf.

Hij wachtte tot Bell en de conducteur naar het volgende rijtuig liepen.

'Mijn beste K.C. Dee,' dicteerde hij. De reactie van Bell op de dood van zijn collega detective had hij verkeerd ingeschat, en ook hoe snel de mannen van Van Dorn in actie kwamen. Gelukkig had hij Katherine Dee goed voorbereid, en hij hoefde haar alleen instructies te geven om de zaak in versnelling te brengen.

'Bent u zo ver, meneer?'

'Kennelijk heeft onze klant de laatste zending niet ontvangen.

Nieuwe alinea. Het is noodzakelijk dat u persoonlijk naar Newport, Rhode Island gaat, om de zaken daar te regelen.'

* * *

Isaac Bell had het treinbiljet van Scully getoond: een reservering voor bovenbed nummer 5 in het Pullman rijtuig nummer 6, en hij vroeg tegen bijbetaling een privécompartiment. Toen hij te horen kreeg dat die allemaal al bezet waren had hij een speciale pas getoond, ondertekend door de directeur van een concurrerende spoorwegmaatschappij.

'Maar natuurlijk, meneer Bell. We hebben gelukkig nog een dienstcabine beschikbaar.'

Zodra hij in de met mahonie betimmerde cabine was, had Bell de conducteur een een flinke fooi gegeven.

'Met die speciale pas hoeft u geen fooi te geven voor goede service, meneer Bell,' zei William Dilber, de conducteur, maar zijn hand sloot zich snel als een muizenklem om de goudstukken.

Isaac Bell had geen behoefte aan service. Hij had een goede assistent nodig. Na amper achttien uur zou de 20th Century Limited arriveren in Chicago, en hij moest voor de aankomst weten wie John Scully had vermoord. Tussen New York en Chicago zouden er geen passagiers in de trein stappen. Met uitzondering van Van Dorn detectives.

'Meneer Dilber, hoeveel passagiers zijn er in deze trein?'

'Honderdzevenentwintig.'

'Een van hen is een moordenaar.'

'Een moordenaar?' herhaalde de conducteur onverstoorbaar. Dat verbaasde Bell niet. Als hoofdconducteur van de luxueuze sneltrein moest William Dilber wel onaangedaan blijven bij een ontsporing, een boze tycoon of ingesneeuwde Pullmannrijtuigen.

'U wilt de passagierslijst zien, meneer Bell. Geen probleem, die heb ik hier.'

Hij haalde de lijst uit een binnenzak van zijn smetteloze blauwe colbert.

'Kent u veel passagiers?' vroeg Bell.

'De meeste wel. We hebben veel vaste klanten, vooral uit Chicago. Zakenlieden die forenzen naar New York.'

'Dat scheelt. Kunt u de passagiers die u niet kent aanwijzen?'

De conducteur wees met een zorgvuldig gemanicuurde nagel naar elke naam. De meeste namen kende hij inderdaad, want de 20th Century Limited had veel weg van een rijdende club. De hoge prijs voor een treinkaartje was alleen betaalbaar voor een kleine en welgestelde minderheid. De trein was volgeboekt en stopte maar zelden om een passagier te laten instappen bij een tussenstation. Bell zag bekende namen uit de zakenwereld, de politiek en industrie. Er stonden ook enkele namen van beroemde acteurs op de lijst. Bell noteerde de namen die onbekend waren voor de conducteur.

'Ik heb vooral belangstelling voor buitenlanders.'

'Zoals altijd zijn er wel enkele aan boord. Dit is bijvoorbeeld een Engelsman.'

'Arnold Bennett. De auteur?'

'Ik geloof dat hij bezig met een tournee en lezingen houdt. Hij reist met deze twee Chinezen: Harold Wing en Louis Loh. Dat zijn studenten theologie, ze komen uit een Engels seminarie, geloof ik. Meneer Bennett heeft me gezegd dat hij hun beschermer is, voor het geval iemand die twee lastig valt. Ik heb geantwoord dat het voor mij niet uitmaakt, als de tickets maar betaald zijn.'

'Heeft hij ook gezegd waarom hij die studenten beschermt?'

'Weet u nog van die moord, verleden maand in Philadelphia? Dat meisje, en die berichten in de kranten over witte slavernij? De politie houdt Chinezen scherp in de gaten.'

Conducteur Dilber las verder op de lijst. 'Deze Duitse heer ken ik niet. Herr Shafer. Zijn treinkaartje is geregeld via de Duitse ambassade.'

Bell maakte een aantekening.

'Deze persoon ken ik,' zei de detective. 'Rosania – als hij tenminste onder zijn eigen naam reist – is een smetteloos geklede veertiger, ja toch?'

'Dat moet wel. Altijd een keurige verschijning.'

'Wat wordt er vervoerd in de goederenwagon?'

'Zoals altijd: aandelen en bankbiljetten. Waarom vraagt u dat?'

'Die Rosania is een expert op het gebied van nitroglycerine.'

'Een treinrover?' begreep de conducteur en zijn stem klonk minder zelfverzekerd.

Bell schudde zijn hoofd. 'Nee, dat niet. Rosania gaat liever naar landhuizen waar hij met een smoes binnenkomt, en dan blaast hij de brandkast op, als iedereen slaapt. Hij is een meester in zijn vak. Hij kan een explosie veroorzaken op de parterre, zonder dat iemand het op de bovenverdieping hoort. Het laatste wat ik over hem hoorde was dat hij in de Sing Sing-gevangenis zat. Maar ik zal een praatje met hem maken, en vragen wat hij aan het doen is.'

'Dat zou ik zeer waarderen. Dan is er nog een Australiër. Iets vertelde mij dat hij problemen zou veroorzaken. Niet dat hij iets deed, maar ik hoorde hem toevallig zeggen dat hij een goudmijn wilde verkopen, en ik kreeg het gevoel dat hij een bedrieger is. Ik zal hem scherp in de gaten houden, als hij mee wil doen met kaartspelen.'

'Ik zie nog een bekende naam op de lijst,' zei Bell. 'Toevallig.'

Bell wees naar de naam.

'Herr Riker. Juist ja.'

'U kent hem?'

'De diamanthandelaar. Hij reist eens in de paar maanden met deze trein. Is hij een vriend van u?'

'Ik heb hem onlangs ontmoet. Twee keer.'

'Ik geloof dat hij samen met zijn lijfwacht reist. Ja, deze kerel. Een zekere Plimpton, die in een couchette overnacht. Riker heeft zoals gewoonlijk een privécompartiment. Ik vermoed dat in de goederenwagon ook waardevolle bagage van Riker wordt vervoerd.' Hij keek weer naar de lijst. 'Zijn verzorgster staat niet op de lijst.'

'Welke verzorgster?'

'Een aantrekkelijke jongedame. Maar haar naam staat er niet bij. Jammer.'

'Waarom is dat jammer?'

'Ik bedoel alleen dat het een jongedame is zoals men graag ziet.'

'Riker lijkt me tamelijk jong voor een verzorgster.'

'Ze is een studente... O, ik begrijp wat u bedoelt. Maar vergis u niet,

257

ik zie in deze trein heel verschillende stellen. Riker en zijn verzorgster zijn keurig. Ze hebben altijd afzonderlijke compartimenten.'

'Aangrenzend?' vroeg Bell, die altijd twee compartimenten reserveerde als hij met Marion reisde.

'Het is niet wat u denkt, meneer. Als je op deze trein werkt, dan krijg je daar oog voor. Zo'n stel is het beslist niet.'

Bell besloot het nader te onderzoeken. Bij de afdeling onderzoek was niets gebleken van een verzorgster.

'Hoe heet ze?'

'Ik ken haar alleen als Miss Riker. Misschien heeft hij haar geadopteerd.'

De trein raasde met een vaart van honderd kilometer per uur over het spoor en de palen langs de baan flitsten voorbij achter de ramen. Maar toen hij en de conducteur de hele lijst hadden doorgenomen, veertig minuten na het vertrek uit New York, voelde Bell dat de trein vaart minderde.

'Station Harmon,' verduidelijkte de conducteur, nadat hij op zijn horloge had gekeken. 'We verwisselen de elektrische loc voor een stoomloc, en dan gaan we pas echt hard rijden: honderdtwintig kilometer per uur.'

'Ik ga een praatje maken met mijn oude kennis, die explosievenexpert. Ik wil weten wat hij van plan is met de goederenwagon.'

Terwijl de locomotieven werden verwisseld telegrafeerde Bell naar Van Dorn met vragen over de Duitser, de Australiër, de Chinezen die met Arnold Bennett reisden en hij vroeg nadere inlichtingen over de verzorgster van Riker. Hij stuurde ook een telegram naar kapitein Falconer:

INFORMEER DOCHTER VAN DE GUNNER: MOORDENAAR DOOD.

Het was een sprankje rechtvaardigheid op een vreugdeloze dag. De dood van Yamamoto kon een troost voor Dorothy Langner zijn, maar het was geen overwinning. Het onderzoek, dat door de moord op Scully bemoeilijkt werd, raakte nu helemaal vast door de dood van de Japanse spion die Bell zo dicht bij zijn doel had gebracht.

Bell stapte weer in de trein.

De Atlantic 4-4-2 stoomlocomotief met hoge wielen maakte snel vaart en raasde langs de oever van de Hudson in noordelijke richting. Bell liep naar de voorkant van de trein. Het clubrijtuig was gerieflijk ingericht met fauteuils. Heren rookten en dronken cocktails, wachtend op hun beurt bij de kapper en de manicure.

'Larry Rosania! Wat een verrassing je hier te zien!'

De juwelendief keek op van een krant, waarin met grote koppen werd gemeld dat de Grote Witte Vloot al dicht bij San Francisco was. Rosania keek over de rand van zijn gouden leesbril en deed alsof hij de rijzige blonde detective niet herkende. Hij gedroeg zich welgemanierd en zijn stem klonk uit de hoogte. 'Hebben wij de eer elkaar te kennen?'

Bell ging ongevraagd zitten. 'Het laatste wat ik over je hoorde was dat mijn oude vrienden Wally Kisley en Mack Fulton voor jou een langdurig logies in de Sing Sing hadden geregeld.'

Zodra Bell de namen van zijn vrienden had genoemd liet Rosania zijn façade varen. 'Ik vond het een triest bericht over hun heengaan. Het waren interessante en oprechte detectives, zoals deze wereld goed kan gebruiken.'

'Dank je. Hoe ben jij uit de gevangenis gekomen? Heb je een gat in muur geblazen?'

'Heb je dat niet gehoord? De gouverneur heeft mij gratie verleend. Wil je het bewijs zien?'

'Heel graag,' zei Isaac Bell.

De elegant geklede brandkastkraker haalde een fraaie portefeuille uit zijn colbertzak. Daar haalde hij een envelop met goudopdruk uit en hij vouwde een vel perkament open met het zegel van de gouverneur van New York bovenaan. De naam 'Rosania' was gekalligrafeerd, als door monniken getekend.

'Als ik voorlopig aanneem dat dit geen vervalsing is, mag ik dan vragen waarom je gratie kreeg?'

'Als ik dat vertel dan geloof je me toch niet.'

'Probeer het maar.'

'Toen ik twaalf jaar oud was, hielp ik een oud dametje de straat oversteken. Zij bleek de moeder van de gouverneur, uiteraard lang voordat hij gouverneur werd. Ze vergat mijn behulpzaamheid nooit. Maar ik zei al dat je me niet zult geloven.'

'Waar reis je naartoe, Larry?'

'Jij hebt de passagierslijst ongetwijfeld al bestudeerd. Dus je weet heel goed dat ik op weg ben naar San Francisco.'

'En wat ga je daar opblazen?'

'Ik heb mijn leven gebeterd, Isaac. Ik doe niets meer met brand-kasten.'

'Wat je ook doet, het gaat je kennelijk goed,' merkte Bell op. 'Met deze trein reizen is bepaald niet goedkoop.'

'Ik zal je de waarheid vertellen,' zei Rosania. 'Al zul je dit ook niet geloven. Ik heb een weduwe ontmoet, die helemaal idolaat van mij is. En aangezien ze meer geld heeft geërfd dan ik in mijn hele leven bij elkaar zou kunnen stelen hoef ik niets meer te doen.'

'Kan ik tegen de conducteur zeggen dat er geen gevaar dreigt voor de goederenwagon?'

'Die is zo veilig als een huis. Misdaad loont niet voldoende. En jij, Isaac? Ben je op weg naar jullie vestiging in Chicago?'

'Ik ben op zoek naar iemand,' zei Bell. 'En ik weet wel zeker dat zelfs bekeerde juwelendieven scherp letten op hun medepassagiers aan boord van een luxueuze sneltrein. Heb jij soms personen gezien die interessant voor mij zijn?'

'Ja, die zijn er zeker. Een van hen zit zelfs in dit rijtuig.'

Rosania knikte naar de andere kant van de wagon en hij liet zijn stem dalen. 'Daar zit een Duitser die beweert dat hij zakenman is. Maar dat geloof ik absoluut niet.'

'Je bedoelt die stramme man met het uiterlijk van een Pruisische officier?' Bell had Shafer opgemerkt toen hij de wagon binnenstapte. De Duitser was ongeveer dertig jaar oud, hij droeg dure kleding en hij had een ijzige en onvriendelijke uitstraling.

'Zou jij iets van hem kopen?'

'Geen dingen die ik niet dringend nodig heb. Verder nog iemand?'

'Let eens op een Australiër die beweert dat hij een goudmijn gaat verkopen.'

'De conducteur vond die man ook al opvallend.'

'Een goede treinconducteur laat zich door niemand in de maling nemen.'

'En keek hij niet argwanend naar jou?'

'Ik zei toch dat ik mijn leven gebeterd heb.'

'Ach ja,' grinnikte Bell. 'Dat was ik alweer vergeten.' Hij zweeg even en vroeg: 'Ken jij een importeur van edelstenen met de naam Erhard Riker?'

'Met herr Riker heb ik nooit te maken gehad.'

'Waarom niet?'

'Om dezelfde reden zou ik nooit de kluis van Joe Van Dorn kraken. Riker heeft zijn eigen beveiligingsdienst.'

'Wat weet je nog meer over hem?'

'In mijn vorige leven hoefde ik niet meer over hem te weten.'

Bell ging staan. 'Interessant je weer eens te ontmoeten, Larry.'

Rosania leek opeens in verlegenheid gebracht. 'Neem me niet kwalijk, maar tegenwoordig is mijn voornaam Laurence. De weduwe noemt mij liever zo. Ze vindt het beter klinken dan Larry.'

'Hoe oud is die weduwe?'

'Achtentwintig,' antwoordde Rosania trots.

'Gefeliciteerd.'

Toen Bell zich omdraaide riep Rosania hem na. 'Wacht even.' Weer liet hij zijn stem dalen. 'Heb je die twee Chinezen gezien?'

'Wat is er met hen?'

'Ik zou ze niet vertrouwen.'

'Ik heb begrepen dat het theologiestudenten zijn,' zei Bell.

Laurence Rosania knikte veelbetekenend. 'De priester is de "onzichtbare man". Toen ik nog het spelletje van theologiestudent speelde, en als de oudere dames mij thuis uitnodigden om hun nichtjes en kleindochters te ontmoeten, keek de heer des huizes altijd dwars door mij heen, alsof ik een meubelstuk was.'

'Bedankt voor je hulp,' zei Bell. Hij nam zich voor tijdens het wisselen van de locomotieven in Albany een telegram naar de directeur van de Sing Sing-gevangenis te sturen met de dringende aanbeveling appèl te houden en het aantal hoofden te tellen.

Bell liep door het clubrijtuig en keek scherp naar de Duitser. De man had een forse gestalte, en zijn kleding was op maat gemaakt. De man zat kaarsrecht, als een cavalerie-officier. 'Goedemiddag,' zei Bell met een hoofdknik.

Herr Shafer beantwoordde de groet met een kille strakke blik. Bell herinnerde zich dat Archie hem verteld had dat in het Duitsland van Kaiser Wilhelm alle burgers, mannen en vrouwen, op verzoek hun zitplaats moesten afstaan aan legerofficieren. Probeer dat hier eens, dacht Bell, en je krijgt een dreun. Van mannen en vrouwen.

Hij liep verder door de zes rijtuigen met couchettes en privécompartimenten naar het panoramarijtuig, waar de passagiers cocktails dronken en naar de ondergaande zon boven de Hudsonrivier keken. De Chinese theologiestudenten waren gekleed in slecht passende identieke zwarte kostuums, elk met een bijbel ter hoogte van hun hart, waardoor een bobbel in hun colbert ontstond. Bij het tweetal zat een Engelsman met een baard en Bell veronderstelde dat de man hun beschermer was: de schrijver en journalist Arnold Bennett.

Bennett was een stoere man met een gedrongen gestalte. Hij leek wat jonger dan Bell verwacht had, na het lezen van zijn artikelen in *Harper's Weekly.* Bennett was aan het woord en enkele zakenlieden uit Chicago luisterden geboeid naar zijn betoog over de genoegens van het reizen door Amerika. Bell luisterde even en kreeg de indruk dat de auteur zinnen oefende voor zijn volgende artikel in de krant.

'Kan iemand trotser zijn dan zeggen: "Dit is de trein der treinen, en ik heb hier mijn privécompartiment".'

Een zakenman met een luide stem merkte op: 'Het is de beste trein ter wereld, absoluut.'

'De Broadway Limited is anders ook niet mis,' merkte de man naast hem op.

'Alleen bejaarden reizen met de Broadway Limited,' zei de zakenman schamper. 'De 20th Century Limited is voor de top van de zakenwereld. Daarom is de trein zo gewild bij de welgestelden in Chicago.'

Arnold Bennett hervatte zijn betoog. 'Het comfort in Amerikaanse treinen blijft mij verbazen. Weet u dat de elektrische ventilator boven mijn bed drie snelheden heeft? Dat betekent toch de hele nacht amusement?'

De heren uit Chicago lachten en sloegen zich op de dijen. Ze riepen dat de steward meer drankjes moest brengen. De Chinese studenten glimlachten onzeker en Isaac Bell vroeg zich af of ze wel Engels verstonden. Waren deze tengere jongelieden geïntimideerd door de grote en luidruchtige Amerikanen? Of waren ze gewoon verlegen?

Toen Bennett een sigaret uit zijn gouden etui haalde, streek een student meteen een lucifer af en de andere schoof een asbak dichterbij. Bell kreeg de indruk dat Harold Wing en Louis Loh een dubbelrol hadden als bedienden van de journalist.

De trein kruiste de Hudson bij het naderen van Albany over een hoge ijzeren spoorbrug met uitzicht over de helder verlichte stoomboten op de rivier. De trein stopte even later op het station. Terwijl de rangeerders de locomotief wegreden en een andere locomotief en een restauratierijtuig aankoppelden, stapte Bell uit om telegrammen op te halen en te verzenden. De nieuwe locomotief, een Atlantic 4-4-2 met nog grotere wielen dan de vorige, begon de trein alweer te bewegen toen Bell aan boord sprong en zich opsloot in zijn privécompartiment.

In de korte tijd sinds hij vanuit Harmon een telegram verstuurde had de afdeling inlichtingen geen gegevens gevonden over de Duitser, de Australiër en de Chinezen die met Arnold Bennett reisden. Ook over de verzorgster van Riker was niets bekend. Maar de detectives van Van Dorn die naar het Grand Central Station waren gesneld verzamelden wel getuigenverklaringen over de moord op Scully. Ze vonden niemand die met eigen ogen had gezien dat de hoedenpen in Scully's nek werd gestoken, maar het werd wel duidelijk dat de fatale aanslag met militaire precisie was voorbereid.

Het volgende was nu bekend: een Chinese venter met sigaren bij de vertrekkende treinen meldde dat hij Scully haastig naar het perron van de 20th Century sneltrein zag lopen, kennelijk zoekend naar iemand.

Ierse bouwvakkers die gesloopte stenen afvoerden zeiden dat Scully met een knappe roodharige dame sprak. Ze stonden heel dicht bij elkaar, alsof ze goede bekenden waren.

De politieagent was pas genaderd toen zich al een menigte had gevormd. Maar een reiziger uit New York had gezien dat een groepje studenten rond Scully en de roodharige jongedame zwermde. Even later stoof de groep scholieren uit elkaar en Scully lag op de grond.

Waar gingen die schooljongens naartoe? Ze verdwenen in alle richtingen. Hoe zagen ze eruit? Als schooljongens.

'Ze hebben Scully behendig in de val gelokt,' had Harry Warren in zijn telegram aan Bell geschreven. 'Hij heeft niet beseft waarmee hij werd aangevallen.'

Bell treurde om zijn vriend en hij betwijfelde de laatste opmerking van Harry. Zelfs de meest ervaren mannen kunnen in de val gelokt worden, maar Scully was altijd uiterst alert. John Scully moest geweten hebben dat hij misleid werd, al was dat te laat om in leven te blijven. Bell was er zeker van dat Scully wist wat er gebeurde toen hij zijn laatste adem uitblies.

Harry Warren vroeg zich af of de jongedame die met Scully sprak dezelfde persoon was als eerder in de Hip Sing-opiumkit, waar de detectives elkaar onverwacht tegen het lijf liepen. De beschrijvingen van de getuigen in het Grand Central Station waren te algemeen om dat met zekerheid te weten. Knappe jongedames met rood haar zijn er bij duizenden in New York. De kleding was ook anders dan van degene die Harry in de gokgelegenheid had gezien, en evenmin was ze zwaar opgemaakt met rouge.

Bell haalde het briefje van de spion uit zijn binnenzak en herlas de woorden.

OOG OM OOG, BELL.
JE VERDIENDE WEEKS, DUS DIE TELT NIET MEE.
MAAR VOOR DE DUITSER ZUL JE BOETEN.

De spion pochte op het feit dat zowel Weeks als de Duitser voor hem hadden gewerkt. En dat vond Bell roekeloos: bij spionage is discretie noodzaak om te overleven en een overwinning wordt in stilte gevierd. Hij kon zich niet voorstellen dat de koele Yamamoto of de hooghartige Abbington-Westlake een dergelijk briefje geschreven had.

De spion leek ook onnozel. Geloofde hij werkelijk dat Isaac Bell en het hele team van Van Dorn de moordaanslag zouden negeren? Het leek wel of de spion smeekte om een reactie.

Bell ging naar het restauratierijtuig voor de tweede zitting.

De tafels waren gedekt voor vier of twee personen, en het was gewoonte aan te schuiven als ergens plaats was. Hij zag dat aan het tafeltje van Bennett en de twee Chinezen nog een stoel vrij was. Zoals eerder in het panoramarijtuig had de geestige schrijver het hoogste woord in gesprekken met reizigers aan de naburige tafeltjes, terwijl de twee studenten er zwijgend bij zaten. De Duitser Shafer at in ijzige stilte tegenover een Amerikaanse vertegenwoordiger die tevergeefs probeerde een conversatie op gang te brengen. De Australiër zat aan een ander tafeltje voor twee personen en was in gesprek met een zakenman die gekleed was alsof hij zich kon permitteren een goudmijn te kopen. Laurence Rosania zat tegenover een jongere man in een elegant kostuum.

Bell stopte de steward wat geld toe. 'Ik wil graag die vrije stoel aan het tafeltje van Bennett.'

Maar toen de steward hem daarheen voorging hoorde Bell een andere dinergast naar hem roepen.

'Bell! Isaac Bell! Ik dacht al dat jij het was!'

De diamantair Erhard Riker kwam overeind achter zijn tafeltje, veegde met een servet zijn lippen af en stak zijn hand uit. 'Alweer een toeval! Alsof we niet anders willen. Reist u alleen? Mag ik u uitnodigen hier aan te schuiven?'

De Chinezen konden wel wachten. Op de passagierslijst stond dat ze naar San Francisco reisden, terwijl Riker morgenochtend zou overstappen op de trein naar Atchison, Topeka en Santa Fe.

Ze schudden elkaar de hand. Riker gebaarde naar de lege stoel tegenover hem en Bell ging zitten.

'Hoe verloopt de speurtocht naar edelstenen?' vroeg Bell.

'Ik heb een smaragd gevonden die past bij een koningin. Of zelfs een godin. Dat juweel moet in mijn atelier zijn als ik weer terugkeer naar New York. We moeten maar bidden dat de bruid die mooi vindt,' glimlachte Riker.

'Waar reist u naartoe?'

Riker keek om zich heen, om zeker te weten dat hij niet gehoord werd. 'Naar San Diego,' fluisterde hij. 'En u?'

'San Francisco. Wat is er in San Diego?'

Weer keek Riker om zich heen. 'Roze toermalijn.' Hij glimlachte verontschuldigend. 'Neem me niet kwalijk dat ik er weinig over zeg. De vijand heeft overal spionnen.'

'Vijand? Welke vijand?'

'Tiffany & Co probeert de aanvoer van toermalijn in San Diego te monopoliseren, omdat Tz'u-hsi, Keizerin Weduwe van China – een despotische vrouw, die over alle rijkdommen van China kan beschikken – dol is op roze toermalijn uit San Diego. Ze laat er snijwerk en knopen van maken. Toen zij plotseling verzot raakte op roze toermalijn ontstond er een compleet nieuwe markt. En Tiffany probeert die te veroveren.' Riker liet zijn stem nog meer dalen. Bell leunde naar voren om hem te verstaan. 'Dit schept voor mij als zelfstandig diamantair geweldige kansen om de beste stenen te kopen, voordat zij het doen. In de edelsteenbranche is het eten of gegeten worden, meneer Bell.' Riker glimlachte en knipoogde, al wist Bell niet wat hij daar van moest denken.

'Ik weet helemaal niets van de handel in edelstenen,' zei Bell.

'Toch zal een detective regelmatig juwelen onder ogen krijgen, al zijn die meestal eerst gestolen.'

Bell keek Riker argwanend aan. 'Hoe weet u dat ik detective ben?'

Riker haalde zijn schouders op. 'Als mij gevraagd wordt een bijzondere edelsteen te zoeken, dan trek ik eerst de antecedenten na van de klant, om zeker te weten dat hij wel kan betalen, of daar alleen van droomt.'

'Detectives zijn niet rijk.'

'Degenen die een fortuin van een bankier uit Boston erven zijn dat wel, meneer Bell. Vergeef me dat ik me met uw privacy bemoei, maar u zult begrijpen dat informatie verzamelen over mijn klanten noodzakelijk is in mijn branche. Ik heb een klein bedrijf. Ik kan mij niet veroorloven wekenlang op zoek te gaan naar bepaalde edelstenen om tot de ontdekking te komen dat de klant die helemaal niet kan betalen.'

'Dat begrijp ik,' zei Bell. 'En u zult begrijpen dat ik niet rondbazuin wat mijn werk is?'

'Uiteraard. Uw geheimen zijn veilig bij mij. Al verbaasde het mij wel, toen ik ontdekte wie u bent, dat een succesvolle detective zo onopgemerkt kan blijven.'

'Door de camera's en de portrettisten te ontwijken.'

'Maar naarmate u meer criminelen vangt, wordt u toch steeds beroemder?'

'Hopelijk alleen bij criminelen die achter tralies zitten,' zei Bell.

Riker lachte. 'Mooi gezegd. Kom, we moeten een bestelling opgeven. De steward staat al te wachten.'

Bell hoorde Arnold Bennett achter hem aankondigen: 'Dit is de eerste keer dat ik à la carte kan dineren in een trein. En wel een uitstekende maaltijd, die vriendelijk geserveerd wordt. De lamsbout was voortreffelijk.'

'Dat is een aanbeveling,' zei Riker. 'Misschien moet u ook lamsbout bestellen.'

'Ik heb nog nooit een Engelsman ontmoet die enig benul had van lekker eten,' zei Bell en hij vroeg de steward: 'Is dit nog steeds het seizoen voor de elft? De meivis?'

'Jazeker. Hoe wilt u die bereid hebben?'

'Gegrild. En kan ik alvast wat ree bestellen voor het ontbijt?'

'Morgenochtend wordt een andere restauratiewagon aangekoppeld. De proviand wordt aan boord gebracht in Elkhart. Maar ik zal wat voor u op ijs bewaren.'

'Doe maar twee porties,' zei Riker. 'Vanavond elft, en morgenochtend ook. Wat denk je, Bell, zullen we een fles rijnwijn bestellen?'

Nadat de steward verdwenen was zei Bell: 'Uw Engels is bijzonder goed. Alsof u die taal al uw hele leven spreekt.'

Riker lachte. 'Engels is er bij mij ingeramd in Eton. Mijn vader stuurde me naar Engeland om de middelbare school te volgen. Hij meende dat het gunstig was voor mijn werk als ik me in meer talen kon uitdrukken dan mijn Duitse landgenoten. Maar over vaders gesproken: vertel mij eens hoe u erin slaagde buiten het bankbedrijf van uw familie te blijven?'

Bell wist dat de vader van Riker gedood was tijdens de Boerenoorlog in Zuid-Afrika en hij antwoordde ontwijkend. 'Mijn vader heeft nog altijd grotendeels de leiding over het bedrijf.' Hij keek onderzoekend naar Riker, en de Duitser zei: 'Ik benijd u. Die keus had ik niet. Mijn vader stierf in Afrika, toen ik bijna afgestudeerd was. Als ik de leiding niet had overgenomen was het bedrijf uit elkaar gevallen.'

'En die overname was een groot succes, heb ik begrepen?'

'Mijn vader leerde mij alle kneepjes van het vak. En nog meer die hij zelf had bedacht. Daarbij was hij populair in de ateliers. Zijn naam opent nog altijd deuren hier in Amerika, vooral in Newark en New York. Maar het zou me niet verbazen als ik een van zijn kameraden tref in San Diego.' Riker knipoogde weer. 'En als dat zo is, dan mogen de opkopers van Tiffany blij zijn als ze uit Californië kunnen verdwijnen met de gouden vullingen in hun tanden.'

* * *

De spion had zich hersteld van de schok toen hij zag dat Bell aan boord van de 20th Century Limited sneltrein sprong op het Grand Central Station.

Katherine Dee zou spoedig in Newport zijn, en hij kon de onverwachte aanwezigheid van de detective in zijn voordeel gebruiken. Hij was eraan gewend te duelleren met geheim agenten van regeringen – Brits, Frans, Russisch en Japans – en ook met diverse officieren van inlichtingendiensten van de marine, ook de Amerikaanse. Hij had een lage dunk van hun capaciteiten. Maar een privédetective was nieuw voor hem en hij besefte dat hij eerst zorgvuldig moest observeren, voordat hij in actie kwam.

Hij was blij dat hij opdracht had gegeven John Scully te vermoorden: die schok zou zeker invloed hebben op Isaac Bell, al wist de rijzige detective dat goed te verbergen, terwijl hij door de trein liep alsof hij de eigenaar was. Moest hij Bell ook vermoorden? Dat leek wel noodzakelijk. De vraag was wel door wie hij dan vervangen zou worden. Bells vriend Abbott was teruggekeerd uit Europa. En die man was een agressieve tegenstander had hij begrepen, hoewel niet zo gevaarlijk als Bell zelf. Of zou de geduchte Joseph van Dorn zelf de taak van Bell overnemen? Van Dorn was directeur van een landelijk werkend recherchebureau, met veel verschillende opdrachten. De hemel mocht weten wie er in de schaduw klaar stonden om het werk van Bell voort te zetten.

Maar aan de andere kant, dacht hij met een glimlach, was het onwaarschijnlijk dat iemand ook maar een vermoeden had van de kandidaten die hij in de schaduw had staan.

35

'We zoeken nog steeds informatie over de Chinezen die in gezelschap van Arnold Bennett reizen, en dat duurt nog wel even. Hetzelfde geldt voor Shafer, die Duitser. Bij de afdeling onderzoek hebben ze niets over de man gevonden, maar zoals u al zei, meneer Bell, het is eigenaardig dat de ambassade treinbiljetten voor een zakenman boekt.'

De detective van Van Dorn deed verslag in het privécompartiment van Bell, terwijl de trein stilstond in Syracuse, om de locomotief te wisselen en het restauratierijtuig af te koppelen.

'Sing Sing heeft het verhaal van Rosania trouwens bevestigd.'

Rosania was inderdaad vrijgelaten op verzoek van de gouverneur. De Australische goudmijnverkoper was in werkelijkheid een Canadese oplichter die vaak actief was in de treinen naar het westen.

De stoomfluit op de locomotief gaf het sein om te vertrekken.

'Ik moet gaan.'

Bell zei: 'Ik wil dat je een interlokale telefoonverbinding met Van Dorn regelt in East Buffalo, het volgende station waar de trein stopt.'

Twee uur later, toen de trein weer stil stond om de locomotief te wisselen op een fel verlicht rangeerterrein bij East Buffalo, wachtte een detective van Van Dorn al op Bell om hem naar het kantoor van de stationschef te brengen. Bell vroeg zijn collega naar de laatste ontwikkelingen, terwijl de interlokale telefoonverbinding tot stand werd gebracht.

'Voor zover we nu weten uit getuigenverklaringen stond Scully te praten met een roodharige jongedame. Een voetbal vloog door de lucht en raakte Scully's schouder. Een groepje scholieren kwam om Scully heen staan en maakte excuses. Iemand riep dat hun trein ging vertrekken en ze renden weg. Toen lag Scully op zijn rug op het perron, alsof hij een hartaanval had gekregen. Toeschouwers schoten hem te hulp. Er kwam een politieagent, en die riep om een dokter. Jij rende naar de Limited, en een vrouw zag bloed. Ze begon te gillen en de politieman zei dat iedereen moest blijven waar hij stond. En even later kwamen er detectives van Van Dorn met notitieblokken om vragen te stellen.'

'Waar is die roodharige dame?'

'Niemand weet het.'

'Je zei dat ze keurig gekleed was?'

'Ja. Stijlvol.'

'Wie zei dat? Die agent?'

'Nee, een dame die de leiding heeft over Lord & Taylor, een chique zaak in het centrum van New York.'

'Dus ze was niet ordinair gekleed?'

'Nee, bepaald niet.'

Bell dacht hij zich al moest haasten om de trein te halen, en op dat moment rinkelde de telefoon. De verbinding was slecht en met veel bijgeluiden. 'Van Dorn hier. Ben jij het, Isaac? Wat kun je vertellen?'

'We hebben verklaringen over een roodharige jongedame met het soort make-up, kleding en hoed zoals je verwacht in een opiumkit, en andere getuigen zagen een roodharige die elegant en stijlvol gekleed was. Beiden werden gezien bij Scully.'

'Had Scully soms een zwak voor rood haar?'

'Dat weet ik niet,' zei Bell. 'Wij spraken alleen over boeven en vuurwapens. Hebben ze zijn wapen gevonden?'

'Zijn Browning zat nog in de holster.'

Bell schudde meewarig zijn hoofd omdat Scully onvoldoende op zijn hoede was geweest.

'Wat zei je?' schreeuwde Van Dorn. 'Ik kan je niet verstaan.'

271

'Ik kan me nog steeds niet voorstellen dat iemand Scully zo kon verrassen.'

'Dat komt omdat hij altijd alleen werkte.'

'Dat kan wel waar zijn, maar…'

'Wat?'

'Dat kan wel waar zijn, maar het gaat nu om die spion!' zei Bell luid.

'Is die spion ook bij jou in de trein?'

'Dat weet ik nog niet.'

'Wat?'

'Zeg dat ze John Scully's wapen voor mij moeten bewaren,' zei Bell.

Joseph Van Dorn had de laatste woorden goed verstaan. Hij kende zijn detectives goed. Hij zei: 'Dat wapen ligt voor je klaar, als je weer terug bent in New York.'

'Ik zal weer rapporteren vanuit Chicago.'

Toen de 20th Century Limited weer sissend en knarsend wegreed uit East Buffalo, voor de nachtelijke rit tot aan de volgende ochtend naar Chicago, liep Bell door de trein naar het clubrijtuig. Behalve enkele pokerspelers was er niemand aanwezig. De Canadese oplichter die zich voordeed als Australiër pokerde met enkele oudere zakenlieden. De man leek het niet te waarderen dat conducteur Dilber hem scherp in de gaten hield.

Bell liep terug door de voortrazende trein. Het was al na middernacht, maar in het panoramarijtuig werd druk gepraat en gedronken. Arnold Bennett, vergezeld door zijn zwijgzame Chinezen, sprak een aandachtig gehoor toe. Shafer, de Duitse zakenman, was diep in gesprek met Erhard Riker. Bell kreeg een drankje en ging zo staan dat Riker hem wel moest opmerken. Riker wenkte Bell om erbij te komen en hij stelde de Duitser voor als Herr Shafer. Tegen Bell zei hij: 'Wat was ook al weer uw beroep, meneer Bell?'

'Verzekeringen,' antwoordde hij, met een hoofdknik als dank dat Riker hem niet bekend gemaakt had als detective. Bell ging zitten op een plek zodat hij Bennett en de Chinezen ook kon observeren.

'Ach ja, dat is waar ook,' zei Riker, de maskerade voortzettend. 'Dus we zijn allemaal handelsreizigers. We proberen allemaal iets te verkopen. Ik lever edelstenen aan Amerikaanse juweliers, en Herr Shafer verkoopt orgels die in Leipzig gebouwd worden, nietwaar?'

'Correct!' blafte Shafer. 'Eerst verkoop ik. Dan stuurt de firma een Duitse orgelbouwer die de onderdelen moet assembleren. Zij weten hoe de beste orgels gebouwd moeten worden.'

'Kerkorgels?' vroeg Bell.

'Orgels voor kerken, concertzalen, universiteiten. Duitse orgels, want dat zijn de beste ter wereld. Omdat Duitse muziek ook de beste ter wereld is, begrijpt u?'

'Speelt u zelf orgel?'

'Nee, nee, ik ben maar een eenvoudige verkoper.'

·'Maar hoe wordt een cavalerieofficier een verkoper?' vroeg Isaac Bell.

'Wat? Hoezo cavalerieofficier?' Shafer keek even naar Riker en dan weer naar Bell. Zijn gezicht verstrakte. 'Wat bedoelt u met die vraag?'

'Ik zag toevallig dat uw handen eeltig zijn geworden door de teugels,' antwoordde Bell minzaam. 'En uw houding is die van een militair. Ja toch, Riker?'

'Hij zit ook als een militair,' beaamde Riker.

'Ach.' Een felle blos verscheen vanuit Shafers nek en verspreidde zich over zijn gezicht. 'Ja, natuurlijk. Ik was ooit soldaat. Jaren geleden.' Hij zweeg en keek naar zijn eeltige handen. 'En uiteraard rijd ik nog altijd paard, als ik daar tijd voor heb ondanks mijn drukke werk als verkoper. Excuseer me, ik kom zo weer terug.' Shafer liep snel weg, maar bleef met een ruk staan alsof hij zich bedacht. 'Zal ik de steward om een rondje vragen?'

'Ja,' zei Riker, zijn glimlach verbergend tot Shafer naar de toiletten verdwenen was. 'Als ik terugdenk,' voegde hij eraan toe, 'dan lijkt mijn vader steeds wijzer. Mijn vader had gelijk dat hij mij in Engeland naar school stuurde. Wij Duitsers voelen ons slecht op ons gemak in gezelschap van andere nationaliteiten. We pochen dan, zonder na te denken over de gevolgen.'

'Is het gebruikelijk in Duitsland dat legerofficieren in de handel gaan?'

'Nee. Waarom zou hij afgezwaaid zijn? Hij is veel te jong om al gepensioneerd te zijn. Misschien moet hij inkomsten verwerven.'

'Ja, misschien,' beaamde Bell.

'Ik krijg de indruk dat u niet met vakantie bent,' zei Riker. 'Of blijven detectives altijd bezig met een zaak?'

'Zaken hebben de neiging door elkaar te lopen,' zei Bell, zich afvragend of Rikers opmerking uitdagend bedoeld was, of alleen belangstellend. 'Ik heb bijvoorbeeld gezien,' zei Bell, scherp op Rikers reactie lettend, 'dat u vaak in gezelschap van een jongedame reist, en zij zou uw verzorgster zijn.'

'Dat klopt inderdaad,' beaamde Riker.

'U lijkt me jong voor een verzorgster.'

'Dat ben ik ook. Maar zoals ik niet kon wegduiken voor de verantwoordelijkheid toen ik de zaak van mijn vader overnam, moest ik wel de zorg op mij nemen voor een weeskind, toen haar familie door het noodlot getroffen werd. Maar ik kan u dit zeggen: onverwachte gebeurtenissen zijn soms het beste wat ons kan overkomen. Dat meisje brengt licht in mijn leven, waar eerst duisternis was.'

'Waar is ze nu?'

'Op school. Ze doet in juni eindexamen.' Riker stak zijn wijsvinger in de richting van Bell. 'Ik hoop dat u haar kunt ontmoeten. Deze zomer gaat ze met mij naar New York. Ik doe alles om haar horizon te verbreden. En daar hoort een ontmoeting met een privédetective zeker bij.'

Bell knikte. 'Ik verheug me op de kennismaking. Hoe heet ze?'

Riker scheen de vraag niet te horen. Of hij wilde de vraag niet beantwoorden. Hij zei: 'En het zal ook een verrijking voor haar zijn als ze de kans krijgt een vrouw te ontmoeten die films regisseert. Ik zei al dat ik niet blindelings zaken doe. Ik weet dat u zich de mooiste juwelen kunt veroorloven en ik weet dat uw bruid mijn fraaiste stenen goed kan beoordelen. Samen bent u voor mij zeker een uitdaging, en ik hoop u niet teleur te stellen.'

Shafer keerde terug. Hij had zijn gezicht met water afgekoeld. Druppels maakten vlekken op zijn stropdas. Maar hij glimlachte. 'U bent een scherp waarnemer, meneer Bell. Ik dacht dat ik met mijn uniform mijn verleden had afgelegd. Is dat een eigenschap van verzekeringsexperts, om zulke dingen op te merken?'

'Als ik u een verzekeringpolis verkoop,' zei Bell, 'dan neem ik een risico. Dus ik moet altijd alert zijn op eventuele risico's.'

'En is Shafer een riskante klant?' vroeg Riker.

'Mannen met vaste gewoontes zijn minder riskant. Herr Shafer, mijn excuses als ik te nieuwsgierig was.'

'Ik heb niets te verbergen,' antwoordde Shafer.

'Over verbergen gesproken,' zei Riker, 'de steward heeft zich kennelijk verstopt. Hoe krijgen we onze glazen gevuld?'

Bell wenkte een steward die snel naar het gezelschap kwam om de bestelling op te nemen.

Arnold Bennett keek naar de Chinese studenten en zei: 'Heren, u bent slaperig.'

'Nee meneer. Wij zijn helemaal fit.'

'Verwacht weinig slaap aan boord van een trein. Er mag dan veel luxe zijn – een bibliotheek, een manicure, en zelfs baden met zoet of zout water, maar anders dan in Europa waar de treinen haast ongemerkt bewegen heb ik in een Amerikaanse slaapwagon zelden langer dan een uur geslapen, vanwege het horten en stoten, heftig remmen en het geknars van de wielen in de bochten.'

De zakenlieden uit Chicago lachten en protesteerden dat de hoge snelheid van de trein elke cent waard was.

Isaac Bell keek zijn Duitse tafelgenoten aan, Erhard Riker die een Engelsman of zelfs een Amerikaan leek en Herr Shafer die zo Teutoons was als een acteur in een opera van Wagner. 'Nu ik in gezelschap verkeer van twee onderdanen van de Kaiser, moet ik u wel iets vragen over de oorlog in Europa.'

'Duitsland en Engeland zijn concurrenten, geen vijanden,' antwoordde Riker.

'Onze naties zijn met elkaar in evenwicht,' vulde Shafer snel aan. 'Engeland heeft meer slagschepen. Wij hebben een veel groter landleger. Het modernste en machtigste leger ter wereld.'

'Maar alleen in delen van de wereld die lopend bereikbaar zijn,' riep Arnold Bennett aan het andere tafeltje.

'Wat bedoelt u, meneer?'

'Admiraal Mahan heeft dat kernachtig duidelijk gemaakt: "De natie die de zeeën beheerst, heerst over de wereld." Uw leger is volslagen waardeloos als het niet eens naar het slagveld kan komen.'

Shafer werd vuurrood. Aderen zwollen op in zijn gezicht.

Riker maakte een kalmerend gebaar en zei: 'Er is hier geen oorlog. We praten alleen over oorlog.'

'Waarom bouwt Amerika dan steeds meer oorlogsbodems?' reageerde de Engelse schrijver.

'En waarom doet Engeland hetzelfde?' merkte Riker op.

De heren uit Chicago en de Chinese theologiestudenten keken afwisselend naar de Duitsers en de Engelsen, alsof ze een tenniswedstrijd volgden. Isaac Bell hoorde verrast dat een van de zwijgzame Chinezen antwoordde voordat de schrijver iets kon zeggen.

'Engeland is een eiland. De Britten hebben geen keus.'

'Dank je, Louis,' zei Arnold Bennett. 'Ik had het zelf niet beter kunnen zeggen.'

De donkere ogen van Louis werden groot en hij keek naar grond, alsof hij verlegen werd omdat hij iets gezegd had.

'Volgens die logica hebben de Duitsers ook geen andere keus,' zei Riker. 'De Duitse industrie en handel moeten beschikken over een grote koopvaardijvloot om onze goederen over alle zeeën te vervoeren. En wij moeten die vloot beschermen. Maar eerlijk gezegd denk ik dat verstandige zakenlieden nooit oorlog willen.'

Herr Shafer onderbrak hem. 'Mijn landgenoot is te goedgelovig. Zakenlieden hebben daar niets over te zeggen. Engeland en Rusland hebben een samenzwering om de groei van Duitsland te belemmeren. Frankrijk zal de kant van de Engelsen kiezen. Goddank hebben wij het Keizerlijke Duitse leger en onze Pruisische officieren.'

'Pruisisch?' riep een zakenman uit Chicago. 'Pruisische officieren dwongen mijn grootvader naar Amerika te emigreren.'

'Mijn grootvader ook,' zei een ander, met een roodaangelopen gezicht. 'De hemel zij dank dat we weg zijn uit die ellende.'

'Socialisten,' merkte Shafer op.

'*Socialisten?* Ik zal je een socialist tonen.'

De anderen uit Chicago hielden hem tegen.

Shafer sprak onverstoorbaar verder. 'Wij worden belegerd door de Britten en de lakeien van Engeland.'

Arnold Bennett sprong overeind en hij nam een vechtlustige houding aan. 'Die toon bevalt mij niet.'

In het panoramarijtuig kwamen gingen steeds meer mensen staan, heftig gesticulerend en schreeuwend. Isaac Bell keek naar Riker die met een geamuseerde blik in zijn ogen terugkeek. 'Ik denk dat dit het antwoord op uw vraag is, meneer Bell. Goedenacht, ik ga slapen voordat er gevochten wordt.'

Voordat Riker overeind kwam schreeuwde Shafer: 'Belaagd door buitenlandse naties en ondermijnd door socialisten en joden!'

Isaac Bell keek ijzig naar Shafer. De Duitser deinsde achteruit en mompelde: 'Wacht maar, als wij verslagen zijn, dan vallen ze u aan.'

Isaac Bell haalde diep adem, hield zichzelf voor waarom hij in deze trein zat en antwoordde met luide stem: 'Toen admiraal Mahan duidelijk maakte dat wie de zeeën beheerst de hele wereld beheerst, zei hij ook iets wat ik altijd bewonderde: "Jezus Christus was een jood, en dat maakt hem goed genoeg voor mij".'

Het geschreeuw verstomde. Een man lachte. Een ander zei: 'Dat is een goeie: "goed genoeg voor mij".' Overal in het rijtuig werd gelachen.

Shafer klakte met zijn hakken. 'Goedenacht, heren.'

Riker zag de cavalerist naar de steward lopen en een schnapps bestellen. 'Ik dacht even,' zei hij zacht, 'dat u Herr Shafer tegen de grond zou slaan.'

Bell keek de diamantair aan. 'Dat heeft u goed gezien, meneer Riker.'

'Ik zei al dat mijn vader mij de fijne kneepjes heeft geleerd. Waarom werd u kwaad?'

'Ik accepteer geen haat.'

Riker haalde zijn schouders op. 'Om uw vraag oprecht te beantwoorden, Europa wil oorlog. Monarchisten, democraten, kooplieden, soldaten en zeelieden leven al te lang in vredestijd, zodat ze niet meer weten wat oorlog betekent.'

'Dat oordeel is mij te cynisch,' zei Isaac Bell.

Riker glimlachte voor zich uit. 'Ik ben niet cynisch. Ik ben realistisch.'

'En de verstandige zakenlieden die u eerder noemde?'

'Sommige zien winstkansen in oorlogstijd. De rest wordt genegeerd.'

* * *

De spion zag dat Isaac Bell zijn 'verdachten' observeerde.

De detective kan niet weten dat ik in deze wagon ben.

Of al in mijn couchette slaap.

Of dat ik aan boord van de trein ben.

Hij kan ook niet weten wie aan mijn kant staat.

Ga slapen, meneer Bell. Dat zult u nodig hebben. Het slechte nieuws komt morgenochtend.

36

'Uw elft, ree en roerei, meneer Bell,' kondigde de steward aan. Zijn brede glimlach verdween toen hij zag dat de uitdrukking op Bells gezicht veranderde van verwachting in woede. Twee uur verwijderd van de eindbestemming had de 20th Century Limited tijdens een tussenstop de ochtendkranten uit Chicago opgepikt die door een trein in tegenovergestelde richting waren achtergelaten. Een keurig opgevouwen krant lag klaar voor elke ontbijtgast.

EXPLOSIE IN MARINEBASIS BIJ NEWPORT
TWEE OFFICIEREN GEDOOD

Newport, Rhode Island, 15 mei.

Een explosie die dood en verderf zaaide deed zich voor bij het marine torpedostation in Newport. Twee officieren werden gedood en een productielijn is verwoest.

Isaac Bell was stomverbaasd. Zocht hij in de verkeerde richting?
'Goedemorgen, Bell! U heeft niets van uw ree gegeten. Is het vlees bedorven?'
'Morgen, Riker. Nee, het ruikt prima. Maar ik lees slecht nieuws in de krant.'
Riker sloeg zijn krant open en ging zitten. 'Mijn hemel. Wat was de oorzaak van de explosie?'

'Dat staat niet in het artikel. Excuseer mij, alstublieft.' Bell keerde terug naar zijn privécompartiment.

Als de explosie geen ongeluk was maar sabotage, dan kon de spion overal toeslaan. In een enkele dag hadden hij en zijn helpers een verrader in Washington geëxecuteerd, een detective die hem op het spoor was vermoord en nu een ontploffing veroorzaakt op een zwaar bewaakte marinebasis aan de kust bij Rhode Island.

* * *

Isaac Bell organiseerde een tijdelijk kantoor achter in de bagageruimte van het LaSalle Station, enkele minuten nadat de 20th Century in Chicago was gearriveerd.

Detectives van Van Dorns vestiging in Palmer House hielden het station al in de gaten en schaduwden de verdachten die de trein verlieten.

Larry Rosania was meteen spoorloos verdwenen. Een ervaren detective kwam dat beschaamd melden, juist toen een collega naar binnen stormde. 'Isaac! De grote baas wil dat je vanuit het bureau van de stationschef interlokaal met hem telefoneert. En zonder anderen in de buurt.'

Bell deed wat hem gevraagd werd.

Aan de andere kant van de lijn vroeg Van Dorn: 'Ben je alleen?'

'Jawel, meneer. Was Ron Wheeler een van de officieren die gedood werd?'

'Nee.'

Bell slaakte een zucht van opluchting.

'Wheeler was er stiekem vandoor, om de nacht met een vrouw door te brengen. Als hij dat niet gedaan had was hij nu ook dood. Zijn collega's zijn omgekomen.'

'De hemel zij dank dat hij niet een van de slachtoffers is. Kapitein Falconer zegt dat Wheeler onvervangbaar is.'

'Nou, hier is nog iets anders onvervangbaar,' bromde Van Dorn. De negenhonderd kilometer telefoondraad tussen Chicago en Washington konden zijn woede niet temperen. 'Dit staat niet in de kranten, en het zal er ook niet komen. Ben je nog steeds alleen, Isaac?'

280

'Jazeker.'

'Luister. De marine heeft een groot verlies geleden. Door de explosie brak brand uit. En daardoor is het hele arsenaal aan experimentele elektrische torpedo's, geïmporteerd uit Engeland, verloren gegaan. Het team van Wheeler had kennelijk het bereik en de nauwkeurigheid van die torpedo's aanzienlijk vergroot. Maar belangrijker – veel belangrijker – is dat Wheelers experts een methode hebben bedacht om de torpedo's te voorzien van dynamiet. Dat vertelde de minister van marine mij vanochtend. De man is totaal van streek. Hij overweegt zelfs zijn ontslag in te dienen bij de president. Kennelijk zouden de Amerikaanse torpedo's door de lading met TNT tien keer zoveel effect hebben onder water.'

'Kunnen we aannemen dat die explosie geen ongeluk was?'

'Dat moet wel,' antwoordde Van Dorn mat. 'En hoewel de marine formeel verantwoordelijk is voor de beveiliging van de basis, is de leiding wel zeer teleurgesteld in Van Dorns Bewakingsdiensten.'

Isaac Bell zweeg.

'Ik hoef niet uit te leggen wat de consequenties voor ons zijn, als een overheidsdienst terecht of niet verwijten maakt,' vervolgde Van Dorn. 'En eigenlijk begrijp ik niet wat jij in Chicago doet, als de spion toeslaat in Newport.'

Nu moest Isaac Bell wel reageren. 'De Grote Witte Vloot zal spoedig bij San Francisco arriveren. Scully schaduwde de spion, of zijn handlangers, naar San Francisco. Dankzij Scully ben ik hem nu hoogstwaarschijnlijk op het spoor.'

'Wat denk je dat hij gaat doen?'

'Dat weet ik nog niet. Maar het moet wel te maken hebben met de vloot. En ik zal hem tegenhouden, voordat hij in actie komt.'

Van Dorn bleef lange tijd zwijgen. Bell zei niets. Uiteindelijk zei de baas: 'Ik hoop dat je beseft wat je doet, Isaac.'

'Hij zal heus niet zijn koffers pakken en naar huis gaan, na Newport. Hij zal de vloot saboteren.'

'Dan zal ik Bronson in San Francisco waarschuwen,' zei Van Dorn.

'Dat heb ik al gedaan.'

Bell keerde terug naar de bagageruimte. Detectives meldden dat

Herr Shafer en de Chinezen die met Arnold Bennett reisden waren overgestapt op de Overland Limited naar San Francisco, zoals ook op hun treinbiljetten vermeld stond. 'Hun trein vertrekt bijna, Isaac. Als je mee wil, dan moet je opschieten.'

'Ja, ik ga nu meteen.'

* * *

Twee sterke paarden trokken een ijskar voorzien van springveren en luchtbanden, in plaats van de massieve rubberen banden, waardoor het voertuig ongewoon soepel over de hobbelige straatkeien reed naar de waterkant van Newport. In het schemerige schijnsel van de weinige gaslampen had niemand aandacht voor de gestalte op de bok die de remhendel vastklemde, al was hij te schriel en jongensachtig was om zware ijsblokken naar de vissershaven te vervoeren. En als iemand het vreemd vond dat de gestalte naar de trekpaarden zong:

Je weet niet meer wat
ik niet kan vergeten

met een zachte sopraanstem, dan bleef een opmerking toch achterwege. De zeelieden in Newport hadden al drie eeuwen rum, tabak, slaven en opium gesmokkeld. Als een meisje zong voor haar paarden, op weg naar een boot in het donker om ijs te leveren, dan was dat haar zaak.

De zeilboot was tien meter lang, breed en met een stompe mast voor het lage kajuitdak. Met een bijna vierkant gaffelgetuigd zeil en een ophaalbaar midzwaard in plaats van een vaste kiel was de boot sneller dan het uiterlijk deed vermoeden, en geschikt voor de ondiepe baaien. Een groepje mannen in oliegoed en met wollen mutsen op hun hoofden klauterde uit de kajuit.

Terwijl het meisje toekeek, met haar handen in de zakken, trokken de mannen het dekzeil van de kar. Ze maakten met planken een glijbaan en vier stuks sigaarvormige metalen buizen, elk vier meter lang, gleden een voor een naar de kade. De planken werden verplaatst en de vier buizen gleden aan boord, waar ze stevig vastgesjord werden op een onderlaag van lappen canvas.

Toen ze klaar waren lag de romp dieper in het water. De groep mannen stapte op de kar, een van hen bleef achter op de boot, en de kar reed weg. De man op de boot hees het zeil en maakte de landvasten los.

Het meisje ging aan het roer staan en ze manoeuvreerde de boot behendig weg van de kade, om in de donkere nacht te verdwijnen.

* * *

Dezelfde avond – de Overland Limited was in de ochtend uit Chicago vertrokken in westelijke richting – lagen er berichten voor Bell in Rock Island, Illinois, met de bevestiging dat de diamantair Riker inderdaad met de California Limited naar San Diego reisde. Bell was altijd argwanend over toevalligheden en hij telegrafeerde naar Howard Bronson, hoofd van het bijkantoor in San Francisco, met het verzoek James Dashwood, een jonge detective die zichzelf bewezen had in de zaak Wrecker, naar Los Angeles te sturen, om daar de California Limitedtrein te onderscheppen. Dashwood kon dan controleren of Riker inderdaad doorreisde naar San Diego om roze toermalijn te kopen, of overstapte op de trein naar San Francisco. Wat het reisdoel ook was, de jonge detective kon Riker blijven observeren in zijn doen en laten. Bell waarschuwde Bronson dat Riker met een lijfwacht reisde, een zekere Plimpton, die zeker op zijn hoede zou zijn.

Daarna telegrafeerde hij naar de afdeling informatie op het hoofdkantoor in New York met het verzoek om inlichtingen over de dood van Rikers vader in Zuid-Afrika, en hij drong bij Grady Forrer aan op haast met het zoeken naar informatie over de verzorgster.

Laurence Rosania's verdwijning na aankomst in Chicago was aanleiding voor een fanatieke zoektocht. Maar toen Bell in Des Moines, Iowa, arriveerde las hij in de *Chicago Herald* het bericht dat de gewezen brandkastkraker – nadat hij eerst de detectives van Van Dorn had afgeschud, uit gewoonte of beroepstrots – in de particuliere wagon van zijn aanstaande bruid per trein naar San Francisco zou reizen.

Herr Shafer, Arnold Bennett en zijn Chinese gezelschap, waren overgestapt op de Overland Limited naar San Francisco, en met deze trein reisde ook Bell verder naar het westen, in de hoop meer informatie te krijgen van de afdeling onderzoek, tijdens het oponthoud bij de tussenstations.

Uit New York kwam een telegram met de bevestiging dat Shafer inderdaad een Duitse spion was.

'Herr Shafer was cavalerie-officier in actieve dienst en hij had de rang van majoor in het Duitse leger. Zijn ware naam was Cornelius Von Nyren. En Von Nyren was tactisch expert voor manoeuvres te land, en voor het snel aanleggen van smalspoor om de frontlinie van een leger te bevoorraden. Waarvoor hij ook spioneerde in Amerika, dat had niets te maken met Hull 44.

'Hij is formidabel bij de landmacht,' schreef Archie, 'maar hij ziet geen verschil tussen een slagschip en een kano van berkenbast.'

37

'Chinezen achter aan de rij aansluiten!'

Het was de ochtend van de tweede dag na het vertrek uit Chicago en de Overland Limited sneltrein naderde Cheyenne, Wyoming. Er was onrust in het restauratierijtuig. In de gang van het Pullmanrijtuig stond een rij hongerige passagiers te wachten op het ontbijt dat al een uur te laat geserveerd werd.

'Jullie hebben mij gehoord! Spleetogen, Mongolen en alles met een Aziatisch uiterlijk moet achter aan in de rij!'

'Blijf staan waar je staat,' zei Isaac Bell tegen de theologiestudenten.

Arnold Bennett wilde zijn reisgenoten ook verdedigen, maar Bell hield hem tegen. 'Ik regel dit wel.' Het was een kans de twee Chinezen Harold en Louis beter te observeren. Bell draaide zich om en keek de racist strak aan. De kille woede in Bells ogen, en de onmiskenbare indruk dat hij zich amper kon beheersen waren reden voor de man om terug te deinzen.

'Let maar niet op hem,' zei Bell tegen de studenten. 'Mensen worden vervelend als ze honger hebben. Hoe heet jij, jongeman?' Bell stak tegelijkertijd zijn hand uit.

'Harold, meneer. Dank u wel.'

'Harold, en verder?'

'Harold Wing.'

'En jij?'

'Louis Loh.'

'Lewis of Louis?'

'Louis.'

'Aangenaam kennis te maken.'

'Geen wonder dat die akelige kerel honger heeft,' bromde Arnold Bennett, die vooraan de rij stond. 'De ontbijtfaciliteiten aan boord van deze trein zijn bepaald niet zo goed als de kwaliteiten van de slaapwagon.'

Isaac Bell knipoogde naar Louis en Harold, die het bloemrijke taalgebruik van Bennett maar moeilijk konden begrijpen.

'Arnold bedoelt dat er meer couchettes in de Pullmanrijtuigen zijn dan stoelen in het restauratierijtuig.'

De studenten knikten en glimlachten zwakjes.

'Ze kunnen maar beter de deur naar het restauratierijtuig openen,' mopperde Bennett. 'Voordat de meute gaat plunderen.'

'Hebben jullie goed geslapen?' vroeg Bell aan Harold en Louis. 'Zijn jullie al gewend aan het schommelen van de trein?'

'Ja, heel goed geslapen, meneer,' antwoordde Louis.

'Al had ik gewaarschuwd voor het schokken en schudden,' zei Bennett.

Eindelijk werd de deur van het restauratierijtuig geopend voor het ontbijt en Bell ging bij de Chinezen zitten. De beide studenten zwegen als sfinxen, wat Bell ook probeerde om een gesprek te beginnen, terwijl de schrijver onophoudelijk praatte over alles wat hij zag, las of toevallig had gehoord.

Wing haalde een kleine bijbel uit zijn jaszak en begon zwijgend te lezen. Loh staarde door het raam naar het landschap dat lentegroen werd en waar het vee in de weiden graasde.

* * *

Isaac Bell wachtte op Louis Loh in de gang voor het privécompartiment van Arnold Bennett.

Ten westen van Rawlins, Wyoming, maakte de Overland Limited sneltrein steeds meer vaart op de hoogvlakte. De stoker van de locomotief schepte voortdurend kolen en met een snelheid van meer dan honderdtwintig kilometer per uur schommelde de trein vervaarlijk. Toen Bell de Chinese theologiestudent door de corridor zag naderen liet hij zich door de heftig bewegende trein tegen de kleinere man vallen.

'Excuus!'

Hij hervond zijn evenwicht door de revers van Loh vast te grijpen.

'Kreeg je dat pistool in het seminarie?'

'Wat?'

'Die bult is geen bijbel.'

De Chinese student leek ineen te krimpen van verlegenheid. 'O, u heeft gelijk, meneer. Dat is inderdaad een pistool. Dat is alleen omdat ik bang ben. In het westen worden Chinezen overal gehaat. Dat zag u bij het ontbijt. Men denkt dat wij allemaal verslaafd zijn aan opium of leden van een gangsterbende zijn.'

'Kun jij omgaan met een pistool?'

Ze stonden dicht tegenover elkaar, Bell hield de revers nog steeds vast, zodat de jongeman niet weg kon. Louis sloeg zijn donkere ogen neer. 'Niet echt, meneer. Ik denk dat je gewoon moet richten en dan de trekker overhalen. Maar het gaat vooral om de afschrikkende werking. Ik zou nooit met dit wapen schieten.'

'Mag ik het zien?' vroeg Bell, en hij strekte zijn geopende hand uit.

Louis keek om zich heen, gerustgesteld dat er niemand in de buurt was en hij haalde het pistool snel uit zijn binnenzak. Bell pakte het wapen aan. 'Topkwaliteit,' zei hij, verbaasd dat de student een Colt Pocket Hammerless had die nog helemaal nieuw leek. 'Waar komt dit wapen vandaan?'

'Ik heb het aangeschaft in New York.'

'Dan heb je een prima wapen gekocht. Waar precies in New York?'

'Een winkel dicht bij het hoofdbureau van politie, in het centrum.'

Bell controleerde of het wapen met de veiligheidspal vergrendeld was en gaf het weer terug. 'Je kunt zelf gewond raken als je met een vuurwapen zwaait en niet weet hoe het te gebruiken. Je zou jezelf kunnen neerschieten. Of een ander pakt het af en schiet je neer, om zich later te beroepen op zelfverdediging. Ik voel me meer gerust als je beloofd dit wapen in je koffer te bergen en daar te laten.'

'Jawel, meneer Bell.'

'Als iemand in deze trein je lastig valt, dan kom je naar mij toe.'

'Zeg het niet tegen meneer Bennett. Hij zal het niet begrijpen.'

'Hoezo niet?'

'Hij is een aardige man. Hij weet niet hoe wreed mensen kunnen zijn.'

'Doe dat pistool in je koffer en ik zal niets tegen hem zeggen.'

Louis greep met beide handen Bells hand. 'Dank u wel. Dank voor uw begrip.'

Bells gezicht was strak als een masker. 'Berg dat wapen nu in je koffer,' herhaalde hij. De Chinese student liep haastig door de gang van de wagon en via de vestibule naar het volgende rijtuig, waar Bennett ook zijn privécompartiment had. Louis keek om naar Bell en wuifde dankbaar. Bell keek hem na, alsof hij dacht 'Wat een vrome jongeman'.

Maar in werkelijkheid vroeg hij zich af of de jeugdige theologie-studenten toch gangsters waren. En als dat zo was, dan had hij bewondering voor het heldere inzicht van John Scully. Geen andere detective van Van Dorn zou alleen door Chinatown kunnen dwalen en twee weken later een paar gangsters in verband brengen met de spionage van Hull 44. Bell wilde Louis Loh en Harold Wing in de boeien slaan en opsluiten in de goederenwagon. Maar hij betwijfelde of ze een hoge plek hadden in de bende, en als ze alleen handlangers waren, dan kon hij via hen het spoor naar hun leider volgen.

Dat de spion gangsters uit de Chinese onderwereld recruteerde was een teken dat hij internationaal werkte. Het was moeilijk voorstelbaar dat iemand als Abbington-Westlake daar zelfs maar over nadacht. Dat de spion een bekende Engelse auteur ongewild had gestrikt om een dekmantel voor zijn acties te worden was een teken dat hij sluw en duivels te werk ging.

* * *

'Inzetten of niet, Whitmark?'

Ted Whitmark besefte heel goed dat hij met zijn zeven kaarten het risico niet moest nemen. De kansen op verlies waren te groot. Hij moest nog een vier hebben. Er waren maar vier speelkaarten met een vier in de stapel: harten, ruiten, schoppen en klaveren. En de vier van klaveren was al naar een speler gedeeld. Meteen had de ontvanger ingezet, wat een aanwijzing was dat hij al een andere vier in zijn waaier kaarten had. Vier keer de vier in totaal, waarvan een vier bij een speler was en een tweede vier waarschijnlijk ook. De kans op geluk was heel klein. Bijna nihil.

Maar hij had al een groot bedrag ingezet en hij kreeg het gevoel dat zijn kansen zouden keren. Dat moest wel. Sinds een paar weken geleden in New York verloor hij telkens, en in de trein naar San Francisco had hij nog meer verloren. Sinds hij gearriveerd was had bijna elke avond verloren. Eén vier was uit het spel, En twee andere kaarten vier waren dat waarschijnlijk ook. Soms moet je de koe bij de horens vatten en dapper zijn.

'Whitmark, wat doe je? Inzetten of niet?'

De stem klonk brutaal, omdat Whitmark eerder op de avond voor de derde keer vijfduizend dollar had geleend. Soms moet je dapper zijn.

'Inzetten.'

'Het is achtduizend.'

Whitmark schoof zijn fiches naar de pot. 'Dit zijn er drie.'

'Zeker weten?'

'Deel de kaarten.'

De man die de kaarten deelde keek over de tafel, niet naar Ted Whitmark, maar naar de man met littekens op zijn gezicht, de eigenaar van het Barbary Coast-casino. Hij had de leningen goedgekeurd. De eigenaar fronste. Even voelde Whitmark zich zekerder. Hij kon niet inzetten als hij geen geld had. Hij kon stoppen en naar zijn hotel terugkeren, gaan slapen en morgen een plan bedenken om zijn schulden af te betalen, als hij betaald was door de marine voor het leveren van voorraden proviand aan de Grote Witte Vloot. Veertienduizend manschappen aan boord verorberen grote hoeveelheden voedsel.

De casino-eigenaar knikte.

'Deel de kaarten.'

De man die al een vier had kreeg nog een vier. Whitmark kreeg schoppen negen, een waardeloze kaart in zijn situatie. Iemand zette in. Iemand paste. De man met de kaarten vier verhoogde de pot. Ted Whitmark paste.

'Mag ik na deze ronde je laatste kaart zien?' vroeg hij aan de speler links van hem.

Toen de ronde voorbij was en de speler die drie kaarten met een vier had gewonnen had, toonde de speler links van Ted de kaart die hij gekregen zou hebben, als hij niet gepast had. Het was een vier. 'Die had je graag willen hebben,' zei de man tegen de speler aan de andere kant van de tafel. Dan had je alle vier gehad.'

'Ik had die kaart ook graag willen hebben,' zei Ted en hij wankelde naar de bar. Voordat hij een slok kon nemen kwam de eigenaar van het casino bij hem staan. 'Ik heb een bericht voor je, van Tommy Thompson, in New York.'

Ted kromp ineen onder de kille blik van de casino-eigenaar. 'Maak je geen zorgen, ik betaal je zo snel mogelijk.'

'Tommy zegt dat je mij moet betalen.'

'Wat ben ik je dan nog meer schuldig? Je neemt een groot risico.'

'Betalen zul je. Goedschiks of kwaadschiks.'

'Ik verdien spoedig veel geld. Dus ik betaal je snel.'

'Ik heb geen geld nodig, Whitmark. Ik heb wat hulp nodig en jij bent de man die mij kan helpen.'

* * *

'Als jij en ik maar half zo slim waren als we denken te zijn, dan hadden we het al een maand eerder begrepen!' De woorden van John Scully schalden door een droom over de Frye Boys.

Isaac Bell schrok wakker uit zijn eerste diepe slaap sinds hij uit New York vertrokken was. De couchette helde over en hij hoefde niet uit het raam te kijken om te weten dat ze het hoogste punt van de Sierra Nevada gepasseerd waren en nu aan de afdaling naar Sacramento Valley begonnen. Nog vijf uur rijden naar San Francisco. Hij stapte uit bed en kleedde zich snel aan. Aan Arnold Bennetts rol als beschermer van Harold en Louie had hij nooit getwijfeld, maar nu bedacht hij dat het anders kon zijn. Als de schrijver wel een Britse spion was? En zich evenals Abbington-Westlake verschool met zijn geestige opmerkingen?

De trein stopte in Sacramento. Bell liep snel naar het telegraafkantoor en stuurde een bericht naar New York. Zou Bennett de twee Chinezen gerecruteerd hebben? En had hij het tweetal opdracht gegeven zich als theologiestudenten voor te doen? Bell besefte opeens dat Arnold Bennett heel goed de spion kon zijn, de aanvoerder van een hele groep.

* * *

Katherine Dee vloekte hartgrondig.

Als een zeeman, lachte ze, duizelig van te weinig slaap. De wind en opspattend buiswater hinderden haar bij het cocaïne snuiven, om wakker te blijven tijdens de laatste uren van de reis uit Newport. Ze kon de kust niet zien, maar het geluid van de branding maakte duidelijk dat die niet ver was.

Ze had de zwaarbeladen boot langs de zuidelijke oever van Long Island gestuurd, en bij het eerste daglicht zou ze langs Montauk Point bij Fire Island Inlet komen. Ze koerste, alleen gezien door enkele vissers, door de vaargeul tussen de zandbanken. In de baai achter de zandbanken verdween de oceaandeining en ze volgde een geul, gemarkeerd met staken, uitkijkend naar een herkenningspunt op Long Island, vijf mijl voorbij de baai. Toen ze het zag zeilde ze over het kabbelende water van Great South Bay naar een wit landhuis met een rood dak. Staken markeerden de toegang naar een pas gegraven kanaal met een geteerde houten beschoeiing.

De boot gleed over het heldere water van het kanaal.

Het botenhuis was bekleed met nieuwe houten shingles. Het dak was hoog en de lage mast van de boot kon door de opening. Katherine Dee streek het zeil en liet de boot drijven. Ze had de afstand goed ingeschat. De boot bleef stil liggen, zo dicht bij de kant dat ze een landvast om een paal kon werpen. Ze trok de lijn aan en met de achtersteven eerst gleed de boot onder het dak.

Een man verscheen door een deur aan de landzijde.

'Waar is Jake?'

'Hij probeerde mij te kussen,' zei Katherine afwezig.

'Heus?' zei hij op een toon als hij wilde zeggen: Je bent een meisje, wat had je anders verwacht, samen op een boot op open zee. 'Maar waar is hij nu?'

Ze keek hem recht aan. 'Een haai sprong aan boord en heeft hem verslonden.'

Hij zag haar starre glimlach en de ijzige blik in haar ogen. Hij wist met welke mensen ze omgang had, en hij besloot dat Jake zijn verdiende loon had gekregen. Het interesseerde hem niet wat er precies gebeurd was. Hij hield een rieten mand omhoog. 'Ik heb eten voor je meegebracht.'

'Bedankt.'

'Het is genoeg voor twee, want ik wist niet dat...'

'Mooi, ik heb echt honger.'

Ze at alleen. Daarna spreidde ze haar slaapzak uit op het canvas dat de lading bedekte en ze ging meteen slapen, er zeker van dat Brian O'Shay trots op haar zou zijn. De explosie bij de torpedofabriek maskeerde de diefstal van de vier experimentele elektrische torpedo's, die uit Engeland waren geïmporteerd voor onderzoek. Met een lading TNT, zoals bedacht door de briljante Ron Wheeler, hadden de torpedo's een tien keer zo grote vernietigende kracht als het Engelse ontwerp. En niemand bij het torpedostation van de marine in Newport besefte dat deze vier torpedo's niet ontploft waren maar verdwenen.

38

'Daar hebben we Bell! Mooi, dan kunnen we toch nog afscheid nemen.'

Bell stapte weer in de trein, voor de laatste honderdvijftig kilometer naar San Francisco, en hij zag verbaasd dat Arnold Bennett en de twee Chinezen hun bagage gereed hadden staan in de corridor, terwijl ze toch treinkaartjes hadden naar San Francisco.

'Ik dacht dat jullie op weg waren naar San Francisco?'

'We zijn van gedachten veranderd, toen we die boomgaarden en velden met bessenstruiken zagen.' De trein reed door een landschap waar overal aardbeien werden geoogst door fruitplukkers met strohoeden. 'We stappen wat eerder uit, in Suisun City. Daar stappen we over op de trein naar Napa Junction. Een oude schoolvriend van mij heeft daar een boerderij. Hij heeft een wijngaard aangelegd en kweekt druiven. We zullen daar uitrusten van de vermoeienissen van de reis, hoe mooi die ook was, voordat we doorreizen naar San Francisco. Ik heb een idee voor een artikel in *Harper's* en de jongens kunnen dan wat frisse lucht op het platteland inademen, voordat ze het Woord van God naar China brengen.'

Bell dacht snel na. In gedachten zag hij de grote baaien bij San Francisco, afgeschermd van de oceaan door schiereilanden. Van Suisun City liep de spoorlijn dertig kilometer in zuidwestelijke richting naar de Benicia Ferry, die met de treinwagons aan boord door de smalle Carquinez zeestraat naar Port Costa voer. Het laatste traject

293

voerde langs San Pablo Bay naar Oakland Mole, waar de passagiers met een veerboot over de San Francisco Bay naar het stadscentrum werden gebracht.

Dertig kilometer ten noorden van de stad, aan de overkant van San Pablo Bay, was de marinewerf op Mare Island. De belangrijke werf aan de westkust had een lange historie van bouwen, repareren en moderniseren van oorlogsbodems en onderzeeboten. Napa Junction was met Suisun City verbonden via een lokale spoorlijn, amper acht kilometer noordelijk van de marinewerf.

Bennett en de Chinezen zouden dicht bij de werf komen, waar de Grote Witte Vloot bevoorraad werd met proviand, drinkwater en munitie uit de magazijnen.

'Is dat niet toevallig?' vroeg Isaac Bell.

'Wat bedoelt u?'

'Ik reis met dezelfde trein.'

'Waar is uw bagage?'

'Ik heb geen koffers.'

De Overland Limited arriveerde met tien minuten vertraging in Suisun City. De trein naar Napa Junction kon elk moment vertrekken, want de stoomfluit loeide. Bell griste enkele telegrammen die voor hem gereed lagen van een bureau in het telegraafkantoor en sprong in de trein. Het was een lokale boemeltrein, met twee wagons en boven het achterbalkon was een gestreept doek aangebracht. Er zaten enkele reizigers in de achterste wagon, met in het midden Arnold Bennett die een verhaal begon te vertellen. Hij onderbrak zijn betoog en wees naar een vrije zitplaats. 'Kom erbij zitten, dan vertel ik over het enten en veredelen van druivenrassen.'

Bell wuifde met de telegrammen in zijn hand en maakte aanstalten om weer naar het balkon te gaan en daar de berichten ongestoord te lezen. 'Ik kom dadelijk. Als ik de nieuwe instructies van het hoofdkantoor heb gelezen.'

Bennett lachte joviaal en riep Bell na: 'Maar het is toch duidelijk dat de chef alleen wil dat er nog meer verzekeringspolissen worden verkocht?'

De trein reed door een gebied met zilte moerassen en de koele vochtige windvlagen onder het afdak geurden naar de zee. De wind bewoog het touw van de noodrem telkens tegen de wand en deed het dunne telegrampapier krullen.

De afdeling onderzoek had nog geen bericht uit Duitsland over de identiteit van het schoolmeisje dat als verzorgster van Riker diende. En dat een reactie zo lang uitbleef was een bewijs dat Joe Van Dorn gelijk had met zijn plannen om ook vestigingen in Europa te beginnen.

Er was wel informatie gevonden over de dood van Erhard Rikers vader, in 1902 tijdens de Boerenoorlog. Smuts, de aanvoerder van de Transvalen, had een snelle aanval bevolen op de spoorweg naar de kopermijn bij Port Nolloth, waar Riker senior speurde naar een ertsader met diamanten. Riker had dekking gezocht in een Britse seinpost langs de spoorbaan, toen de Boeren aanvielen met explosieven.

Het derde telegram was verstuurd door James Dashwood.

RIKER GEARRIVEERD IN L.A.

NU OP WEG NAAR SAN DIEGO.

LIJFWACHT PLIMPTON ARGWANEND.

JD PER ABUIS AANGEZIEN VOOR JUWELENHANDELAAR.

LIJFWACHT OVERTUIGD DAT JD EEN REIZENDE ZEDEPREKER IS.

Bell grijnsde. Dash had zijn eigen stijl van telegraferen. Maar de grijns verdween meteen toen hij het laatste telegram las: dat begon met de waarschuwing: JMW. Je Moet Weten.

JMW:

ARNOLD BENNETT THUIS IN PARIJS.

'Wat?' zei Bell hardop. Hij keek door de glazen deur naar de man met zijn tweed colbert die beweerde dat hij Arnold Bennett was. Bell keek weer naar het telegram.

AUTEUR NIET – HERHAAL: NIET – AAN BOORD OVERLAND LIMITED.

SF VD AGENTEN WACHTEN OP TREIN BIJ BENICIA VEERPONT.

Het was een verrassend bericht en Isaac Bell was er blij mee. Nu wist hij eindelijk wie hij schaduwde. De man die zich voordeed als Arnold Bennett spande samen met de Chinezen, en waarschijnlijk ook met hun baas, die vermoedelijk opdracht had gegeven aan de roodharige jongedame om Scully te vermoorden, toen de detective had ontdekt dat er een connectie met Chinatown was.

Bell had in elk geval nog een voorsprong, want zijn tegenstanders wisten niet dat hij deze informatie had.

'Meneer Bell?'

Bell keek op van het telegram en recht in de loop van een pistool.

39

'Louis, we hadden toch afgesproken dat je dat ding in je koffer zou laten?'

Harold stond achter Louis en haalde ook een wapen onder zijn jas vandaan.

'Je stelt me ook teleur, Harold. Dat is geen bijbel. Het is zelfs geen traditionele strijdbijl, maar een vuurwapen zoals elke zichzelf respecterende Amerikaanse crimineel graag bij zich heeft.'

Het Engels van Louis was opeens accentloos en zijn houding was arrogant.

'Ga op de rand van het platform staan, meneer Bell. Draai uw rug naar ons. En het pistool in die schouderholster blijft daar. Waag het niet de derringer in uw hoed te pakken. En grijp ook niet naar het mes in uw laars.'

Bell keek langs Louis door de trein. Achter in de wagon hield de valse Arnold Bennett druk pratend en met weidse armgebaren de aandacht van de overige passagiers vast. De wielen van de trein ratelden zo luid dat Bell het lachen in de wagon niet hoorde.

'Voor een theologiestudent heb je ongewoon veel kijk op wapens, Louis. Maar besef je wel dat er getuigen zijn die schoten horen als je mij neerschiet?'

'We schieten als we daartoe gedwongen worden. En daarna doden we de getuigen. U weet ongetwijfeld dat Aziaten en Mongolen geen eerbied voor menselijk leven hebben. *Omdraaien!'*

Bell keek over zijn schouder. De leuning was laag. De spoorbaan schoot met een snelheid van negentig kilometer per uur onder de trein door: een warreling van stalen rails, bielzen en grind. Als hij zich omdraaide zouden ze zijn schedel inslaan met een van de wapens, of een mes in zijn rug steken en hem over de reling gooien.

Hij opende zijn hand.

De telegrammen dwarrelden door de lucht en werden door de rijwind in Louis' gezicht geblazen. Bell stak zijn armen omhoog, greep de rand van het afdak, hij boog zijn knieën en trapte naar Harolds hoofd. Harold dook opzij, in de richting die Bell wilde, en zo werd de weg vrij naar de rode hendel van de noodrem.

De laatste twijfels of de twee wel theologiestudenten waren verdwenen toen Bells hand bijna de hendel van de noodrem kon grijpen. Louis haalde uit met het pistool en sloeg de pols van Bell weg van de hendel. Bell negeerde de scherpe pijn in zijn rechterpols en gebruikte zijn linkervuist. Met een krakende slag raakte hij Louis zo hard op zijn voorhoofd dat de man door zijn knieën zakte.

Maar Harold had zich hersteld. Zijn kracht en gewicht concentrerend als een getrainde worstelaar zwaaide de tengere Chinees met zijn pistool en de loop sloeg tegen Bells hoed. De dikke viltlaag en de ijzeren band in de hoed absorbeerden de klap, maar Bell verloor wel zijn evenwicht. Hij zag het afdak boven zich rondtollen en dan de hemel. Hij tuimelde over de leuning en viel. Alles leek vertraagd te gebeuren. Hij zag de bielzen, de wielen, het onderstel van de wagon en de treden naast het balkon. Met beide handen greep hij de bovenste tree. Zijn laarzen raakten de bielzen. Heel even probeerde hij achterwaarts te draven met negentig kilometer per uur, om zich dan op te trekken, en hij kon zijn voeten op de onderste trede zetten.

Harolds pistool daalde neer en leek de hemel te vullen. Bell graaide langs het wapen en greep Harolds pols. Hij trok uit alle macht. De gangster vloog over hem heen en smakte tegen een telegraafpaal. Zijn lichaam kromde als een hoefijzer om de paal.

Zich vastklampend met een hand probeerde Bell zijn pistool te trekken. Voordat hij het wapen had gepakt voelde hij de loop van Louis' wapen tegen zijn hoofd gedrukt. 'Nu is het jouw beurt!'

40

Bell zette zich schrap en keek langs de voorbijrazende spoorbaan. Vanaf zijn gevaarlijke positie naast de trein kon hij verder vooruit kijken dan Louis. Naast de spoorbaan was een steil talud met een eindeloze reeks telegraafpalen en bomen die even dodelijk als de palen waren. Maar verder naar voren was een open veld waar schapen graasden. Prikkeldraad vormde de afrastering om de schapen van de rails te houden. Hij moest over de afrastering als hij een kans wilde hebben om de sprong te overleven. Maar eerst moest hij vijf seconden tijd rekken, tot de trein ter hoogte van het veld met de schapen was.

Bell schreeuwde boven het geraas van de wind en de wielen: 'Ik weet je te vinden, Louis!'

'Als je dit overleeft,' reageerde Louis schamper.

'Ik geef nooit op,' zei Bell, om tijd te rekken. De trein was bijna naast het open veld. De helling bleek steiler dan gezien vanuit de verte.

'Je laatste kans, Bell. Spring!'

Bell probeerde nog een seconde tijd te rekken. 'Nooit!'

Op dat moment zette hij zich af in een wanhopige poging over het prikkeldraad te springen. Te laag. Hij miste een telegraafpaal op een handbreedte. De bovenkant van het prikkeldraad kwam in de richting van zijn gezicht. De rijwind van de voortrazende trein tilde hem op en hij vloog over het prikkeldraad. Bell viel in het gras, en hij trok zijn armen en benen in om als een bal verder te rollen, niet in staat iets op zijn pad te ontwijken. Opeens was er iets voor hem en hij sloeg ertegenaan.

De schok trok door elke vezel van zijn lichaam. Pijn en duisternis in zijn hoofd. Vaag was hij zich bewust dat zijn armen en benen zich uitstrekten en hij als een vogelverschrikker door het gras rolde. Hij had geen kracht meer om zijn ledematen in te trekken. De duisternis werd dieper. Na een paar tellen voelde hij dat hij stillag. Zijn hoofd bonkte en de aarde onder hem beefde. Toen sloot de duisternis zich rond hem en hij bleef roerloos liggen.

Het bonken verstomde en Bell besefte dat de duisternis verdween. Hij staarde naar de hemel, al zag hij in gedachten een weide met schapen. Zijn hoofd deed pijn. De zon was een uur verder naar het westen verschoven. En toen hij overeind kwam en rechtop ging zitten zag hij echte schapen, allemaal vredig grazend, behalve een schaap dat in de verte probeerde overeind te komen.

Bell wreef over zijn hoofd, en voelde daarna of hij iets gebroken had, maar hij constateerde geen breuk. Hij kwam duizelig overeind en liep naar het schaap dat misschien gewond was en uit zijn lijden verlost moest worden. Het schaap krabbelde op en voegde zich hinkend weer bij de kudde. 'Het spijt me, ik wilde niet tegen je aan botsen, maar ik ben toch blij dat het gebeurde,' mompelde Bell voor zich uit.

Hij ging op zoek naar zijn hoed.

Toen hij een trein hoorde naderen ging hij midden op de spoorbaan staan. Hij bleef staan, tot de locomotief vlak voor hem tot stilstand kwam. De machinist kwam met een roodaangelopen gezicht uit zijn cabine en riep: 'Wie denk jij wel te zijn!?'

'Detective, in dienst bij Van Dorn,' antwoordde Bell. 'En ik ben op weg naar Napa Junction.'

'En daarom doe jij of je de eigenaar bent van deze spoorlijn?'

Bell knoopte de binnenzak van zijn met grasvlekken bevuilde jasje open en toonde de meest indrukwekkende pasjes van spoorwegmaatschappijen. 'In zekere zin is dat zo,' zei hij kalm. Wankelend liep hij naar de cabine en beklom de treden.

Bij Napa Junction rapporteerde de stationschef: 'De Engelse geestelijke en zijn Chinese missionaris zijn in de trein naar St. Helena gestapt.'

'Wanneer vertrekt de volgende trein?'

'Om drie minuten over drie.'

'Wacht even…' Bell zocht steun aan de balie. 'Wat zei u?' Weer tolde een veld met een kudde schapen door zijn hoofd. *'Geestelijke?'*

'Ja. De eerwaarde J.L. Skelton.'

'Niet een auteur? Een journalist?'

'Wanneer zag u voor het laatst een krantenman met een ronde priesterboord?'

'En hij vertrok in noordelijke richting?' Dat was de tegenovergestelde richting van Mare Island.

'Ja, naar het noorden.'

'En was die Chinese student bij hem?'

'Ik heb u al verteld dat hij twee kaartjes naar Mount Helen kocht.'

'Heeft u gezien dat ze beiden in de trein stapten?'

'Ja, ik zag hen instappen. Ik zag de trein wegrijden. En ik kan u ook verzekeren dat die trein niet terug kwam.'

'Wanneer vertrekt de volgende trein naar het zuiden?'

'De trein naar Vallejo is net weg.'

Bell keek om zich heen. 'Waar gaat dat spoor heen?' Bell zag bovenleiding boven de rails. 'Is dat een lokale lijn?'

'Dat is het spoor van de Napa-Vallejo en de Benicia Railroad,' antwoordde de stationschef. Laatdunkend voegde hij eraan toe: 'Dat is een trammetje.'

'Wanneer vertrekt de volgende tram naar Vallejo?'

'Geen idee. Ik weet niets van die maatschappij.'

Bell gaf de stationschef zijn visitekaartje en een biljet van tien dollar. 'Als die dominee weer gezien wordt op dit station, stuur me dan een telegram. Adresseer het aan de commandant van Mare Island.'

De stationschef stopte het halve weekloon in zijn zak. 'En ik neem aan dat ik tegen die dominee moet zeggen dat ik u nooit gezien heb?'

Bell gaf de man nog een biljet van tien dollar. 'U haalt de woorden uit mijn mond.'

Hij wachtte bij de halte van de lokale tram. Zijn hoofd tolde nog, toen een rode vierpersoons Stanley Steamer met gele wielen voorbij zoefde. Het voertuig leek splinternieuw, maar er waren modderspatten op de bronzen koplampen.

'Hé!'

Bell draafde achter de auto aan. De jonge bestuurder stopte en toen hij zijn stofbril afzette leek hij betrapt. Bell vermoedde dat de knaap de auto van zijn vader 'geleend' had.

'Ik wil wedden om twintig dollar dat dit ding niet harder dan negentig kilometer per uur gaat.'

'Dan verliest u.'

'Het is negen kilometer naar Vallejo. Ik wil twintig dollar verwedden dat je daar nooit binnen zes minuten bent.'

Bell zou de weddenschap verliezen, maar drie kilometer voor Vallejo raasden ze met piepende banden door een bocht en meteen moest de bestuurder uit alle macht remmen. De weg was geblokkeerd door een groepje mannen die een geul hadden gegraven om een afwateringspijp te leggen. 'Hé!' riep de chauffeur. 'Hoe komen wij in Vallejo?'

De voorman zat in de schaduw van een paraplu en wees naar een zijweg die ze even eerder gepasseerd waren. 'Over de heuvel.'

De chauffeur keek Bell aan. 'Dat is niet eerlijk. Over die heuvelweg kan ik nooit negentig rijden.'

'We zullen daar wel een handicap voor berekenen,' zei Bell. 'Ik denk dat je deze race wel kunt winnen.'

De chauffeur schakelde in de eerste versnelling en de Stanley reed vlot langs de hellende weg omhoog. Ze passeerden een klein plateau en de weg steeg daarna nog verder. Op het hoogste punt zag Bell een adembenemend panorama. De stad Vallejo lag in de diepte en de rechte straten met huizen en winkels strekten zich uit tot aan het blauwe water van San Pablo Bay. Rechts was Mare Island, met hoge radiozendmasten, zoals Bell eerder ook had gezien bij de marinewerf in Washington. In de verte zag hij zwarte rookpluimen oprijzen, achter Point San Pablo, dat de San Francisco Bay scheidt van San Pablo Bay.

'Stop de auto,' commandeerde Bell.

'Maar dan verlies ik tijd.'

Bell gaf de bestuurder twintig dollar. 'Je hebt al gewonnen.'

Een rij witte oorlogsschepen kwam rond een landtong in beeld. Bell herkende de silhouetten, omdat hij de illustraties die van Henry Reutendah's schilderijen waren gemaakt had gezien in een maandenlange serie van *Collier's*. Het vlaggenschip was de Connecticut, met drie schoorstenen, vooraan varend en gevolgd door de Alabama, met twee schoorstenen naast elkaar, en daarachter voer de kleinere Kersage. De laatste in de rij was de Virginia.

De jonge bestuurder slaakte een bewonderende kreet. 'Zeg, waar gaan die schepen heen? Ze zouden toch ankeren voor de stad?'

'Ze varen naar Mare Island, voor onderhoud en om de voorraden aan te vullen.'

* * *

De jongeman zette Bell af in een straat met veel kledingateliers die vooral marineofficieren als klant hadden.

'Wat kost het om nu meteen een nieuw kostuum voor mij te maken?'

'Mijn personeel is heel vakkundig, meneer,' zei de eigenaar van het atelier. 'Vijftig dollar als het snel klaar moet zijn.'

'Ik betaal honderd dollar, als iedereen hier meehelpt en het over twee uur klaar is.'

'Akkoord, en dan zullen we uw hoed gratis reinigen.'

'Ik zou graag gebruik maken van uw wasruimte en daarna wil ik in een stoel zitten en mijn ogen sluiten.'

In de spiegel boven de wastafel zag hij dat zijn pupillen groot waren: misschien had hij een lichte hersenschudding opgelopen.

Bell waste zijn gezicht, ging in een fauteuil zitten en viel in slaap. Een uur later werd hij wakker van de geluiden van een eindeloze rij wagens en vrachtauto's die op weg waren naar de veerkade om naar Mare Island te varen. Op elke vierde truck stond in witte blokletters: T. WHITMARK. Ted deed goede zaken met het provianderen van de vloot.

De kleermaker hield woord. Twee uur nadat hij in Vallejo was gearriveerd stapte Bell van de veerboot Pinafore en hij zette voet aan wal op Mare Island, waar de marinewerf was. Amerikaanse mariniers sprongen in de houding bij de poort. Bell toonde de pas die Joseph van Dorn had bemachtigd bij de minister van marine.

'Breng mij naar de commandant.'

De commandant had een bericht voor Bell, verstuurd vanuit het treinstation bij Napa Junction.

* * *

'Mijn gastheren organiseren meestal een ontvangst nadat ik gepreekt heb,' zei de bezoekende Engelse geestelijke J.L. Skelton.

'Op Mare Island doen wij de dingen anders,' zei de commandant. 'Deze kant op, eerwaarde.'

De commandant greep de elleboog van de geestelijke en leidde hem door een kapel met glas-in-loodvensters. Hij duwde de deur open van de werkkamer van de marine-aalmoezenier. Achter een sober bureau kwam Isaac Bell overeind, smetteloos in het wit gekleed.

Skelton werd doodsbleek. 'Wacht eens even, heren, dit is niet...'

'U deed zich voor als auteur in de trein,' zei Bell. 'En nu doet u zich valselijk voor als geestelijke.'

'Nee, ik behoor echt tot de geestelijkheid. Vroeger in elk geval. Ik ben ontslagen, weet u. Een paar misverstanden, gelden van de kerk, een jongedame... U begrijpt me wel.'

'Waarom deed u zich voor als Arnold Bennett?'

'De mogelijkheid deed zich voor, en die kans wilde ik grijpen.'

'Kans?'

Skelton knikte heftig. 'Ik zat helemaal klem. In New York werd ik opgejaagd door lieden uit Engeland. Ik moest de stad wel verlaten, en die klus kwam heel goed van pas.'

'Wie heeft u die klus opgedragen?' wilde Bell weten.

'Hoezo? Louis Loh uiteraard. En die ongelukkige Harold. Ik vermoed dat hij niet meer onder de levenden is.'

'Waar is Louis Loh?'

'Dat weet ik niet zeker.'

'U kunt dat maar beter wel zeker weten,' zei de commandant met bulderende stem. 'Anders laat ik de waarheid wel uit u slaan.'

'Dat zal niet nodig zijn,' zei Bell. 'Ik ben er van overtuigd dat...'

'Zwijg, meneer!' zei de commandant botweg Bell onderbrekend zoals ze dat eerder hadden afgesproken. 'Dit is mijn scheepswerf en ik behandel criminelen zoals ik dat wil. Waar is die Chinees? Geef antwoord, en vlug een beetje, anders roep ik de bewaking.'

'Meneer Bell heeft gelijk, dat is niet nodig. Dit is allemaal een groot misverstand en...'

'Waar is die Chinees?'

'Ik zag hem voor het laatst gekleed als Japanse fruitplukker.'

'Fruitplukker? Wat bedoel je?'

'Zoals de plukkers die we vanuit de trein zagen, bij Vaca. Bell heeft ze ook gezien. Er zijn hele dorpen waar alleen Japanners wonen en die hebben werk als fruitplukker. Aardbeien, bessen, en zo...'

Bell keek naar de commandant, die bevestigend knikte.

'Hoe was hij gekleed?' vroeg Bell.

'Strohoed, geruit shirt, en een tuinbroek.'

'Was het een blauwe tuinbroek?'

'Ja, gewoon als een Japanse fruitplukker.'

Bell wisselde een blik met de commandant. 'Zijn er vruchtbomen op het eiland?'

'Natuurlijk niet. Dit is een scheepswerf.'

Bell zei: 'Eerwaarde, u krijgt de kans niet de rest van uw leven in de gevangenis door te brengen. Geef heel zorgvuldig antwoord. Waar zag u Louis Loh als fruitplukker?'

'In de rij.'

'Welke rij?'

'De karren die in de rij stonden voor de veerboot.'

'Zat hij op een kar?'

'Hij bestuurde een wagen, dat is toch duidelijk?'

Bell liep naar de deur. 'Dus hij was vermomd als Japanse boer en hij leverde fruit?'

'Welke soort fruit?'

'Aardbeien.'

* * *

'Doorrijden! Jij stomme Mongool!' schreeuwde een marinier die de oprit naar de veerboot bewaakte waar sjouwers de voorraden en proviand aan boord van de schepen brachten. 'Laat je pas zien!'

'Alstublieft, meneer,' zei Louis Loh en met neergeslagen ogen gaf hij zijn pas aan de marinier. 'Die heb ik al getoond op de veerboot.'

'Hier moet je ook je pas laten zien. Wat mij betreft werden er helemaal geen Jappen toegelaten op Mare Island, in bezit van een pas of niet.'

De marinier keek fronsend naar het document en mompelde: 'Aziaten die wagens mennen. De boeren hebben het maar moeilijk.' Hij liep traag om de kar pakte een aardbei uit een van de kratten en stopte de vrucht in zijn mond. Een sergeant kwam aanlopen. 'Wat is dit voor oponthoud?'

'Ik controleer deze Jap, sergeant.'

'Er staan wel honderd wagens te wachten. Laat hem doorrijden.'

'Je hebt het gehoord, domme Mongool. Wegwezen hier.' De marinier gaf met zijn vlakke hand een klap op de rug van de muilezel en het dier sprong vooruit, zodat Louis Loh bijna van de kar tuimelde. De weg was geplaveid met keien en leidde langs pakhuizen en werkplaatsen. Na een kruising met rails splitste de weg zich en Louis gaf een ruk aan de teugels. De muilezel die achter de andere wagens sjokte gehoorzaamde en liep in de andere richting.

Loh's hart bonsde in zijn keel. Op de plattegrond die hij had gekregen stond aangegeven dat het magazijn aan het einde van de weg was, bij de waterkant. Hij reed de kar rond een werkplaats en zag in de verte een stenen gebouw, met getraliede vensters en bruine dakpannen. Het dak en de blauwe San Pablo Bay deden hem opeens denken aan zijn geboortestad Canton, aan de zuidkust van China. Opeens voelde hij hevig heimwee en zijn vastberadenheid smolt weg. Er waren zoveel mooie dingen die hij nooit meer zou zien.

Karren werden uit de magazijnen gereden, naar een lange pier waar het glanzend witte vlaggenschip Connecticut lag afgemeerd. Hij was dicht bij zijn doel. Voor hem was nog een wachtpost met mariniers. Hij tastte onder de zitting en trok aan een touw. Hij meende het tikken van de wekker te horen onder de aardbeien, maar het geluid werd gedempt door de vaten met explosieven onder het fruit. Hij was dicht bij zijn doel, maar kon hij nog veel dichterbij komen, voordat hij werd tegengehouden?

Hij hoorde het geronk van een zware motor achter zich en het knarsen van een kettingaandrijving. Het was een vrachtwagen, volgeladen met roodwitte vaten Coca-Colastroop. Was hij per ongeluk gevolgd uit de rij wagens met proviand? In elk geval maakte de aanwezigheid van een tweede wagen hem minder opvallend. Er werd geclaxonneerd en de vrachtauto passeerde hem, om een seconde later te stoppen, met gierende banden op de keien. De grote auto slipte opzij en blokkeerde de weg met aan weerskanten een diepe greppel. Loh kon onmogelijk langs de vrachtwagen, en hij had het ontstekingsmechanisme van de explosieven al geactiveerd.

Louis riep naar de chauffeur: 'Kunt u opzij gaan, want ik moet een lading afleveren.'

Isaac Bell sprong uit de cabine en greep het bit van de muilezel. 'Hallo Louis,' zei Bell.

Louis Loh's angst en heimwee verdwenen als mist door een windvlaag. De ijzige werkelijkheid drong tot hem door. Hij tastte weer onder de zitting en trok aan een tweede koord. Daarmee werd een reeks voetzoekers aangestoken onder de dissel van de wagen. Een serie felle knallen deed de muilezel steigeren en Bell werd op de grond gesmeten. De ezel sprong in paniek in de greppel, de wagen meesleurend. De wagen kantelde en de aardbeien en explosieven rolden in alle richtingen. Het trekdier brak los en begon te draven, maar niet voordat Loh, die zag dat alles verloren was, op de rug van het dier sprong. Bokkend en steigerend probeerde de muilezel tevergeefs Loh af te werpen, maar de Chinees dwong het dier naar het water te draven.

Isaac Bell zette de achtervolging in over een veld dat werd begrensd door de smalle strook zee tussen Mare Island en Vallejo. De muilezel bleef met een ruk staan en Louis Loh werd over het dier gekatapulteerd. De Chinees rolde door het gras, krabbelde snel overeind en rende verder. Bell volgde hem. Opeens deed een zware explosie de aarde trillen. Bell keek om. Coca-Colavaten vlogen door de lucht. De kar was verdwenen en de vrachtauto stond in brand. De mariniers bij de wachtpost en sjouwers op de kade draafden naar de vuurzee. De Connecticut en het stenen magazijn waren niet beschadigd door de explosie.

Bell achtervolgde Louis Loh die naar een pier rende. Langs de pier lag een stoomsloep afgemeerd. Een matroos kwam uit de kajuit van het kleine vaartuig en probeerde de Chinees tegen te houden. Maar Louis Loh wist hem te ontwijken en dook in het water. Toen Bell bij de pier kwam zag hij Loh in de richting van Vallejo zwemmen.

Bell rende naar de sloep. 'Heb je stoomdruk?'

De matroos stond nog verdwaasd op de pier. 'Jawel, meneer.'

Bell haalde de landvasten voor en achter van de bolders.

'Hé! Wat gaat u doen?' De matroos sprong in de sloep en stormde naar Bell. 'Stop!'

'Kun je zwemmen?' vroeg Bell.

'Jazeker.'

'Tot ziens.'

Bell greep de arm van de matroos en duwde hem overboord. Door de getijstroom werd de sloep weggetrokken van de pier. Bell schakelde de schroef in en stuurde om de matroos heen. De man sputterde verontwaardigd: 'Waarom deed u dat? Laat me u helpen.'

Het laatste wat Bell wilde was hulp van de marine. Dan zou Louis door de mariniers gearresteerd worden en in een cel gesmeten. 'Dit is mijn zaak!' riep Bell naar de matroos in het water.

Louis werd door de stroming meegevoerd. Bell volgde hem op korte afstand, klaar om hem te redden als hij dreigde te verdrinken. Maar Louis was een geoefend zwemmer en met krachtige crawlslagen zwom hij verder.

De laatste honderd meter stuurde Bell de sloep vooruit en hij meerde af langs de pier. Hij wachtte op een bankje, met de handboeien gereed, tot Louis uit het water aan land kwam. De Chinees bleef hijgend staan en staarde ongelovig naar de rijzige detective. 'Steek je handen naar voren,' commandeerde Bell.

Louis trok een mes en met een verbazende snelheid voor iemand die doorweekt was en door de sterke stroming had gezwommen viel hij Bell aan. Bell weerde hem af en gebruikte de handboeien als boksbeugel. Louis viel op de grond, zo verdwaasd dat Bell zijn handen op de rug kon boeien. Bell trok hem overeind, verbaasd dat Louis zo licht was.

Bell leidde hem naar de pier waar de sloep was afgemeerd. Het was maar acht kilometer varen door Carquinez Strait van Vallejo naar Benicia Point, en daar kon het met een beetje geluk in een trein stappen, voordat de marine begreep wat er precies gebeurd was.

Maar voordat hij bij de pier was arriveerde een Mare Island veerboot en een groep mannen rende van boord.

'Daar is hij!'

'Grijp hem!'

De arbeiders hadden de explosie gehoord en de vaten door de lucht zien vliegen. Toen de mannen naar Bell en Louis renden kwam een tweede groep, bewapend met voorhamers en ijzeren staven en voegde zich bij de eerste groep. Ze versperden de weg naar de sloep voor Bell en zijn arrestant.

Er werd een gasbrander aangestoken. 'Verbrand die Jap. Een rechtbank hebben we niet nodig.'

Isaac Bell probeerde de mannen te kalmeren. 'Jullie kunnen hem niet verbranden, jongens.'

'Hoezo niet?'

'Hij is geen Jap. Hij is een Chinees.'

'Het zijn allemaal Mongolen – Aziatische koelies – en ze deugen geen van allen.'

'Toch kunnen jullie hem niet verbranden, want ik heb hem gearresteerd.'

'Jij?' De mannen begonnen woedend te joelen.

'Wie ben jij eigenlijk? Jij bent alleen, en wij met wel honderd man.'

'Honderd?' herhaalde Bell, en hij haalde snel de derringer uit zijn hoed en de Browning uit zijn jas. De beide lopen zwaaiden langs de mannen. 'Twee schoten met mijn linkerhand, en zeven met mijn rechterhand. Dus jullie zijn niet met honderd maar met eenennegentig man.'

Enkele mannen voor aan de groep deinsden achteruit en verdwenen tussen de andere omstanders. Maar hun plek werd ingenomen door anderen. Met een gezicht als graniet en ijskoude ogen keek Bell van man tot man, recht in hun ogen.

Er hoefde maar een van hen dapper te zijn.

'Nou? Wie is de eerste? Een van jullie, in de voorste rij?'

'Grijp hem!' riep een lange kerel uit de tweede rij.

Bell vuurde met de Browning. De man slaakte een kreet en viel op zijn knieën. Met beide handen greep hij naar zijn bloedende oor.

41

'Negenennegentig,' zei Isaac Bell.
De groep deinsde mompelend achteruit.

Een tram kwam aanrijden, met rinkelende bel om de mannen van het spoor te verjagen. Bell trok Louis Loh naar de tram.

'U kunt niet instappen,' protesteerde de trambestuurder. 'Die Jap is kleddernat.'

Bell hield de dubbelloops derringer voor het gezicht van de trambestuurder. 'Nergens stoppen. Doorrijden tot Benicia Terminal.'

De tram passeerde zonder te stoppen de vele haltes met wachtende passagiers en arriveerde tien minuten later bij de steiger van de Southern Pacific Ferry. Aan de overkant van de anderhalve kilometer brede zeestraat, bij Porta Costa, zag Bell de Solano, de grootste spoorpont ter wereld. Een locomotief met daarachter wagons van Overland Pullman Limited werd aan boord gereden. Bell trok Loh mee naar het kantoor van de stationschef, hij legitimeerde zich, kocht treinkaartjes voor de reis naar de andere kant van het continent en verstuurde daarna enkele telegrammen. De veerpont maakte de overtocht in negen minuten en na het afmeren werden de rails aan elkaar gekoppeld. De locomotief trok de voorste helft van de trein op de kade en een rangeerloc duwde de achterste vier wagons van de boot. Na tien minuten was de trein weer een geheel en stoomde weg van Benicia Terminal.

Bell vond zijn privécompartiment en met de handboeien maakte hij

Loh vast aan een metalen buis. Toen de transcontinantale trein met hoge snelheid door de vallei van de Sacramento River reed begon Louis Loh eindelijk te spreken.

'Waar brengt u mij naartoe?'

'Louis, bij welke bende hoor jij?'

'Ik ben geen bendelid.'

'Waarom wekte je dan de indruk dat Japanners dat munitiedepot opbliezen?'

'Ik praat niet met u.'

'Dat doe je wel. Je vertelt mij alles wat ik wil weten. Wat je van plan was, en wie je opdracht gaf.'

'U begrijpt mij niet. Ik zal zwijgen, zelfs als u mij martelt.'

'Je hebt me al iets verteld, zonder het te beseffen.'

'Wat dan?'

De detective zweeg. Louis Loh had al duidelijk gemaakt dat hij anders was dan een gewone gangster. Bell geloofde niet dat deze Chinees de spion zelf was, maar Loh wist meer dan alleen over de sabotage-poging op Mare Island.

'U geeft me een voorsprong,' zei Loh.

'Hoezo?'

'Door te erkennen dat u niet dapper genoeg bent om te martelen.'

'Is dat bij Hip Sing wat dapperheid bepaalt?'

'Wat is Hip Sing?'

'Dat mag je mij vertellen.'

'Als de rollen omgekeerd zijn,' zei Louis Loh, 'en u mijn gevangene bent, dan zal ik u martelen.'

Bell strekte zich uit op de couchette en sloot zijn ogen. Hij had hoofdpijn en de schapen tolden nog voor zijn ogen.

'Ik zal eerst een hakmes gebruiken,' zei Loh. 'Vlijmscherp geslepen. Ik begin bij uw neus...'

Louis Loh beschreef hoe gruwelijk hij Bell zou mishandelen tot hij hoorde dat Bell snurkte.

De detective opende zijn ogen toen de trein stopte in Sacramento. Er werd op de deur van het compartiment geklopt. Bell liet de twee gespierde mannen van de beveiligingsdienst binnen. 'Breng hem naar de bagagewagon en boei hem aan handen en voeten. Een van jullie blijft voortdurend bij hem, en dan kan de ander slapen. Ik heb een Pullmancouchette voor jullie gereserveerd. Houd hem voortdurend in de gaten. Laat je niet afleiden door met het treinpersoneel te praten. Als hij een blauwe plek of een snijwond heeft, dan rapporteer je dat aan mij. Ik zal regelmatig komen controleren. We moeten vooral alert zijn als de trein ergens stilstaat.'

'De hele reis tot aan New York?'

'We moeten in Chicago overstappen.'

'Denkt u dat zijn kameraden hem willen bevrijden?'

Bell keek naar Loh om zijn reactie te peilen, maar de Chinees bleef onverstoorbaar. 'Hebben jullie vuurwapens?'

'Zelfladers, zoals u gevraagd heeft. En ook een wapen voor u.'

Bell keek weer naar Louis. 'Zo, wegwezen. Ik hoop dat je het leuk vindt, de komende vijf dagen in de bagagewagon.'

'U zult mij nooit dwingen tot praten.'

'Dat zullen we zien,' beloofde Bell.

* * *

Eersteklastreinkaartjes, een tweed kostuum passend bij een Engels auteur, een gouden zakhorloge, dure koffers en honderd dollar waren alles wat het de spion kostte om de uitgetreden geestelijke J.L. Skelton in te huren, vermomd als Arnold Bennett. Dat rapporteerde Horace Bronson, de chef van het kantoor in San Francisco, in een telegram dat in Ogden gereed lag voor Isaac Bell. Maar hoewel Skelton te horen kreeg dat hij tot een lange gevangenisstraf veroordeeld kon worden, had hij toch niet vrijuit gesproken. Skelton beweerde dat hij geen idee had waarom hij zich moest voordoen als de begeleider van twee zogenaamde theologiestudenten.

'Dat zwoer hij op een stapel bijbels,' had Bronson droog genoteerd. 'En hij wist ook niet waarom hij nog honderd dollar kreeg om zich weer voor te doen als dominee en een dienst te leiden in de kapel van Mare Island. Hij beweerde dat hij niet wist waarom Harold Wing en Louis Loh de indruk probeerden te wekken dat Japanners het munitiedepot op Mare Island wilden opblazen om de schepen van de Grote Witte Vloot te saboteren.' Horace Bronson geloofde Skelton. Isaac Bell ook. De spion wist heel behendig anderen het vuile werk te laten doen. Zelf bleef hij op grote afstand van de explosie, zoals ook bij de aanslag op Arthur Langner.

De pas die Loh had gebruikt om zijn wagen aan boord van de veerboot te krijgen bij de marinewerf zou een aanwijzing kunnen zijn. Maar het document was verbrand bij de explosie, evenals de wagen en de vrachtauto. De muilezel bleek een dag eerder gestolen in Vaca, en kon dus ook geen aanwijzing zijn. De bewakers die honderden karren en vrachtauto's hadden laten passeren konden geen nuttige informatie geven over de pas of de lading aardbeien.

Twee dagen later, toen de trein snel door Illinois reed, bracht Bell een krant uit Chicago naar Louis Loh. De gangster lag op een vouwbed in de donkere raamloze bagagewagon, met een pols en een enkel vastgeketend aan het metalen frame. De bewaker in de wagon zat te dommelen op een stoel. 'Ga koffie voor jezelf halen,' zei Bell, en toen de bewaker verdwenen was toonde hij de krant aan Loh. 'Vers van de pers. Nieuws uit Tokio.'

'Wat kan Tokio mij schelen?'

'De Japanse keizer heeft de Amerikaanse Grote Witte Vloot uitgenodigd voor een officieel bezoek.'

Het gezicht van Louis Loh leek meestal op een effen masker, maar veranderde even. Bell zag ook dat de man zijn schouders wat liet zakken, een teken dat hij teleurgesteld was en zijn hoop vervlogen zag dat de mislukte sabotagepoging toch op de een of andere manier een botsing tussen Japan en de Verenigde Staten zou veroorzaken.

Bell begreep het niet. Waarom kon het Loh iets schelen? Hij was al gearresteerd. Hij zou in de gevangenis verdwijnen, of ter dood veroordeeld worden. De beloning als zijn actie succesvol was zou hij nooit krijgen. Wat maakte het voor Loh uit? Tenzij hij het gedaan had om andere redenen dan geld.

'We mogen aannemen, Louis, dat de keizer de vloot niet zou uitnodigen als jij uit zijn naam de marinewerf op Mare Island had opgeblazen.'

'Waarom zou de keizer van Japan mij interesseren?'

'Dat wilde ik juist vragen. Waarom zou een Chinees bendelid willen dat de onenigheid tussen Japan en de Verenigde Staten groter wordt?'

'Loop naar de hel.'

'En voor wie deed je het? Wie gaf de opdracht, Louis?'

Louis Loh glimlachte spottend. 'Spaar je adem. Martel me. Ik zal niet praten.'

'We zullen wel een manier vinden,' beloofde Bell. 'In New York.'

Zwaarbewapende detectives van Van Dorn, geholpen door de spoorwegpolitie brachten Louis Loh van de Overland Limited door het La-Salle station naar de 20th Century Limited. Niemand probeerde Louis aan te vallen of zelfs te doden, wat Bell half verwacht had. Hij besloot Loh aan de zorg van de bewakingsdienst over te laten tot de 20th Century in New York was gearriveerd. En Bell bleef uit het zicht van Louis op Grand Central, waar een andere groep medewerkers van Van Dorn de gevangene met een vrachtauto naar de Brooklyn marinewerf bracht. Lowell Falconer was aanwezig om te regelen dat Louis de eerste nacht in een cel van het marinecomplex zou doorbrengen.

Bell wachtte op de kapitein bij zijn stoomjacht. De Dyname lag afgemeerd aan een pier, tussen de sleephelling van Hull 44 en een grote houten schuit en een zeegaande sleepboot. Op de schuit waren monteurs bezig een kooimast op te richten. Bell had het schaalmodel eerder gezien in de ontwerpstudio van Farley Kent.

Hoog daarboven stak de achtersteven van Hull 44 af tegen de blauwe hemel. De romp werd bekleed met platen en het geheel kreeg steeds meer het uiterlijk van een schip. Als deze oorlogsbodem nog maar half zo indrukwekkend werd als het ontwerp waaraan Alasdair MacDonald en Arthur Langner hadden gewerkt, dan zou de aanblik van deze achtersteven het laatste zijn wat de vijand zag, als hun schepen stuurloos en brandend op zee dreven.

Falconer kwam aan boord, nadat de gevangene in zijn cel was gebracht. Hij vertelde dat Louis voordat de celdeur gesloten werd had gezegd: 'Zeg tegen Bell dat ik nooit zal praten.'

'Hij zal wel praten.'

'Daar zou ik niet op rekenen,' waarschuwde Falconer. 'Toen ik in het

Verre Oosten was, werden opgepakte spionnen bijna levend gevild. Maar toch gaven ze geen kik.'

Bell en de kapitein stonden op het voordek toen de Dyname achteruit manoeuvreerde naar East River. De negen scheepsschroeven zoemden weer soepel en Bell vond het bijna spookachtig.

'Er is meer aan de hand met die Louis Loh,' peinsde hij hardop. 'Al weet ik niet precies waarom hij anders is.'

'Hij lijkt me niet bepaald snugger.'

'Toch wel,' zei Bell. 'Zijn houding is trots, alsof hij een missie heeft.'

* * *

'Voor de bendes in New York kan het op en neer gaan,' zei Harry Warren, en de kleine groep Van Dorn detectives knikte ernstig. 'De ene dag zijn ze machtig en de volgende dag liggen ze in de goot.'

De ruimte in het Knickerbocker hoofdkwartier was grijs van sigaren- en sigarettenrook. Een fles whisky die Isaac Bell had meegebracht ging rond.

'En wie ligt nu in de goot?' vroeg hij.

'De Hudson Dusters, de Marginals en de Pearl Buttons. De Eastmans hebben problemen, iets met de Monk Eastman in Sing Sing, en dat wordt nog verergerd door hun vete met de Five Pointers.'

'Er was laatst een fikse schietpartij onder het viaduct van Third Avenue,' merkte een detective op. 'Helaas werd niemand gedood.'

'In Chinatown,' vervolgde Harry, 'krijgt Hip Sing de overhand op On Leong. En de Gophers van Tommy Thompson worden machtiger in de West Side. Beter gezegd, dat wérden ze. Die schurken worden in het nauw gedreven, sinds jij de spoorwegpolitie achter hen aan stuurde omdat ze die kleine Eddie Tobin in een hinderlaag lokten.'

Er werd instemmend geknikt. Iemand zei: 'Het zijn de grootste schurken.'

'Ze hebben de Gophers zo van slag gemaakt dat de Hip Sing bende zelfs een nieuwe opiumkit heeft geopend, midden in het gebied van de Gopher Gang.'

'Niet zo snel,' waarschuwde Harry Warren. 'Ik heb Gophers gezien in een Hip Sing-kroeg ergens in het centrum. Daar was Scully ook, nietwaar, Isaac? Ik krijg de indruk dat er iets gebeurt tussen de Hip Sing en de Gophers. Misschien had Scully dat ook opgemerkt.'

Weer klonk instemmend gemompel. Anderen hadden ook geruchten opgevangen.

'Maar niemand kan me iets vertellen over Louis Loh?'

'Dat zegt niet veel, Isaac. Criminelen in Chinatown zijn nu eenmaal erg zwijgzaam.'

'En beter georganiseerd. Ze zijn ook slimmer.'

'Ze hebben contacten met andere Chinatowns in dit land en in Azië.'

'Dat er internationale contacten zijn is interessant, omdat het om spionage gaat,' beaamde Bell. 'Toch klopt er iets niet. Waarom zouden ze twee mannen van New York helemaal naar de andere kant van het land sturen, terwijl ze ook Chinese gangsters konden gebruiken die in San Francisco actief zijn en het gebied goed kennen?'

Niemand antwoordde. De detectives zaten in een ongemakkelijke stilte die alleen verbroken werd door het tinkelen van de glazen of het afstrijken van een lucifer. Bell keek heen en weer langs de gezichten van Harry's ervaren team. Hij miste John Scully: die was altijd het meest scherpzinnig bij een vergadering over de stand van zaken.

'Waarom die hele verkleedpartij in de trein?' vroeg Bell zich hardop af. 'Daar is geen redelijke verklaring voor.'

De stilte duurde voort. 'Hoe gaat het eigenlijk met de kleine Eddie?' vroeg Bell.

'Nog altijd in het ziekenhuis.'

'Zeg hem dat ik zodra het kan bij hem op bezoek kom.'

'Ik betwijfel of hij dan beseft dat je bij hem bent.'

Harry Warren merkte op: 'Dat is ook zo eigenaardig. Waarom zouden de Gophers iets ondernemen om Van Dorn en zijn mensen uit te dagen?'

'Omdat ze dom zijn,' antwoordde een detective. Iedereen lachte.

'Maar zo dom zijn ze toch niet. Een kleine jongen molesteren is zinloos. De bendes vechten niet met mensen buiten hun kringen,' zei Harry Warren.

'Je zei dat het vreemd is dat de Iceman naar Camden ging,' zei Bell.

Harry knikte heftig. 'Inderdaad, Gophers blijven liever op hun eigen territorium.'

'En je zei ook dat Gophers geen waarschuwende berichten achterlaten of wraak nemen waardoor ze de woede van buitenstaanders opwekken. Is het mogelijk dat de spion hen betaalde om wraak te nemen, zoals hij ook de moordenaars betaalde om naar Camden te gaan?'

'Wie kan weten hoe spionnen redeneren?'

'Ik ken iemand die dat weet,' zei Bell.

* * *

Commandant Abbington-Westlake kwam met grote passen uit de Harvard Club, waar hij een gratis erelidmaatschap had losgepraat, en hij wenkte met een armgebaar een taxi. Een rode Darraq-taxi passeerde een man die voor de New York Yacht Club naar de chauffeur wenkte, en stopte naast de gezette Engelsman.

'Hé! Dat is mijn taxi!' riep de man.

'Kennelijk niet,' zei Abbington-Westlake hooghartig en hij stapte in de Darraq. 'Rijden, chauffeur, voordat die verongelijkte zeiler hierheen komt.'

De taxi reed snel weg. Abbington-Westlake gaf als bestemming Fifth Avenue en hij liet zich achterover zakken. Bij 59th Street zwenkte de taxi plotseling naar de ingang van Central Park. Driftig tikte de passagier tegen het glas voor hem.

'Nee, nee, ik ben geen toerist die een rondrit door het park wil. Als ik dat wilde dan had ik het wel gezegd. Rij nu rechtstreeks naar Fifth Avenue!'

De chauffeur sprong op de rem, zodat Abbington-Westlake naar voren schoot. Toen hij zich hersteld had zag hij de kille blik en de grimmige trek op het gezicht van Isaac Bell.

'Ik waarschuw je, Bell. Ik heb vrienden die mij te hulp komen.'

'Ik zal je geen welverdiende stomp op je neus geven omdat je mij een streek leverde met Yamamoto Kenta als ik antwoord krijg op een vraag.'

'Heb jij Yamamoto vermoord?' vroeg de Engelse spion geschrokken.

'Yamamoto stierf in Washington. Ik was op dat moment in New York.'

'Maar gaf je opdracht hem te vermoorden?'

'Ik ben niet zoals jullie spionnen,' zei Bell.

'Wat is de vraag?'

'Wie die spion ook mag zijn, volgens mij gedraagt hij zich vreemd. Bekijk dit eens.'

Bell liet het briefje aan Abbington-Westlake zien. 'Dit liet hij achter op het lichaam van mijn collega detective. Waarom deed hij dat?'

De Engelsman las de tekst snel. 'Kennelijk is het bedoeld als een waarschuwing.'

'Zou jij dat doen?'

'Ik heb geen behoefte aan kinderachtig gedoe.'

'Zou je een man doden uit wraak?'

'De weelde van wraak kunnen we ons niet veroorloven.'

'Maar als dreigement? Zodat ik mij bedenk?'

'Hij had je moeten doden. Dat is pas definitief.'

'Zou jij het doen?'

Abbington-Westlake glimlachte. 'Ik denk dat succesvolle spionnen ook onzichtbaar zijn. Het is veel beter een geheim plan te kopiëren dan het te stelen. Dan weet de vijand niet dat zijn geheim weg is. En als een tegenstander moet sterven, dan is het beter als het een ongeluk lijkt. Vallend puin kan een man vermorzelen, zonder dat het argwaan wekt. Maar als iemand met een hoedenpen gedood wordt, dan gaan alle seinen op rood.'

'Die hoedenpen is nooit in de krant vermeld.'

'Ach, je leest tussen de regels door,' reageerde de Engelsman. 'Ik zei het al bij onze ontmoeting in het Knickerbockergebouw: "Welkom in de echte wereld van spionage, meneer Bell." U heeft al veel geleerd. En u begrijpt inmiddels dat de ongrijpbare spion zich niet bepaald als een echte spion gedraagt.'

'Hij gedraagt zich eerder als een gangster,' zei Bell.

'En een detective is toch de aangewezen persoon om gangsters te vangen? Goedendag, meneer. Succes gewenst met uw speurtocht.' Hij stapte uit de taxi en liep weg in de richting van Fifth Avenue.

Bell reed snel terug naar Hotel Knickerbocker en stuitte op Archie Abbott.

'Ga mee naar de torpedofabriek in Newport.'

'Maar de jongens uit Boston zijn al...'

'Ik wil jou. Die aanslag bezorgt me een eigenaardig gevoel.'

'Wat is er dan?'

'Stel je eens voor dat het geen sabotage was, maar een beroving. Blijf daar tot je hebt ontdekt wat er gestolen is.'

Bell liep met Archie naar het Grand Central-treinstation en keerde daarna piekerend terug naar zijn kantoor. Abbington-Westlake had zijn vermoeden bevestigd. De spion was inderdaad vooral een gangster. Maar Commodore Tommy kon de spion niet zijn. De Gopher had zijn hele leven binnen de grenzen van Hell's Kitchen doorgebracht. Dus het antwoord moest bij Louis Loh gezocht worden. Die kon de spion zijn. Bell had opgemerkt dat Louis zich gedroeg alsof hij een duidelijk doel had. Het werd tijd vragen aan Loh te stellen.

Laat in de avond opende Bell de cel in het marinecomplex en liet Louis met zijn handen op de rug geboeid naar buiten komen. Louis was verrast dat hij niet in een auto moest stappen, maar met Bell naar de rivier moest lopen. Ze bleven staan bij de waterkant. Achter hen torende Hulla 44 hoog op. De wind voerde geluiden mee: klapperende zeilen, gefluit en af en toe klonk een scheepshoorn. Bijna geruisloos naderde Lowell Falconers turbinestoomjacht Dyname. Het vaartuig was duister, afgezien van de navigatielichten.

Dekmatrozen hielpen Bell en zijn gevangene aan boord, zonder een woord te zeggen. Het stoomjacht voer achterwaarts naar de rivier en zette koers stroomafwaarts, onder Brooklyn Bridge door, langs de Battery, en eenmaal bij Upper Bay voer het schip sneller.

'Als ik overboord word gezet, vergeet niet dat ik goed kan zwemmen,' zei Louis Loh.

'Met die handboeien om?'

'Ik dacht dat u die af zou doen. U wilde toch niet martelen?'

De roerganger verhoogde de snelheid tot dertig knopen. Bell ging met Loh in de donkere kajuit zitten, waar ze beschut waren tegen de wind en het buiswater. De Dyname voer over Lower Bay. Bell zag het lichtschip door een patrijspoort. Toen de boeg van de Dyname rees op de eerste golven van de Atlantische Oceaan vroeg Louis Loh: 'Waar brengt u mij heen?'

'Naar zee.'

'Hoe ver op zee?'

'Ongeveer vijftig mijl.'

'Dat is een hele nacht varen.'

'Niet met deze boot.'

De roerganger verhoogde de snelheid nog meer. Een uur verstreek. Toen vertraagde het stoomjacht en even later bonkte het tegen iets aan en bleef stil liggen. Bell pakte Louis bij de arm en controleerde of de handboeien nog vast waren. Daarna leidde hij de gevangene aan dek. Zwijgende matrozen hielpen het tweetal overstappen op het houten dek van een platte schuit. Meteen daarna voer de Dyname weg en na enkele minuten waren alleen nog de vurige vonken die uit de schoorsteen opstegen zichtbaar. Spoedig was het vaartuig in de duisternis verdwenen.

'Wat nu?' vroeg Louis Loh. In het licht van de sterren waren witte schuimkopjes op de golven te zien. De schuit deinde op de bewegingen van de zee.

'Nu gaan we klimmen.'

'Klimmen? Waar?'

'In die mast.'

Bell wees naar de kooimast op het dek. Het gevaarte was zo hoog dat de top langs de sterren leek te strijken.

'Wat is dit? Waar zijn we?'

'We zijn op een drijvend doelwit dat voor anker ligt op de schietbaan van de Amerikaanse marine. Ingenieurs hebben op het dek van deze boot een veertig meter hoge mast geplaatst, de laatste ontwikkeling op technisch gebied.'

Bell klom twee treden omhoog en maakte een helft van de handboeien om Louis' pols los. Hij sloot de handboei om zijn eigen enkel.

'Klaar? Dan gaan we klimmen.'

'Waar?'

'Langs deze ladders. Als ik mijn been optrek, dan doe jij je arm omhoog.'

321

'Waarom?'

'Bij het aanbreken van de dag begint een experiment, om te zien hoe zo'n kooimast zich houdt tijdens een beschieting met zware kanonnen. Elke spion die zijn vak serieus neemt wil dat graag meemaken. Kom mee.'

Het was een lange klim naar de top, maar geen van beiden was buiten adem toen ze op het platform kwamen. 'Je hebt een prima conditie, Louis.' Bell maakte de handboei van zijn enkel los en klikte de boei vast aan een stalen buis van de mastconstructie.

'En wat nu?'

'Wachten tot het licht wordt.'

Een kille wind stak op. De mast zwaaide en kraakte.

Bij het eerste daglicht werd het silhouet van een slagschip zichtbaar bij de horizon.

'Dat is de New Hampshire,' zei Bell. 'Te herkennen aan de drie schoorstenen en de ouderwetse voorsteven. Je weet dat er 35- en 30cm-kanonnen aan boord zijn, en nog vier stuks 26cm geschut. De test kan elk moment beginnen.'

Bij het marineschip was een rode flits. Een zwaar projectiel vloog ronkend langs de mast. Louis dook ineen. 'Wat is dat?' schreeuwde hij.

Weer een flits in de verte. En een tweede projectiel scheerde dichter langs de mast.

'De juiste baan hebben ze bijna bepaald,' zei Bell tegen Louis Loh.

Weer een rode flits bij het zwaarste geschut op het slagschip in de verte. Het projectiel raakte de kooimast en vijftien meter onder het platform was een vonkenregen. De hele mast sidderde. Louis Loh schreeuwde van angst. 'Je bent krankzinnig!'

'Men zegt dat deze constructie opmerkelijk stevig is,' antwoordde Bell.

Meer projectielen schoten langs de kooimast. Toen het gevaarte weer werd geraakt bedekte Louis zijn gezicht met zijn handen.

Er was spoedig zoveel licht dat Bell op zijn gouden zakhorloge kon kijken. 'Nog een paar losse schoten. Daarna worden er salvo's gelost, en dan volgt een waar spervuur.'

'Laat maar! Ik geef toe dat ik een gangster ben.'

'Jij bent meer dan een gangster,' zei Isaac Bell kil. Op het anders zo starre gezicht van Louis was verbazing te lezen.

'Wat bedoelt u?'

'Sun-tzu over de kunst van het strijden. Als ik een landgenoot mag citeren: "Wees zo subtiel dat je onzichtbaar wordt".'

'Ik weet niet wat u bedoelt.'

'Je zei tegen mij in de trein: "Ze denken dat wij allemaal aan opium verslaafd zijn, of dat we gangsters zijn." Maar jij lijkt me iemand met meer in zijn mars. Wie ben je werkelijk?'

Een donderend salvo werd gelost. Twee projectielen raakten de mast. Het gevaarte bleef overeind maar zwaaide vervaarlijk heen en weer.

'Ik ben geen gangster.'

'Je zei dat je wel een gangster bent. Wat moet ik geloven?'

'Ik ben geen gangster.'

'Hou op met zeggen wat je niet bent, maar vertel me wie je wel bent.'

'Ik ben een Tongmenghui.'

'Wat is dat?'

'De Chinese Revolutionaire Alliantie. Wij vormen een geheime verzetsbeweging. We offeren ons leven op om de Chinese maatschappij terug te krijgen.'

'Leg eens uit,' zei Bell.

In een woordenstroom vertelde Louis Loh dat hij een fervente Chinese nationalist was en meewerkte aan een complot om de corrupte keizerin van de troon te stoten. 'Ze verstikt China. Engeland, Duitsland, heel Europa en ook de Verenigde Staten doen zich tegoed aan het stervende China.'

'Als jij revolutionair bent, wat doe je dan in Amerika?'

'Ik ben hier voor de oorlogsschepen. China moet een moderne vloot opbouwen om de dreigende invasie van de kolonisten af te weren.'

'Door de Grote Witte Vloot bij San Francisco te saboteren?'

'Dat was niet voor China. Dat gebeurde voor hem.'

'Hem? Wie bedoel je daarmee?'

Met een angstige blik op de New Hampshire zei Loh: 'Er is een man

– een spion – die betaalt. Niet met geld, maar met waardevolle informatie over de oorlogsschepen van andere naties. Wij, Harold Wing en ik, geven die informatie door aan de Chinese scheepsarchitecten.'

'Dus het gaat met gesloten beurs?'

'Inderdaad. Kunnen we nu weer naar beneden gaan?'

Bell besefte dat dit een belangrijke doorbraak in het onderzoek was. Dit was de man die Yamamoto wilde verraden in ruil voor onopgemerkt verdwijnen. Louis had hem weer in beeld gebracht.

'Dus je werkt voor drie opdrachtgevers. De Chinese regering, de Tongmenghui-verzetsbeweging en ook voor de spion jou betaalde om dat depot op Mare Island te saboteren? Wie is die man?'

Weer zoemdem projectielen rakelings langs mast. Het gevaarte trilde weer. 'Ik weet niet wie hij is.'

'Wie is je tussenpersoon? Hoe geeft hij opdrachten en informatie?'

'Via postbussen. Hij laat informatie, instructies en geld voor onkosten achter in postbussen.' Loh kromp ineen toen weer een projectiel voorbij kwam. 'Laten we nu naar beneden gaan.'

Beschenen door de eerste zonnestralen werden alle kanonnen van de New Hampshire in de richting van de kooimast gedraaid. 'Nu krijgen we de volle laag,' zei Bell.

'U moet mij geloven.'

'Ik voel wel enige sympathie voor je, Louis. Je schoot niet op mij, voordat ik uit de trein sprong.'

Louis Loh staarde naar grote slagschip. 'Ik spaarde uw leven niet. Ik had de moed niet om de trekker over te halen.'

'Maar ik denk ook dat je mij niet alles hebt verteld,' zei Bell. 'Ik geloof niet dat er alleen contact was via postbussen.'

Louis Loh keek weer angstig naar het witte oorlogsschip. Hij zuchtte en zei: 'Commodore Tommy Thompson zei dat we het depot op Mare Island moesten opblazen.'

'Hoe kwam jij in contact met de Gopherbende?'

'De spion heeft Hip Sing omgekocht, zodat we toegang kregen tot Commodore Tommy Thompson uit hun naam. We deden alsof we gangsters waren.'

Bell gaf een witte zakdoek aan Loh. 'Wuif hiermee.' Hij daalde met

Loh weer af naar het dek. Een snelle sloep met militairen kwam naast de grote schuit. 'Hoe konden jullie...'

'Ik dacht dat het schieten nooit zou stoppen. We hebben daarboven honger gekregen.'

* * *

'Ik geloof niet dat Commodore Tommy Thompson de spion is,' zei Isaac Bell tegen Joseph van Dorn. 'Maar ik wil wedden dat Tommy wel weet wie het is.'

'Dat zou mooi zijn,' antwoordde Van Dorn. 'Zijn territorium uitkammen kost handenvol smeergeld en een aantal erg dure gunsten om protesten van Tammany Hall te bedwingen.' De lange detective en zijn breedgeschouderde chef keken naar de voorbereidingen voor de inval. Ze zaten in een geparkeerde Marmon, tegenover Commodore Tommy's Saloon in West 39th Street.

'Maar de spoorwegmaatschappijen zullen erg blij zijn met onze actie,' zei Bell. Met een instemmende knik zei Van Dorn dat enkele directeuren van treinbedrijven hem persoonlijk hadden bedankt omdat er minder geroofd werd door de Gopher Bende. 'De positieve kant is dat de spion na deze actie veel minder steun heeft.'

'Daar zou ik niet op rekenen,' zei Isaac Bell, denkend aan de explosie bij de torpedofabriek in Newport toen hij met de trein naar San Francisco reisde.

Een tiental agenten van de spoorwegpolitie begon met de inval, door de deur van de saloon te forceren, meubilair kapot te slaan, flessen aan scherven te gooien en biervaten lek te steken. Binnen klonken pistoolschoten. De mannen van Harry Warren stonden buiten gereed met handboeien en een groep Gophers werd in een arrestantenwagen van de politie opgesloten.

'Tommy heeft zich verschanst in de kelder. Hij heeft een schotwond aan zijn arm,' rapporteerde Harry aan Van Dorn en Bell. 'Hij is daar helemaal alleen. Dus misschien is hij voor rede vatbaar.'

Bell ging als eerste de houten treden af naar de klamme kelder. Tommy Thompson zat onderuitgezakt in een stoel. Hij had een pistool in zijn hand. Hij opende zijn ogen en keek afwezig naar het wapen dat Bell op zijn hoofd gericht hield. Tommy liet zijn pistool op de vloer vallen.

'Ik ben Isaac Bell.'

'Wat bezielt Van Dorn?' zei Tommy verontwaardigd. 'Het was altijd leven en laten leven. Betaal de agenten, en blijf weg bij andermans zaken. Wij hebben hier alles goed geregeld, en dan komen een paar privédetectives alles bederven.'

'Heb jij daarom een van mijn jongens het ziekenhuis in geslagen?' vroeg Bell.

'Dat was niet mijn idee!' protesteerde Tommy.

'Hoezo niet? Wie kan de Gophers commanderen?'

'Het was niet mijn idee,' herhaalde Tommy mat.

'Dus ik moet geloven dat de beruchte Commodore Tommy Thompson, die elke rivaal afgemaakt heeft en leider is van de gevaarlijkste bende in New York, opdrachten accepteert van iemand anders?'

Achter de harde façade van Tommy leek wroeging op te komen. Bell maakte daar gebruik van. Spottend zei hij: 'Misschien vertel je wel de waarheid. Misschien ben je inderdaad een simpele kroegbaas.'

'Wel allemachtig!' brieste Tommy en hij wilde uit de stoel overeind komen. Maar Bell weerhield hem met een waarschuwend gebaar. 'Niemand kan Commodore Tommy iets bevelen!'

Bell riep Harry Warren, die snel met twee van zijn mannen de keldertrap afdaalde.

'Tommy beweert dat het niet zijn idee was om de kleine Eddie Tobin een aframmeling te geven. Iemand anders dwong hem dat te doen.'

'Iemand anders?' herhaalde Harry geërgerd. 'Was die "iemand anders" die je opdracht gaf een helper van Van Dorn in elkaar te slaan toevallig ook degene die je dwong om Louis Loh en Harold Wing naar Mare Island te sturen om dat munitiedepot op te blazen?'

'Hij gaf geen opdracht, hij betaalde mij. Dat is wel iets anders.'

'Wie is de man?' wilde Bell weten.

'Een schoft. Hij laat mij ervoor opdraaien.'

'Wie?!'

'Die ellendeling Eyes O'Shay. Die moet je hebben.'

'Eyes O'Shay?' herhaalde Harry Warren ongelovig. 'Denk je dat we achterlijk zijn? O'Shay is al vijftien jaar dood.'

'Nee, hij is niet dood.'

'Harry, wie is Eyes O'Shay?' vroeg Bell afgemeten.

'Een knaap bij de Gophers. Jaren geleden. Hij was sluw en gevaarlijk. Hij werkte zich op in de bende, tot hij opeens spoorloos verdween.'

'Ik hoorde beweren dat hij weer terug is,' zei een van Harry's detectives. 'Maar ik geloofde het niet.'

'Ik geloof het nog steeds niet.'

'Ik wel,' zei Isaac Bell. 'Die spion gedraagt zich altijd als een gangster.'

Een goddelijke flits

42

'Waarom noemen ze hem Eyes?' vroeg Isaac Bell.
'Als je met hem in gevecht raakte, dan stak hij je ogen uit,'
zei Tommy Thompson. 'Hij bevestigde vroeger altijd een kleine koperen priem aan zijn duim. En nu een mesje van roestvrij staal.'

'Dan werd hij niet vaak uitgedaagd voor een gevecht,' veronderstelde
Bell.

'Nooit meer toen zijn tactiek algemeen bekend was,' beaamde Tommy.

'En wat is hij verder voor type?'

Tommy Thompson zuchtte. 'Als ik hier verhalen moet vertellen, dan
wil ik eerst een borrel.'

Bell knikte. Er werden heupflacons tevoorschijn gehaald door de
andere detectives. Tommy nam een paar flinke slokken en veegde zijn
mond af met een bebloede mouw. 'Anders dan ogen uitsteken? Ja,
Brian O'Shay is niet veranderd. Hij is het type dat om een hoekje kan
kijken.'

'Zou je hem een natuurlijke leider noemen?'

'Een wat?'

'Een leider. Zoals jij ook bent. Jij leidt je eigen bende. Is hij ook zo
iemand?'

'Ik weet alleen dat hij altijd snel denkt. Hij is je altijd een stap voor.
Eyes kan dwars door mensen heenkijken.'

'Als het waar is wat jij beweert, Tommy, dat O'Shay niet dood is:
waar hij is hij dan?'

De bendeleider bezwoer dat hij het niet wist.

'Gebruikt hij een schuilnaam?'

'Niet dat ik weet.'

'Hoe ziet hij eruit?'

'Hij valt niet op. Hij zou een winkelbediende kunnen zijn. Of eigenaar van een bank. Of barkeeper. Ik herkende hem nauwelijks. Hij zag er welvarend uit.'

'Is hij een grote kerel?'

'Nee, eerder klein.'

'Tommy, vergeleken bij jou lijkt iedereen klein. Hoe lang is hij?'

'Een meter tachtig. Hij heeft een gedrongen postuur. En een sterkere kleine kerel heb ik nooit gezien.'

Bell dacht even na. 'Dus hij hoefde dat mes niet te gebruiken om een tweegevecht te winnen?'

'Nee,' beaamde Tommy, en hij nam weer een slok whisky. 'Hij vond dat gewoon leuk om te doen.'

'En toen hij opeens weer opdook en jou dat geld gaf, toen liet je hem schaduwen?'

'Ik heb Paddy de Rat achter hem aan gestuurd. Die kleine boef kwam terug en miste een oog.'

Bell keek naar de detectives die instemmend knikte. 'Ja, ik zag dat Paddy een verband voor zijn oog had.'

'Eyes is weer verdwenen, net als de vorige keer. Zonder een spoor achter te laten. Nooit gedacht dat ik hem weer zou zien. Ik dacht dat hij in de rivier was gegooid.'

'Door wie?' vroeg Bell.

De bendeleider haalde zijn schouders op.

Harry Warren merkte op: 'Heel wat mensen denken dat jij hem in de rivier gooide, Tommy.'

'Nou, dan dachten ze dat verkeerd. Ikzelf dacht dat Billy Collins het gedaan had. Tot Eyes weer opdook.'

Bell keek naar Harry Warren.

'Een drugsverslaafde,' zei Harry. 'Zijn naam heb ik jarenlang niet meer gehoord. Billy Collins vormde een trio met Eyes en Tommy. Weet je nog, Tommy? Dronkaards beroven, drugs verhandelen, en iedereen die in de weg staat in elkaar slaan. O'Shay was de gevaarlijkste. Erger dan de Commodore hier, en zelfs gevaarlijker dan Billy Collins. Tommy was vergeleken bij die twee een engel. Het laatste wat men verwachtte was dat Tommy de leiding over de Gophers zou krijgen. Maar je had mazzel, nietwaar, Tommy? Eyes verdween spoorloos en Billy was verslaafd.'

'Waarom denk je dat Billy Collins degene was die Eyes in de rivier gooide?' vroeg Isaac Bell.

'Omdat ze samen dronken, op de laatste avond dat ik Eyes zag.'

'En nu heb je geen idee waar O'Shay is?'

'Zoals altijd is hij weer spoorloos verdwenen.'

'Waar is Billy Collins?'

De gewonde bendeleider haalde zijn schouders op, knipperde met zijn ogen en nam weer een slok uit een heupflacon. 'Waar eindigen zulke vrienden? Onder een steen. Of in het riool.'

43

Tien zeemijlen voorbij Fire Island, een laag en zandig eiland tussen Long Island en de Atlantische Oceaan, op vijftig mijl afstand van New York, kwamen drie schepen bij elkaar. Het daglicht verdween in het westen en in het oosten waren de eerste sterren zichtbaar. De golven van de Atlantische Oceaan werden hoger bij de ondiepe kust. Geen van beide kapiteins van de grotere schepen – een 4000 ton metend vrachtschip met een hoge schoorsteen en twee dekkranen, en een zeegaande sleepboot langszij een spoorpont met drie sporen aan dek – verheugde zich op het vooruitzicht lading over te brengen op de woelige golven, vooral niet omdat de vlagerige wind steeds draaide. Toen ze zagen dat het derde vaartuig, een kleine brede zeilboot zonder motor, bestuurd werd door een tengere roodharige vrouw begonnen de kapiteins bevelen te snauwen naar de roergangers.

Even leek het of de zeilboot niet langszij kwam, maar de vrouw aan het roer maakte handig gebruik van een windvlaag en ze manoeuvreerde het kleine vaartuig zo goed dat de stuurman op het stoomschip bewonderend opmerkte: 'Ze is een echte zeebonk.' En Eyes O'Shay waarschuwde de kapitein van de sleepboot. 'Geen gekke dingen, want we kunnen je overboord gooien en deze schuit zelf bemannen.'

Hij zag Rafe Engels wuiven op de brug van het vrachtschip.

Rafe Engels was een wapensmokkelaar die gezocht werd door het Britse leger omdat hij rebellen van de Ierse Republikeinse Broederschap wapens had geleverd, en hij werd gezocht door de geheime politie van de tsaar, omdat hij Russische revolutionairen had gesteund. O'Shay had hem voor het eerst ontmoet aan boord van de Wilhelm der Grosse. Ze hadden elkaar behoedzaam geobserveerd, en later ook aan boord van de Lusitania, elkaar aftastend naar de werkelijke bedoelingen achter hun maskerade. Er waren verschillen: de wapensmokkelaar stond altijd aan de kant van de rebellen, want hij was een idealist. De spion niet. Maar in de loop der jaren hadden ze gezamenlijk enkele transacties gedaan. Deze ruil van torpedo's voor een onderzeeboot zou de grootste transactie worden.

'Waar is die Holland?' riep O'Shay over het water.

'Onder je!'

O'Shay tuurde naar de golven. Het zeewater begon te borrelen als kokend water. Een donkere en geruisloze schim werd zichtbaar onder de luchtbellen. Een ronde gepantserde geschutskoepel steeg op boven het witte schuim. En opeens kwam een glanzende romp boven water. De onderzeeboot was meer dan dertig meter lang en maakte een sinistere indruk.

Een dekluik scharnierde open aan de bovenkant van de geschutskoepel. Een bebaarde man stak zijn hoofd en schouders naar buiten. Hij keek om zich heen en klom uit de koepel. De man heette Hunt Hatch en hij was ooit als kapitein bij de Holland Company verantwoordelijk voor de proefvaarten. Maar nu was hij op de vlucht voor het Britse leger. Zijn bemanning volgde hem naar buiten, de een na de ander, tot vijf strijders van de Republikeinse Broederschap die hun leven wilden offeren voor Iers zelfbestuur aan dek stonden. De mannen knipperden tegen het daglicht en ze haalden diep adem in de buitenlucht.

'Behandel deze mannen goed,' had Engels gevraagd, toen ze met een handdruk hun ruil bevestigden. 'Het zijn dappere kerels.'

'Ik zal ze even goed behandelen als mijn eigen familie,' had O'Shay beloofd.

De zeelieden hadden allemaal in de Britse marine gediend. En allemaal waren ze uiteindelijk in de gevangenis beland. Ze haatten Engeland. O'Shay wist wat ze hoopten: als de Amerikanen ontdekten dat de onderzeeboot en de torpedo's uit Engeland afkomstig waren, dan zou de indruk ontstaan dat Engeland een aanval deed om de productie van Amerikaanse slagschepen te saboteren. De mannen droomden ervan dat Amerika, als er oorlog in Europa uitbrak, niet de kant van Engeland zou kiezen. Dan kon Engeland door Duitsland verslagen worden en dan zou Ierland vrij zijn.

Een mooie droom, dacht de spion. En O'Shay zou het meest gediend zijn, als de droom waarheid werd.

'Hier is je onderzeeboot!' riep Engels vanaf het dek. 'En waar zijn mijn Wheeler torpedo's?'

Eyes O'Shay wees naar de kleine zeilboot.

Engels maakte een buiging. 'Ik zie de knappe Katherine. Hallo, schoonheid!' riep hij met zijn beide handen als scheepstoeter bij zijn mond. 'Ik herkende je eerst niet, in die zeilkleding. Maar ik zie geen torpedo's.'

'Die zijn in de boot. Vier stuks Wheeler Mark 14s. Twee voor jou, en twee voor mij.'

Engels gaf een teken. De dekmatrozen van de vrachtboot zwenkten de laadboom opzij. 'Kom langszij, Katherine. Ik haal twee torpedo's van boord, en jou ook als niemand het ziet.'

Terwijl Katherine de zeilboot manoeuvreerde en de bemanning van Engels de torpedo's uit de zeilboot hesen, hoorden ze een gerommel als van onweer in de verte. O'Shay zag dat de onderzeebootbemanning probeerde te begrijpen waar het geluid vandaan kwam.

'Dat zijn schietoefeningen van de Amerikaanse marine bij Sandy Hook,' riep hij naar de mannen. 'Dat is ver weg, dus geen paniek.'

'De afstand is dertig kilometer,' riep Hunt Hatch terug, en een ander voegde er aan toe: 'Het zijn 22cm-projectielen. En ook wel 26cm.'

O'Shay knikte tevreden. De Ierse rebellen die zijn onderzeeboot zouden bemannen verstonden hun vak.

Het leek geen gelijkwaardige ruil, want de onderzeeboot was wel zes, zeven keer langer dan de torpedo's en het vaartuig kon zelfstandig opereren. Deze Holland was weliswaar vergroot en aangepast door de Engelsen, maar inmiddels was de onderzeeboot vijf jaar oud en al bijna verouderd door de snelle technische ontwikkelingen. De Mark 14s torpedo's waren daarentegen het nieuwste ontwerp van Ron Wheeler.

De beide mannen hadden na de ruil wat ze wilden: Engels stoomde weg met twee geavanceerde torpedo's, om die te verkopen aan de hoogste bieder, terwijl de beide andere torpedo's die door de beman- ning van de sleepboot uit de zeilboot werden gehaald aan boord van de Holland een vernietigend wapen werden.

De marinewerf in Brooklyn zou nooit weten door welke projectielen het complex getroffen werd.

44

Donald Darbee, een norse kerel, voer met zijn oesterschouw, een platbodem zeilboot met een stompe boeg en een sterke hulpmotor – die hij alleen inschakelde als het echt nodig was – over Upper Bay. Aan boord waren ook Jimmy Richards en Marv Gordon, die de havens van New York tot in alle uithoeken kenden. Maar geen van beide grote jonge kerels had ooit een voet op Manhattan Island gezet, ook al hadden ze vele avonden langs de kades en pieren gevaren, speurend naar waardevolle spullen in het water.

Toen de boot de Battery naderde, zei een politiebeambte van de havendienst tegen O'Riordan, de wachtsman op het dek van de afgemeerde sloep: 'Zo te zien krijgen we bezoek.'

O'Riordan keek naar de naderende vissersboot. 'Hou ze goed in de gaten.' Hij hoopte maar dat de bezoekers geen kwaad in de zin hadden: een paar gespierde vissers arresteren kon gebroken armen en uitgeslagen tanden tot gevolg hebben.

'Hoe komen we bij het Roosevelt Hospital in 59th Street?' vroeg de oudste visser die de boot bestuurde.

'Als je een nickel hebt, dan kun je met de tram. Richting Ninth Avenue.'

'We hebben geld.'

Jimmy Rochards en Marv Gordon betaalden de tramkaartjes en reden naar 59th Street. Ze staarden verbaasd naar de hoge gebouwen en de vele voetgangers op straat. Veel voorbijgangers staarden terug naar de grote kerels. Dwalend door de zalen van het ziekenhuis vroegen ze de weg aan een Ierse verpleegster en ze kwamen uiteindelijk bij een ziekenkamer met slechts één bed. De patiënt in bed was helemaal in verband gewikkeld en ze zouden hun neef Eddie Tobin niet herkend hebben, als zijn nette kleren niet aan een kapstok hingen. De kleding had Eddie gekregen toen hij als leerling in dienst kwam bij Van Dorn.

Een lange blonde knaap, mager als een lat, stond over het bed gebogen met een glas in zijn hand, zodat Eddie door een rietje kon drinken. Toen hij de twee bezoekers in de deuropening opmerkte betrok zijn gezicht.

'Wat zoekt u hier, heren?' De lange man liet zijn hand in zijn jas glijden, alsof hij daar een pistool had.

Jimmy en Marv staken meteen hun handen omhoog. 'Is dat Eddie Tobin? We zijn neven en we komen hem bezoeken.'

'Eddie, ken je deze heren?'

Eddie draaide zijn in verband gewikkelde hoofd moeizaam in de richting van de deur. Hij knikte en zwakjes zei hij: 'Ja, familie.'

De man ontspande. 'Kom verder, heren.'

'Mooie kamer,' zei Jimmy. 'We keken eerst in de ziekenzalen, maar ze stuurden ons hierheen.'

'Meneer Bell betaalt de ziekenhuisrekening.'

Isaac Bell stak zijn hand uit en schudde de knoestige handen van de bezoekers. 'Alle detectives van Van Dorn hebben bijgedragen. Mijn naam is Isaac Bell.'

'Jimmy Richards. En dit is Marv Gordon.'

'Ik laat je alleen met het bezoek, Eddie. Ik kom spoedig weer langs.'

Richards volgde Bell door de gang. 'Hoe is het nu met hem, meneer Bell?'

'Beter dan we eerst vreesden. Hij is een sterke knaap. Het zal een tijd duren, maar de artsen zeggen dat hij weer helemaal herstelt. Maar bij een schoonheidswedstrijd maakt hij geen enkele kans.'

'Wie heeft dit op zijn geweten? De daders zullen het bezuren.'

'Vergeet dat. Dit is een zaak voor Van Dorn, en jullie neef werkt bij Van Dorn.'

Richards keek misprijzend. 'Niemand bij ons vond het een goed idee dat Eddie bij justitie ging werken.'

Isaac Bell glimlachte. 'En justitie is niet bepaald blij als privédetectives evenveel gezag hebben.'

'Dat zal best, vriend. Wij waarderen wat je voor Eddie doet. Als je ooit een kerk wilt laten afbranden of er moet iemand verzopen worden: dan weet Eddie ons te vinden.'

* * *

Isaac Bell bladerde door de middagrapporten van de teams die jacht maakten op Billy Collins, toen Archie Abbott hem opbelde vanuit het Grand Central station.

'Ik stap net uit de trein. Er wordt iets vermist bij de Newport torpedofabriek.'

'Wat?'

'Is de baas in de buurt?'

'Van Dorn is in zijn kamer.'

'Zullen we beneden afspreken?'

Met 'beneden' bedoelde Archie de kelderbar in het Knickerbocker Hotel. Tien minuten later zaten ze gebogen over een tafeltje in het halfduister. Archie wenkte de kelner. 'Ik denk dat je wel een borrel wilt, voordat we aan de baas gaan rapporteren. Ik in elk geval.'

'Wat wordt er vermist?'

'Vier elektrische torpedo's, geïmporteerd uit Engeland.'

'Ik dacht dat alles vernietigd was door die brand?'

'Bij de marine dachten ze dat ook. De restanten werden op een schuit geladen om in zee gedumpt te worden. Ik zei tegen Wheeler: "Zullen we de torpedo's eerst tellen?" Om een lang verhaal kort te maken: we doorzochten de restanten met een stofkam en we constateerden dat die vier torpedo's verdwenen waren.'

Bell keek zijn oude kameraad strak aan. 'Waren die torpedo's toevallig geladen met TNT?'

'Wheeler weet zeker dat de torpedo's met TNT als explosieve lading verdwenen zijn.'

'En ben jij het met hem eens?'

'Hij had de serienummers. Die vonden we op de geblakerde restanten. Maar de vier torpedo's uit Engeland waren daar niet bij. Die waren apart gehouden, voor een test op de schietbaan. Dat deze verdwenen zijn is wel heel toevallig.'

'Weet je zeker dat die explosie geen ongeluk was?'

'Ik heb navraag gedaan bij de marine. En ik sprak iemand die ik nog kende van school. Onze specialist heeft het ook bevestigd. Riley, uit Boston. Je kent hem wel. Er is geen twijfel mogelijk.'

'Die torpedo's zijn het neusje van de zalm,' zei Bell ernstig. 'Snel, groot bereik, geruisloze aandrijving en bovendien hebben ze een veel krachtiger explosieve lading.'

'De spion heeft de beste exemplaren in handen. Het enige positieve nieuws is dat Wheeler meer van zulke torpedo's kan maken. De Engelsen zijn woedend. Ze willen niet meer aan ons leveren, maar ik heb gehoord dat Ron Wheeler en zijn mensen al bezig zijn op eigen gezag kopieën te maken. Intussen heeft de spion de nieuwste voortstuwingstechniek bemachtigd, uitgerust met de modernste Amerikaanse explosieve lading. Dat zijn onbetaalbare defensiegeheimen, en die zal hij verkopen aan de hoogste bieder.'

'Het zijn ook dodelijke aanvalswapens?'

'Voor de aanval? Hoe kan hij die afvuren?' vroeg Archie. 'Al is deze spion nog zo slim, hij heeft toch niet de beschikking over een slagschip.'

'Ik acht hem in staat een klein marineschip te bemachtigen,' zei Isaac Bell.

De oude vrienden keken elkaar aan. De lach verdween van Archies gezicht. Bells gezicht betrok. Hij en Joseph van Dorn hadden al geregeld dat de belangrijkste technici van kapitein Falconer beschermd werden. En er waren ook medewerkers van Van Dorn incognito op de Brooklyn marinewerf. Maar ze wisten allebei dat de arrestatie van de Chinese spion en de leider van de Gopher Bende niet genoeg waren om Eyes O'Shay tegen te houden. De spion zou snel een eigen organisatie vormen. En als de Grote Witte Vloot buiten zijn bereik op volle zee was, dan zou hij zijn weer Amerikaanse oorlogsbodems in aanbouw saboteren.

'We moeten met Van Dorn praten.'

'Wat wil je tegen hem zeggen?'

'We hebben mankracht nodig om die torpedo's op te sporen. Van Dorn moet de marine, de kustwacht en de havenpolitie in elke stad met een marinewerf – Camden, Philadelphia, Quincy, Fore River, de Bath Iron Works en Brooklyn – waarschuwen dat dit een dodelijke dreiging is. En ik ga hem nog eens duidelijk maken dat dit in eerste instantie een moordzaak is. Er is ouderwets detectivewerk nodig om Eyes O'Shay voor de rechter te slepen. We beginnen bij Billy Collins.'

* * *

Isaac Bell verliet het Knickerbocker Hotel via de keukendeur. Hij doopte zijn vingers in een vat afgedankt vet en streek door zijn haar. In de steeg achter de keukens stonden aan lager wal geraakte sloebers te wachten tot er brood werd uitgedeeld. Bell verbaasde een van hen, een man die de moed kennelijk had opgegeven de kille nacht binnen door te brengen, door vijf dollar te bieden voor zijn rafelige vilten hoed. Een ander die even lang was als Bell nam gretig vijf dollar aan in ruil voor zijn versleten overjas.

Bell haalde een revolver uit zijn broekzak en deed het wapen met drie patronen in zijn jaszak. Hij trok de hoed diep over zijn ogen, stopte zijn blonde haar zoveel mogelijk onder de hoed en knoopte de jas dicht tot zijn kin. Daarna stak hij zijn handen in zijn zakken, en liep met gebogen hoofd door de steeg naar Broadway. Een agent gebaarde dat hij door moest lopen.

Voor de vijfde keer in vijf dagen liep Bell naar Hell's Kitchen. Hij leerde de buurt beter kennen: de uren dat het op straat druk was met rammelende karren en snorrende auto's, veel volk op de trottoirs, wanneer de mannen naar de saloons gingen, de vrouwen naar de kerk, en kinderen op straat speelden, de vermaningen van hun moeders uit de ramen negerend.

Bell had eerder van Ninth Avenue naar de rivieroever gelopen en van het Pennsylvania treinstation in aanbouw bij 33rd Street naar het spooremplacement bij 66th Street. Maar nergens zag hij Billy Collins, die hem mogelijk naar Eyes O'Shay kon brengen.

Daarom koos Isaac Bell voor een andere tactiek.

Als onderdeel van zijn vermomming liep Bell een beetje mank en sleepte met zijn schoen over de stoepranden en langs de tramrails. Een kolenwagen manoeuvreerde achteruit naar de ingang van een stookkelder en blokkeerde het trottoir. Bell veegde met zijn vingers langs de beroete zijkant van de wagen en streek door zijn snor. Dat deed hij nog eens toen hij een asbak passeerde, en hij streek door het haar dat onder zijn hoed tevoorschijn kwam. Hij keek naar zijn spiegelbeeld in een venster. Zijn ogen glansden te veel in een vermoeid gezicht. Hij keek meer naar de grond, raapte een pluk stro uit de goot en wreef ermee over zijn mouwen, tot het leek of hij in zijn jas had geslapen. Een smerige kerel wordt nooit aangekeken, had Scully zijn leerlingen altijd voorgehouden.

Bell bleef zijn uiterlijk controleren in de spiegelende ruiten, die steeds kleiner en smeriger werden naarmate hij dichter bij de rivier kwam. Hij knielde voor een kroeg naast een vat in een plas en deed alsof hij zijn veters strikte. Toen hij weer verder liep stonken zijn broekspijpen naar verschaald bier. Hij kwam in een steeds armoediger omgeving en hij liep steeds langzamer en meer gebogen: een doelloze zwerver op straat.

Een jonge kerel in een strak pak blokkeerde Bell. 'Wat heb jij voor me, opa? Kom op! Geef hier.'

Isaac Bell bedwong de aanvechting de belager tegen de grond te slaan. Hij zocht in zijn zakken en gaf een munt.

De jongeman liep verder.

'Wacht even!' riep Bell.

'Wat wil je?' vroeg de ander dreigend.

'Ken jij een zekere Billy Collins?'

De grote knaap keek hem niet begrijpend aan. 'Wie?' Bell besefte dat hij nog te jong was: een baby toen Tommy Thompson en Billy Collins optrokken met Eyes O'Shay.

'Billy Collins. Een lange magere kerel. Hij was blond, maar nu misschien wel grijs.'

'Nooit van gehoord.'

'Hij is echt vel over been,' zei Bell, herhalend wat Harry Warren en zijn mensen hadden gezegd over de al zoveel jaren aan opium en morfine verslaafde. Ze wisten zeker dat hij nog leefde, in elk geval de vorige week. 'Hij mist waarschijnlijk ook een aantal tanden.'

'Waar kom jij vandaan, opa?'

'Chicago.'

'Nou, hier lopen veel kerels zonder tanden rond. En jij kan de volgende zijn.' De jongeman balde dreigend zijn vuist. 'Wegwezen, ouwe. En snel.'

'Billy Collins speelde met Tommy Thompson en Eyes O'Shay toen hij nog een kind was.'

De jongeman deed een stap achteruit. 'Ben jij van de Gophers?'

'Ik ben op zoek naar Billy Collins.'

'Nou, dan ben je niet de enige.' Hij liep weg en riep over zijn schouder: 'Iedereen stelt vragen over hem.'

Dat moest ook wel, dacht Bell. Het zoeken kostte veel geld: afgezien van de mannen van Harry Warren en zijn informanten stelden elke dag wel tweehonderd agenten van de spoorwegpolitie dezelfde vraag als ze weer Gopher bendeleden verdachten van een poging goederenwagons te beroven. Bell stelde zichzelf andere vragen: Waar houdt een schurk zich schuil? Waar slaapt hij? Waar eet hij? En waar krijgt hij zijn drugs? Hoe kan het dat niemand hem zag in een wijk waar iedereen elkaar kent?

Collins was wel gezien in de buurt: door een kolensjouwer die de tenders van locomotieven laadde op het emplacement bij 38th Street. En twee keer bij een verlaten remmerswagon bij 60th Street. Beide plekken werden bespied door detectives. Bell dacht dat hij Collins met eigen ogen gezien had in de rookwolken bij een locomotief: een magere gestalte tussen twee goederenwagons. Bell was erheen gerend, maar zonder resultaat.

Sindsdien had de enige man die kon weten waar O'Shay vijftien jaar geleden was verdwenen zich ook niet meer vertoond. Het enige positieve was dat er genoeg aanwijzingen waren dat O'Shay nog leefde en dat hij waarschijnlijk ergens in Hell's Kitchen was.

Iedereen ouder dan dertig jaar had ooit de naam O'Shay gehoord. Maar de afgelopen vijftien jaar had niemand hem gezien. Sommigen hadden gehoord dat hij weer terug was. Maar niemand wilde toegeven dat hij hem met eigen ogen had gezien. Bell wist dat hij door Tommy Thompson beschreven was als 'een keurig geklede man, zoals ze op Fifth Avenue flaneren'. Dan kon hij overal onderdak hebben en overal een maaltijd bestellen.

45

'Uwilt een taxi, meneer?' vroeg de portier van het Waldorf Astoria aan een hotelgast die naar buiten stapte. De man droeg een groene loden jas en op zijn hoofd een hoge hoed.

'Ik loop liever,' antwoordde Eyes O'Shay.

Zwaaiend met zijn wandelstok, bij de knop bezet met edelstenen, kuierde hij door Fifth Avenue. Als een toerist bleef hij telkens staan om de chique huizen te bewonderen of om in de etalages te kijken. Zodra hij overtuigd was dat hij niet geschaduwd werd betrad hij St. Patrick's Cathedral door de hoge gothische poort. In het schip van de kathedraal knielde hij soepel, alsof hij dat dagelijks deed. Hij deed een paar munten in een collectebus en hij stak twee kaarsen aan. Met zijn hoofd achterover tuurde hij naar het ronde glas-in-loodvenster, als een trotse parochiaan die financieel aan de realisatie had bijgedragen.

Sinds Isaac Bell de rol van Tommy Thompson had ontdekt moest de laatste wel beseffen dat elke medewerker van Van Dorn in New York en wel tweehonderd man spoorwegpolitie en een onbekend aantal informanten jacht op hem maakten of daar spoedig mee zouden beginnen. Hij verliet de kathedraal via de achteruitgang, en langs de Lady Chapel in aanbouw, om verder te lopen over Madison Avenue.

Steeds alert of hij geschaduwd werd sloeg hij 55th Street in, om bij het St. Regis Hotel naar binnen te gaan. Hij bestelde een drankje in de bar en praatte met de barkeeper die hij altijd een flinke fooi gaf, terwijl hij intussen de lobby observeerde. Daarna gaf een piccolo een fooi om hem via de achteruitgang naar buiten te laten.

Even later betrad hij het Plaza Hotel. Hij bleef staan bij de Palm Court in het midden van de parterre. Aan de kleine tafeltjes zaten moeders met kinderen, tantes en nichtjes, en een enkele oudere heer in gezelschap van een dochter voor de middagthee. De gerant maakte een diepe buiging.

'Uw gebruikelijke tafel, herr Riker?'

'Ja, dank u.'

Zittend aan zijn vaste tafel kon herr Riker de lobby in twee richtingen overzien, terwijl hij zelf afgeschermd werd door de grote palmen in potten.

'Komt uw verzorgster ook, meneer?'

'Dat mag ik hopen,' antwoordde hij met een hoffelijke glimlach. 'Zeg tegen de kelner dat hij alleen zoetigheid op tafel zet. Geen kleine sandwiches. Alleen cakes met room.'

'Uiteraard, herr Riker. Zoals altijd, herr Riker.'

Katherine was te laat, zoals gewoonlijk, en hij gebruikte de tijd om te repeteren wat een lastige discussie zou worden. Hij was er klaar voor, toen ze uit de lift stapte. Haar jurk was een wolk van blauwe zijde, passend bij de kleur van haar ogen en in fraai contrast met haar kapsel.

O'Shay kwam overeind toen ze naar het tafeltje liep. Hij pakte haar gehandschoende hand beet en zei: 'Je bent het mooiste meisje dat er is, miss Dee.'

'Dank u, herr Riker.'

Katherine Dee glimlachte en ging zitten. Ze keek hem recht aan en zei: 'Je kijkt zo ernstig. Wat is er, Brian?'

'Er zijn lieden die zichzelf eervolle strijders noemen en vol minachting noemen ze mij een huursoldaat. Ik beschouw dat als een bewijs van mijn intelligentie. Want voor een huursoldaat is de oorlog voorbij als hij vindt dat het afgelopen is.'

'Ik mag hopen dat je whisky in plaats van thee hebt besteld,' zei Katherine. O'Shay glimlachte. 'Ja, ik weet dat ik aanstellerig klink. Ik probeer je duidelijk te maken dat we dicht bij het einde zijn.'

'Wat bedoel je?'

'Het wordt tijd om te verdwijnen. We moeten verdwijnen en onze toekomst bepalen. Maar wel een met een dreun die ze nooit vergeten.'

'Waarheen?'

'Naar een land waar ze ons met egards behandelen.'

'O, nee. Niet naar Duitsland.'

'Uiteraard gaan we naar Duitsland. Welke democratie zou ons toelaten?'

'We kunnen toch naar Rusland gaan?'

'Rusland is als een lading buskruit die op ontsteking wacht. Ik breng jou niet naar een natie waar revolutie komt.'

'O, Brian...'

'We zullen als vorsten leven. En vorstinnen. We zullen heel rijk zijn... Wat is er? Waarom huil je?'

'Ik huil helemaal niet,' protesteerde ze, maar haar ogen glansden.

'Wat is er dan?'

'Ik wil niet met een prins trouwen.'

'Maar wel met een Pruisische edelman die een kasteel bezit dat al duizend jaar oud is?'

'Hou op!'

'Ik weet wel iemand. Hij is knap, behoorlijk slim als je weet wat zijn stamboom is, en opmerkelijk aardig. Zijn moeder kan wel vermoeiend zijn, maar ze hebben een stal met Arabische volbloeds en ze hebben een buitenhuis aan de Baltische kust, waar je naar hartenlust kunt zeilen. Je kunt daar zelfs trainen voor een Olympische zeilwedstrijd... Waarom huil je nou?'

Katherine Dee legde haar kleine handen op tafel en sprak met heldere, afgemeten stem: 'Ik wil met jóú trouwen.'

'Lieve Katherine, dat zou zoiets zijn als met je eigen broer trouwen.'

'Dat kan me niet schelen. Trouwens, je bent mijn broer niet. Je doet alleen alsof.'

'Ik ben je beschermer,' zei hij. 'Ik heb plechtig beloofd dat niemand jou ooit iets aandoet.'

'Waar ben je mee bezig?'

'Hou op met die onzin dat je met mij wil trouwen. Je weet dat ik van je hou, maar niet op die manier.'

Tranen glinsterden op haar wimpers.

Hij gaf haar een zakdoek. 'Droog je tranen. We moeten aan het werk.'

Ze deed wat hij gevraagd had. 'Ik dacht dat we zouden vertrekken.'

'Om snel te vertrekken moet er ook werk verzet worden.'

'Wat moet ik dan doen?' vroeg ze moedeloos.

'Ik wil niet dat Isaac Bell mij weer belemmert.'

'Zal ik hem vermoorden?'

O'Shay knikte peinzend. Katherine was daartoe in staat. Ze kon het systematisch als een robot doen, zonder wroeging of spijt. Maar elke machine heeft beperkingen. 'Je zou gewond kunnen raken. Bell lijkt op mij: geen man die gemakkelijk gedood kan worden. Nee, ik wil het risico niet nemen dat jij probeert hem te vermoorden. Maar ik wil wel dat hij afgeleid wordt.'

'Wil je dat ik hem verleid?' vroeg Katherine. Ze schrok van de woedende trek die opeens op O'Shay's gezicht verscheen.

'Heb ik zoiets ooit aan jou gevraagd?'

'Nee.'

'En zal ik het ooit vragen?'

'Nee.'

'Ik vind het afschuwelijk als je dat zegt.'

'Het spijt me, Brian. Ik dacht er niet bij na.' Ze tastte naar zijn hand, maar hij deinsde terug en zijn gewoonlijk effen gezicht was roodaangelopen. Zijn lippen vormden een strakke lijn en in zijn ogen was een kille blik.

'Brian, ik ben geen schoolmeisje.'

'Wie jij wel of niet wil verleiden is jouw zaak,' zei hij koel. 'Ik weet dat je het karakter en de mogelijkheden hebt, maar ik wil duidelijk maken dat ik jou nooit zo wil gebruiken.'

'Hoe dan? Als verleidster?'

'Jongedame, je begint me nu te vervelen.'

Katherine Dee negeerde de dreigende ondertoon in zijn stem, want ze wist dat hij te behoedzaam was om met meubels te gooien in Palm

Court. 'Noem mij geen jongedame. Jij bent maar tien jaar ouder dan ik.'

'Nee, twaalf. En die jaren tellen meer, want ik heb hemel en aarde bewogen om jou jong te houden.'

Kelners kwamen naar het tafeltje. De twee bleven zwijgen tot de thee ingeschonken was en de cake geserveerd.

'Hoe moet ik hem dan afleiden?' vroeg ze, beseffend dat ze beter kon meewerken.

'Die verloofde is de sleutel.'

'Ze wantrouwt mij.'

'Wat bedoel je daarmee?' vroeg O'Shay scherp.

'Bij de tewaterlating van de Michigan, toen ik dichterbij probeerde te komen, deed ze afwerend. Ze voelt iets bij mij wat haar bang maakt.'

'Misschien is ze mediamiek,' opperde O'Shay. 'En kan ze jouw gedachten lezen.'

Het mooie gezicht van Katherine veranderde in een strak masker, als van marmer. 'Ze kan mijn hart lezen.'

46

'Uw verloofde is aan de telefoon, meneer Bell.'

De detective van Van Dorn stond gebogen over zijn bureau in het Knickerbocker Hotel en hij bladerde driftig door rapporten, op zoek naar bruikbaar nieuws over de verblijfplaats van O'Shay en de gestolen torpedo's, voordat hij weer op zoek ging naar Billy Collins.

'Dat is een leuke verrassing.'

'Ik zit aan de overkant van de straat in Hammerstein's Victoria Theater,' zei Marion Morgan.

'Is alles in orde?' vroeg Bell. Hij hoorde dat haar stem gespannen klonk.

'Kun je even naar mij komen?'

'Ik kom nu meteen.'

'Ze laten je via de artiesteningang wel binnen.'

Bell draafde met drie treden tegelijk de brede trappen van het Knickerbocker af en hij veroorzaakte een kakofonie van boos getoeter, rinkelende bellen en verwensingen toen hij de drukke straat overstak. Zestig seconden nadat hij de hoorn op de haak had gegooid bonsde hij op de deur van het Victoria Theater.

'Miss Morgan wacht op u in de zaal, meneer Bell. Die kant op, maar stil graag, want er wordt gerepeteerd.'

Een snel ritmisch tikken echode vanaf het podium, en toen Bell de deur van de zaal opende zag hij verbaasd dat het geluid voorzaakt werd door de houten schoenzolen van een tapdansende kleine jongen en een meisje. Hij slaakte een zucht van opluchting toen hij Marion alleen zag zitten, op de achtste rij stoelen in de halfduistere zaal. Ze legde een vinger op haar lippen. Bell schuifelde langs de stoelen en ging naast haar zitten. Ze pakte zijn hand en fluisterde: 'Lieveling, ik ben zo blij dat je hier bent.'

'Wat is er gebeurd?'

'Dat vertel ik zo dadelijk. De repetitie is bijna afgelopen.'

Het orkest begon te spelen en met een daverend crescendo was de dans afgelopen. De tapdansende kinderen werden meteen omringd door de regisseur, de toneelmeester, kostumiers en hun moeder.

'Ik vind ze geweldig. Ik heb ze ontdekt in het Orpheum Circuit in San Francisco, en dat is de top van de vaudevilleartiesten. En ik kon hun moeder overtuigen ze te laten optreden in mijn nieuwe film.'

'Hoe liep het af in jouw film over die bankrovers?'

'De vriendin van de detective heeft ze gegrepen.'

'Dat vermoedde ik al. Wat is er aan de hand? Je lijkt me erg gespannen.'

'Ik weet het niet. Misschien is het onzin, maar het leek me verstandig jou te bellen. Heb jij Katherine Dee ooit ontmoet?'

'Ze is een vriendin van Dorothy Langner. Ik heb haar in de verte gezien, maar nooit gesproken.'

'Lowell stelde me aan haar voor, bij de tewaterlating van de Michigan. Ze maakte wel duidelijk dat ze een keer naar de filmstudio wilde komen. Ik wilde haar al bijna uitnodigen. Ze is zo'n type dat echt fotogeniek is: een groot hoofd, fijne gelaatstrekken en een slanke taille. Zoals het jongetje dat je zojuist zag dansen.'

Bell keek naar het podium. 'Hij lijkt wel een bidsprinkhaan.'

'Ja, met die grote stralende ogen. Wacht maar tot hij glimlacht.'

'Ik denk dat je Katherine Dee toch niet hebt uitgenodigd. Waarom veranderde je van gedachten?'

'Ze is eigenaardig.'

'Hoezo?'

'Ik weet het niet precies. Noem het intuïtie. Ze lijkt me niet oprecht.'

'Je moet zo'n gevoel nooit negeren,' zei Bell. 'Je kunt je mening altijd nog herzien.'

'Dank je, schat. Ik voel me een beetje onnozel, en toch... Toen ik in San Francisco was kwam ze me opzoeken. Onuitgenodigd. Ze stond opeens voor me. En vanochtend gebeurde dat weer.'

'Wat zei ze?'

'Ik gaf haar de kans niet. Ik haastte me naar de veerpont om deze kinderen en hun moeder te bezoeken. Die moeder is ook hun manager er erg ambitieus. Dus ik zwaaide alleen naar Katherine en liep door. Ze riep iets naar mij, dat ze me een lift aanbood. Ik denk dat er een auto op haar stond te wachten. Maar ik stapte aan boord van de veerboot. Isaac, het zal wel dom zijn, want Lowell Falconer kent haar toch? Hij schijnt haar niet eigenaardig te vinden. Maar aan de andere kant denk ik dat Lowell elke vrouw meteen aantrekkelijk vindt.'

'Wie vertelde jou dat ze opdook toen jij in San Francisco was?'

'Mademoiselle Duval.'

'Wat vindt zij van Katherine?'

'Ze denkt ongeveer hetzelfde als ik, maar minder stellig. Bij de studio verschijnen vaak merkwaardige lieden. De film werkt als een magneet voor hen. Ze stellen zich een of andere fantastische toekomst voor. Maar Katherine Dee is toch anders. Ze komt duidelijk uit een beter milieu.'

'Ze is wees.'

'O, hemel! Dat wist ik niet. Misschien zoekt ze werk.'

'Nee, want haar vader liet haar een fortuin na.'

'Hoe weet jij dat?'

'We hebben informatie verzameld over iedereen die te maken heeft met Hull 44.'

'Dan verbeeld ik mij kennelijk iets.'

'Voorzichtig zijn is altijd verstandig. Ik zal de afdeling research vragen om meer informatie over haar.'

'Laten we de kinderen begroeten. Fred, zeg eens gedag tegen mijn verloofde meneer Bell.'

'Hallo, meneer Bell,' mompelde Fred, naar zijn schoenen starend. De verlegen knaap was zeven of acht jaar oud.

'Dag Fred. Voordat ik binnen kwam hoorde ik je dansen, en ik dacht even dat het een ratelend machinegeweer was.'

'Echt waar?' Fred keek op en keek Bell glimlachend aan.

'Is miss Morgan aardig voor jullie?'

'Ja, ze is heel aardig.'

'Dat vind ik ook.'

'En dit is Adèle,' zei Marion. Het meisje was enkele jaren ouder en helemaal niet verlegen. 'Bent u echt de verloofde van miss Morgan?'

'Ja, ik ben de gelukkige.'

'Dat wil ik geloven!'

'Waar gaat de film over?' vroeg Bell.

Adèle leek verrast toen Fred voor haar antwoordde. 'Over dansende kinderen die door de Indianen gevangen worden.'

'En wat is de titel van de film?'

'*The Lesson.* De kinderen leren de Indianen een nieuwe manier van dansen, en dan worden ze vrijgelaten.'

'Nou, dat klinkt goed. Ik ben benieuwd naar de film. Leuk om kennis te maken, Fred.' Bell schudde het jongetje weer de hand. 'En ook met jou, Adèle.' Hij gaf het meisje ook een hand.

'Kinderen, ik zie jullie morgen,' zei Marion en naar de moeder riep ze: 'Morgen om acht uur begint de repetitie, mevrouw Astaire.'

Even later waren Bell en Marion alleen.

Bell zei: 'Als je morgenochtend terugkomt uit Fort Lee, dan is hier iemand verkleed als Indiaan. Geef hem een rol waarbij hij voortdurend bij jou in de buurt moet blijven.'

'Archie Abbott?'

'Hij is de enige die ik vertrouw om jou te beschermen, afgezien van Joe Van Dorn. Maar niemand zou ooit geloven dat Van Dorn verkleed als Indiaan solliciteert naar een filmrol bij jou. Terwijl Archie zeker acteur was geworden, als zijn moeder dat niet had verboden. Tot we zeker weten dat Katherine Dee niet gevaarlijk is zal Archie jou overdag bewaken. En ik wil dat je de nachten doorbrengt in het Knickerbocker Hotel.'

'Een ongetrouwde dame die daar alleen verblijft? Wat zal de directie daar van denken?'

'Die zal het prima vinden en mij welterusten wensen,' zei Bell.

* * *

354

Isaac Bell liep weer over straat. Hij kreeg het gevoel dat hij op het goede spoor was. En die indruk was zo sterk dat hij sandwiches meenam, omdat iemand die in de goot leefde, zoals Billy Collins, wel blij zou zijn met iets te eten. De man die hij zocht was twee keer gesignaleerd op Ninth Avenue, dicht bij 33rd Street, waar de grond werd afgegraven voor de bouw van het Pennsylvania Terminal emplacement.

Bell liep naar de bouwplaats, armoedig gekleed en hij keek uit naar de magere gestalte die hij eerder had gezien. Een hele wijk van de stad, huizen, winkels en kerken, was gesloopt. Ninth Avenue kruiste het grote gat in de grond op tijdelijke pilaren waar twee tramlijnen, de weg en een voetgangerspad een viaduct vormden. En daarboven reden de treinen over het spoorwegviaduct.

Een stoomfluit kondigde het einde van de werkdag aan. Wel duizend arbeiders kwamen uit de diepe bouwput naar boven om haastig naar huis te gaan. Toen de werkers verdwenen waren daalde Bell af langs de ladders, langs de blootgelegde leidingen en riolen. Acht meter lager zag hij de stutten voor Ninth Avenue en de aangrenzende gebouwen. Hij daalde nog verder in de duisternis schaars verlicht met kleine elektrische werklampen.

Twintig meter onder het maaiveld kwam hij op de bodem van de bouwput: oneffen en bezaaid met gruis. Er lag smalspoorrails voor de wagons waarmee puin werd afgevoerd en materiaal aangevoerd tussen de witte pilaren van het viaduct. Hoog boven hem zag hij de blauwe vonken als de treinen voorbij denderden.

Bell zocht een uur lang, steeds op zijn hoede voor nachtwakers. Hij struikelde enkele keren op de oneffen bodem. Toen hij de derde keer was gevallen rook hij een zoete geur en hij zag een afgekloven appel. Even later zag hij dat hier iemand bivakkeerde: er lag een deken, meer afgekloven klokhuizen en kippenbotten. Hij ging zitten en wachtte doodstil. Af en toe bewoog hij zich om wakker te blijven, maar alleen als hoog boven hem een rammelende trein passeerde.

Hij was niet alleen. Ratten scharrelden rond, een hond blafte en op grotere afstand hoorde hij de woordenwisseling tussen twee alcoholisten die eindigde met een doffe dreun en gekreun, dat werd overstemd door een passerende trein. Naarmate het later werd verstomden de ge-

luiden en er passeerden ook minder treinen. Iemand maakte een kamp-
vuur bij de rand van de bouwput, waardoor grillige schaduwen bewogen op de pilaren en de ruwe wanden.

Een stem fluisterde bij Bells oor. 'Het lijkt hier wel een kerk.'

47

Isaac Bell bewoog alleen zijn ogen. In het schaarse licht zag hij een lang, benig gezicht met een holle grijns. De man was in lompen gehuld. Zijn handen waren leeg, zijn ogen gezwollen, alsof hij net wakker was geworden. Bell vermoedde dat de man hier had geslapen, zonder geluid te maken. Nu staarde hij met verbaasde ogen omhoog naar het stalen skelet van het viaduct, en Bell begreep wat hij bedoelde met de opmerking dat het een kerk leek. De stalen balken, de twinkelende sterrenhemel en het flakkerende licht van een klein vuurtje deden denken aan een middeleeuwse kathedraal, verlicht door kaarsen.

'Hallo Billy.'

'Hè?'

'Jij bent toch Billy Collins?'

'Ja. Hoe weet je dat?'

'Vroeger werkte je met Eyes O'Shay.'

'Ach ja, arme Eyes. Hoe weet je dat?'

'Dat vertelde Tommy aan mij.'

'Die schoft. Ben jij een vriend van hem?'

'Nee.'

'Ik ook niet.'

Hoewel Billy ongeveer de leeftijd had als Bell leek hij stokoud. Zijn haar was grijs, hij had een loopneus en er verschenen tranen in zijn ogen.

'Ben jij een vriend van Tommy?' vroeg hij nog eens kwaad.

'Wat heeft Tommy met Eyes gedaan?' vroeg Bell.

'Tommy? Maak je een grap? Die dikzak? Tommy zou daar nooit toe in staat zijn. Ben jij een vriend van Tommy?'

'Nee. Wat is er met Eyes gebeurd?'

'Weet ik niet.'

'Ze zeggen dat jij altijd bij hem was?'

'Nou en?'

'Wat is er gebeurd?'

Billy sloot zijn ogen en mompelde: 'Ik ga binnenkort weer terug naar de treinen.'

'Wat bedoel je, Billy?' vroeg Bell.

'Met die treinen verdien je veel geld, als je de juiste vracht weet te vinden. Veel geld. Ik was rijk toen ik nog treinen deed. Maar toen pakten ze mijn kleine meisje en opeens was het afgelopen met de treinen.' Hij keek Bell aan, en de weerschijn van de vlammen maakte zijn ogen even bezeten als de klank van zijn stem. 'Ik heb ook gewone baantjes gehad, wist je dat?'

'Nee, dat wist ik niet, Billy. Wat voor werk deed je?'

'Gewoon, werk. Decors wisselen in een theater. Ik was ooit stalknecht. Ik heb zelfs als dummy boy gewerkt.'

'Wat doet een dummy boy?'

'Voor de trein lopen. Bij Eleventh Avenue. Ik reed te paard voor de trein. Dat moet in New York. Een trein mag Eleventh Avenue niet kruisen als er geen man te paard vooraan loopt. Het was mijn enige baan op grond van de wet. Maar ik hield het niet lang vol.'

Hij begon te hoesten. Tuberculose, dacht Bell. Deze man is ongeneeslijk ziek.

'Heb je honger, Billy?'

'Nee. Ik heb nooit honger.'

'Hier.' Bell gaf hem een sandwich. Billy hield de sandwich bij zijn neus en rook. 'Ben jij een vriend van Tommy?' vroeg hij nog een keer.

'Wat heeft Tommy gedaan met Eyes?'

'Niets. Dat zei ik toch. Tommy kon Eyes helemaal niets maken. Niemand kon dat. Alleen die ouwe.'

'Oude man? Bedoel je zijn vader?'

358

'Vader? Eyes had geen vader. Ik bedoel die ouwe kerel. Die had ons te pakken.'

'Welke oude man? Hier in het centrum?' drong Bell aan.

'De Umbria zou naar Liverpool vertrekken.'

Dat was een van de oude schepen van de Cunard Line, wist Bell. 'Wanneer?'

'Die avond.'

'De avond dat Eyes verdween?'

'Toen we nog jong waren,' zei Billy dromerig. Hij ging op zijn rug liggen en staarde naar het viaduct..

'Je bedoelt toch de Umbria?' vroeg Bell. 'Dat stoomschip van de Cunard Line?'

'We zagen die oude man. Hij rende naar Pier 40, alsof hij te laat was. Hij keek niet op of om. We hadden mazzel. We loerden op dronken zeelui om hun zakken te rollen. En dan komt daar opeens een rijke oude kerel in een dure overjas, met glinsterende ringen aan zijn vingers. Een man die honderdvijftig dollar kan betalen voor de overtocht met een stoomschip. Het was donker en het regende hard. Nergens iemand in de omgeving. Eyes schoof de priem om zijn duim, voor het geval de man zich zou verzetten. We sprongen als katten op onze rijke rat. Brian rukte de ringen van zijn vingers, en ik wilde zijn portefeuille vol bankbiljetten uit een binnenzak halen...' Billy zweeg.

'Wat gebeurde er toen?'

'Die kerel trok een zwaard uit zijn wandelstok.' Billy keek naar Bell, met grote verbaasde ogen. 'Een zwaard! Wij waren zo dronken dat we zelf amper konden lopen. Die kerel zwaait met dat zwaard. Ik dook weg, maar hij vloerde mij met zijn wandelstok. Een harde kerel, die wist wat hij deed. Ik kreeg een tik en het was alsof er een explosie in mijn hoofd knalde. Toen was ik weg.'

Billy Collins rook weer aan de sandwich en keek ernaar.

'Wat gebeurde er toen?' vroeg Bell.

'Ik werd wakker in de goot. Ik was doorweekt en tot op het bot verkleumd.'

'En Eyes?'

'Brian O'Shay was verdwenen en ik heb hem nooit meer gezien.'

'Had die man hem met dat zwaard vermoord?'

'Ik zag nergens bloed.'

'Kan de regen het bloed weggespoeld hebben?'

Collins begon te huilen. 'Hij verdween spoorloos. Net als mijn kleine meisje. Maar zij had niemand iets misdaan.'

'En als ik je nu vertel dat Eyes weer terug is?'

'Ik zou liever horen dat mijn kleine meisje terug komt.'

'Waar is ze dan?'

'Dat weet ik niet. Het arme kind.'

'Jouw kind?'

'Kind? Ik heb geen kind... Hoorde ik dat Eyes terug is?'

'Ja, inderdaad. Tommy heeft hem gezien.'

'Niemand komt om mij te zien... Wie zou dat ook willen?' Hij sloot zijn ogen en begon te snurken. De sandwich viel uit zijn hand.

'Billy!' Isaac schudde hem wakker. 'Wie was die oude man?'

'Een rijke kerel in een groene overjas...' Billy zakte weer weg in slaap.

'Billy!'

'Laat me met rust.'

'Wie is jouw kleine meisje?'

Billy Collins kneep zijn ogen stijf dicht. 'Niemand weet het. Niemand kan zich iets herinneren. Alleen die pastoor.'

'Welke pastoor?'

'Vader Jack.'

'Welke kerk?'

'St. Michael.'

* * *

Nadat Bell hem had achtergelaten droomde Billy Collins dat een hond zijn kaken om zijn voet klemde. Hij schopte naar de hond met zijn andere voet. Maar er groeide een tweede kop aan de hond en ook Billy's andere voet werd tussen de kaken geklemd. Hij schrok wakker. Een gestalte boog zich over hem en probeerde de veters van zijn schoenen los te maken. Een zwerver die het vroeger nooit gewaagd zou hebben in de buurt van Billy te komen probeerde nu zijn schoenen te stelen.

'Hé!'

De zwerver sjorde nog harder. Billy ging rechtop zitten en probeerde zijn belager te slaan. De zwerver liet de schoen los, raapte een stuk hout op en sloeg. Billy zag sterretjes. Half verdoofd besefte hij dat de aanvaller weer zwaaide met het stuk hout. Billy besefte hij dat hard geraakt zou worden, maar hij kon zich niet verroeren.

Een mes verscheen opeens, glanzend en scherp. De zwerver slaakte een kreet en deinsde achteruit, met zijn handen voor zijn gezicht. Weer flitste het mes. Nog een kreet en de zwerver scharrelde op handen en voeten weg, om dan overeind te komen en zo hard hij kon weg te vluchten.

Billy zakte weer achterover. Het was alsof hij weer droomde. Alles leek vreemd. Hij rook opeens parfum, en hij moest glimlachen. Hij opende zijn ogen. Een vrouw knielde naast hem, haar lange haar streek over zijn gezicht. Als een engel. Het leek wel of hij gestorven was.

Ze leunde nog meer naar hem toe, zodat hij haar warme adem kon voelen. Ze fluisterde: 'Wat heb je de detective verteld, Billy?'

48

'De dame is geen waarzegster,' verzekerde Eyes O'Shay de bezorgde kapitein van zijn Holland-onderzeeboot met torpedo's. Hunt Hatch was niet overtuigd. 'Overal staat geadverteerd dat Madame Nettie de toekomst kan voorspellen. Ze krijgt elk uur van de dag en nacht klanten. Jij hebt ons in een gevaarlijke situatie gebracht door hier te blijven, O'Shay. Ik vertrouw het niet.'

'Die waarzegster is een vermomming. Ze voorspelt niets.'

'Hoezo een vermomming? Waarom?'

'Een groep vervalsers.'

'Vervalsers? Ben je helemaal gek?'

'Dat zijn de laatsten in Bayonne die bij de politie gaan klagen. Daarom heb ik je hierheen gebracht. En de vrouw die de maaltijden voor je kookt is zelf ontsnapt uit een gevangenis. Zij zal ook niets zeggen. Trouwens, ze kunnen je boot niet zien vanuit de huizen. Die grote schuit ligt er toch boven.'

Een gemaaid gazon strekte zich uit van het huis aan Lord Street tot aan de Kill Van Kull. De Kill was een smalle diepe vaargeul tussen Staten Island en Bayonne. De grote schuit lag afgemeerd langs de oever.

De onderzeeboot was onder de schuit. De toren was toegankelijk via een bun in de schuit. De afstand naar Upper Bay in New York was minder dan zes kilometer. En vandaar was het acht kilometer verder naar de Brooklyn marinewerf.

Hunt Hatch was niet gerustgesteld. 'Maar er varen veel visserboot-jes op de Kill. Ik zie ze overal en ze komen heel dicht bij de schuit.'

'Die vissers wonen op Staten Island,' antwoordde O'Shay geduldig. 'Ze zoeken niet naar jou. Ze kijken of ergens iets te stelen is.'

Hij gebaarde naar de heuvels aan de andere kant van het vaarwater. 'Staten Island is tien jaar geleden een deel van New York geworden. Maar dat willen die vissers hier niet weten. Het zijn nog dezelfde smok-kelaars en dieven, zoals vroeger. Ik garandeer je dat ze nooit met de politie praten.'

'Ik stel voor dat we nu aanvallen, dan is het gebeurd.'

'We zullen aanvallen,' zei O'Shay bedaard, 'als ik het zeg.'

'Ik wil mijn leven en vrijheid niet riskeren en opgepakt worden door jouw grillen. Ik ben de kapitein en ik zeg dat we nu aanvallen, voordat iemand ontdekt waar we die onderzeeboot verborgen heb-ben.'

O'Shay kwam dichterbij. Hij hief zijn hand op, alsof hij de kapitein wilde slaan. Hatch reageerde snel met zijn ene arm verdedigend en met zijn vuist gereed voor een stoot… Zijn buik was onbeschermd en O'Shay trok razendsnel een stiletto met zijn andere hand. Hij stak het vlijmscherpe mes onder Hatch's borstbeen en bewoog het lemmet uit alle macht naar beneden. Snel deed hij een stap achteruit, voordat de ingewanden zijn kleding konden bevuilen.

De kapitein graaide naar zijn eigen ingewanden, vol afschuw naar adem happend. Zijn knieën knikten en hij viel achterover. 'Wie moet de Holland dan besturen?' stamelde hij.

'Ik heb de stuurman net promotie gegeven.'

* * *

'Dit is het modernste kerkgebouw waar ik ooit binnen stapte,' zei Isaac Bell tegen pastoor Jack Mulrooney.

De kerk van St. Michael rook naar verf, politour en cement. De vensters waren schoon, het metselwerk was vers en nog niet bezoedeld met roet.

'We zijn hier pas ingetrokken,' zei pastoor Jack. 'De parochianen kunnen amper geloven dat het werkelijkheid is. De Pennsylvania Railroad Company kon ons zonder de wraak van God alleen weg krijgen uit 31th Street, waar ze een nieuw emplacement willen aanleggen, door voor ons een nieuwe kerk te bouwen.'

'Ik ben privédetective,' zei Bell, 'werkzaam bij Van Dorn. Ik wil u graag een paar vragen stellen over mensen die in uw parochie woonden.'

'Als u wilt praten, dan moeten we gaan wandelen. Ik moet mijn rondes maken, en dan ziet u ook dat de mensen hier vaak in slechte omstandigheden moeten leven. Kom mee.' De geestelijke liep opmerkelijk kwiek voor een man van zijn leeftijd. Even later kwamen ze in een omgeving die scherp contrasteerde met de nieuwe kerk.

'Werkt u hier al lang, vader?'

'Sinds de Draftrellen.'

'Maar dat is toch vijfenveertig jaar geleden?'

'Sommige dingen zijn in deze buurt veranderd, het meeste echter niet. We zijn hier nog steeds arm.'

De pastoor betrad een gebouw met een bewerkt stenen portaal en hij beklom een steile trap. Op de tweede verdieping hijgde hij amechtig. Op de vijfde verdieping pauzeerde hij om op adem te komen en klopte daarna op een deur. 'Goedmorgen! Ik ben vader Jack.'

Een meisje met een baby op de arm opende de deur. 'Bedankt voor uw komst, vader.'

'Hoe is het met je moeder?'

'Niet goed, vader. Helemaal niet goed.'

Hij liet Bell wachten in de voorkamer. Een enkel venster bood uitzicht op een binnenplaats met waslijnen. Er rees een rioollucht op van de onderste verdiepingen. Bell drukte een paar bankbiljetten in de hand van het meisje toen ze weer vertrokken.

Onder aan de trappen moest vader Jack weer op adem komen.

'Over wie zoekt u informatie?'

'Brian O'Shay en Billy Collins.'

'Brian is al lang geleden verdwenen.'

'Ja. Sinds vijftien jaar, hoorde ik.'

'Als God ooit genadig was voor deze buurt, dan was het op de dag dat O'Shay verdween. Ik zal het niet gauw zeggen, maar Brian O'Shay was de rechterhand van de duivel.'

'Ik heb gehoord dat hij weer terug is.'

'Die geruchten heb ik ook gehoord,' zei de pastoor en hij leidde Bell weer naar de straat.

'Ik heb Billy Collins gisterenavond gesproken.'

Vader Jack bleef staan en keek de rijzige detective aan. 'Echt waar? Hier in de buurt?'

'Dus u wist al dat hij hier is?'

'Waar zou hij anders naartoe kunnen gaan?'

'Wie is zijn kleine meisje?' vroeg Bell.

'Zijn kleine meisje?'

'Ja. Hij had het steeds over zijn kleine meisje. Maar hij beweerde ook dat hij geen kinderen had.'

'Dat vraag ik me af, gezien zijn dubieuze jeugd. In die jaren doopte ik zelden een kind met rood peenhaar zonder me af te vragen of Billy de vader was.'

'Is zijn haar wel rood? Het leek eerder grijs in dat schaarse licht.'

'Al moet ik zeggen dat Billy met enig recht kon beweren dat hij zich niet bewust was dat hij kinderen heeft verwekt. Een meisje zou wel heel dapper zijn als ze hem aanwees als de vader. Ergens begrijp ik het: losbandig leven en altijd dronken sinds hij twaalf was, hoe kan hij zich dan nog iets herinneren?'

'Hij was heel stellig dat hij geen kinderen heeft.'

'Dan moet dat kleine meisje zijn zus zijn.'

'Ja, waarschijnlijk. Hij huilde om haar.'

'Dat wil ik graag geloven.'

'Wat is er met die zus gebeurd?' vroeg Bell.

'Wacht hier even, ik kom zo terug,' zei de pastoor. Hij ging een gebouw in en kwam al snel weer naar buiten. Toen ze verder liepen zei vader Jack: 'Er wonen gestoorde lieden in deze buurt. Ze beroven andere arme mensen. Ze stelen hun geld en als ze dat niet hebben, dan stelen ze hun drank. En als er geen drank is dan ontvoeren ze hun kinderen. Alles wat maar geld oplevert. De zus van Billy werd ook ontvoerd.'

'Billy's zusje?'

'Meegenomen van de straat. Het kind was amper vijf jaar oud. En niemand heeft haar ooit nog gezien. Ze spookt zeker door Billy's hoofd als hij weer morfine injecteert. Waar was hij toen het arme wicht ontvoerd werd? Wat deed hij eigenlijk voor haar als ze hem nodig had? Nu kijkt hij terug en idealiseert hij zijn verdwenen zus. Meer dan hij ooit in werkelijkheid deed.'

De oude pastoor schudde meewarig en misprijzend zijn hoofd. 'Als ik denk aan de avonden dat ik voor haar gebeden heb... En voor alle kinderen zoals zij.'

Bell bleef zwijgen omdat hij aanvoelde dat de oude geestelijke openhartig werd.

'In werkelijkheid was het Brian O'Shay die voor het kleine meisje zorgde.'

'Eyes O'Shay?'

'Ja, hij paste op haar als Billy en zijn verslonsde ouders weer dronken waren.' Vader Jack liet zijn stem dalen. 'Ze zeggen dat O'Shay haar vader doodsloeg voor zonden met het kind die alleen de duivel zich kan voorstellen. Ze was de enige ziel van wie Brian O'Shay ooit gehouden heeft. Het is maar goed dat hij nooit geweten heeft dat ze ontvoerd werd.'

'Kan Brian O'Shay haar niet ontvoerd hebben?'

'Onmogelijk! Dat zou hij nooit doen.'

'Maar als hij niet gedood werd voordat hij spoorloos verdween? En als hij ooit terugkwam, zou hij haar dan ontvoerd kunnen hebben?'

'Hij zou haar nooit kwaad doen,' zei de pastoor.

'Slechte mensen doen slechte dingen, vader. U heeft me verteld hoe gewetenloos hij was.'

'Zelfs de grootste misdadiger heeft een goddelijke vonk in zich.' De pastoor pakte Bells arm. 'Als u daar aan denkt, dan zult u een betere detective zijn. En een beter mens. Dat meisje was voor Brian O'Shay de goddelijke vonk.'

'Is haar naam Katherine?'

Vader Jack keek hem onderzoekend aan.

'Waarom vraagt u dat?'

'Ik weet het niet. Het was maar een gedachte. Maar hoe heette ze?'

Vader Jack wilde antwoorden, maar op dat moment werd met een pistool vanaf een dak geschoten. De pastoor zakte ineen op straat. Een tweede kogel boorde zich in de grond, op de plek waar Bell een ogenblik eerder stond. Hij rolde opzij en trok zijn Browning. Hij werkte zich overeind op zijn knieën en richtte zijn wapen, klaar om te vuren.

Maar hij zag alleen vrouwen en kinderen achter de ramen, schreeuwend dat hun pastoor vermoord was.

* * *

'Ik wil een directe telefoonverbinding met de chef van het kantoor in Baltimore. Nu meteen!' schreeuwde Isaac Bell, zodra hij het hoofdkantoor van Van Dorn binnenstapte. 'En zeg dat hij het dossier van Katherine Dee paraat heeft.'

Het duurde een uur voordat er telefoon uit Baltimore kwam. 'Bell? Excuus dat het zo lang duurde. Het regent hier weer vreselijk, de halve stad staat onder water. Jullie krijgen ook je deel, want het noodweer komt jullie kant op.'

'Ik wil precies weten wie Katherine Dee is, en wel nu meteen.'

'We hebben al eerder gemeld dat haar vader terugkeerde naar Ierland met een berg geld die hij verdiende met de bouw van scholen. En ze reisde met hem mee.'

'Dat weet ik al. En toen haar vader stierf ging ze naar een kloosterschool in Zwitserland? Welke school?'

'Dat moet ik opzoeken. Het dossier is aangevuld sinds onze laatste rapportage. Eens kijken... Dat moet het zijn... Nee, dat is onmogelijk.'

'Wat?'

'Een of andere sukkel raakte in de war. Hij schrijft dat de dochter ook gestorven is. Maar dat kan niet waar zijn. We hebben verslagen van haar school. Meneer Bell, ik moet het navragen. Ik bel daarover terug.'

'Zo snel mogelijk,' zei Bell en hij legde de hoorn neer.

Archie kwam binnen, zijn gezicht was nog rood van de Indiaanse oorlogskleuren. 'Je ziet er belabberd uit, Isaac.'

'Waar is Marion?'

'Boven.' Bell had een suite gehuurd voor de dagen die hij in New York verbleef.

'We zijn weer weggeregend. Is alles in orde met je? Wat is er gebeurd?'

'Een pastoor werd voor mijn ogen neergeschoten. Omdat hij met mij praatte.'

'De spion?'

'Wie anders? Er was daar in de omgeving overal politie, maar hij wist te ontkomen.'

Een leerling kwam naar de ernstig kijkende detectives. 'Een koerier heeft dit achtergelaten bij de receptie, meneer Bell.'

Bell scheurde de envelop open. Op briefpapier van het Waldorf-Astoria Hotel had Erhard Riker geschreven:

GEVONDEN!

PERFECT VOOR DE PERFECTE VERLOOFDE!

Als je in New York bent en dit leest: ik ben om drie uur in de juwelierszaak van Solomon Barlowe, met een schitterende smaragd.

Hartelijke groet,

Erhard Riker

49

Bell wierp Rikers briefje op het bureau.

Archie pakte het papier op en las de tekst. 'De ring voor Marion?'

'Dat kan wachten.'

'En?'

'Ik wacht op bericht uit Baltimore.'

'Neem een uur vrij en kalmeer een beetje. Ik spreek wel met Baltimore als er gebeld wordt voor je terug bent. Trouwens, waarom neem je Marion niet mee? Ze wordt toch radeloos van de regen. Ze zei al dat ze naar Californië wil verhuizen om daar films op te nemen in de zon. Ze vergeet alleen dat daar geen acteurs beschikbaar zijn. Ga nu maar, en blaas wat stoom af. Je hebt Collins gevonden. Tweehonderd man zoeken naar O'Shay. En de marine en de havenpolitie speuren naar die torpedo's. Ik neem het hier over.'

Bell ging staan. 'Goed. Een uur, dan ben ik weer terug.'

'Als ze die smaragd mooi vindt, blijf dan tien minuten langer om haar een glas champagne aan te bieden.'

* * *

Ze reisden met de metro naar het centrum en liepen over de regenachtige straten naar Maiden Lane. De etalage van Barlowes juweliersszaak straalde warm licht uit in de grauwe middag. 'Weet je zeker dat je dit wilt?' vroeg Marion toen ze bij de deur kwamen.

'Wat bedoel je?'

'Als je een ring om de vinger van een jongedame schuift, dan kom je niet gemakkelijk van haar af.'

Ze stonden hand in hand. Bell trok haar dicht tegen zich aan. Haar ogen straalden. Regendruppels parelden op het haar dat onder haar hoed vandaan kwam. 'Houdini zou zich hier niet van kunnen bevrijden,' zei Bell, en hij kuste haar op de mond. 'Maar dat zou hij ook niet willen.'

Ze stapten de winkel in.

Erhard Riker en Solomon Barlow stonden gebogen over de toonbank, allebei met een juweliersloep in hun oogkas geklemd. Riker keek op en glimlachte. Hij strekte zijn hand uit naar Bell en zei tegen Marion: 'Bell heeft wel zijn best gedaan, maar hij was niet in staat je schoonheid goed te beschrijven.'

'En ik weet niet wat ik daar op moet zeggen. Maar bedankt voor het compliment,' antwoordde Marion.

Riker boog zich over Marions hand en kuste die. Hij deed een stap achteruit en streek zijn snor recht, voordat hij zijn duim in zijn vestzak haakte. Barlowe fluisterde tegen Bell: 'Het is hoogste ongebruikelijk dat een heer de ring aan aan zijn verloofde laat zien voordat hij die gekocht heeft.'

'Miss Morgan is ook een hoogst ongebruikelijke verloofde.'

Er tikte iets tegen de etalageruit. Op het trottoir, de regen negerend, sloegen lachende scholieren met hun handen tegen een badmintonshuttle.

'Ik zou maar een agent waarschuwen, voordat de ruit breekt,' zei Riker.

Solomon Barlowe haalde zijn schouders op. 'Schooljongens. Deze zomer ontmoetten ze de meisjes. En volgend voorjaar kopen ze verlovingsringen.'

'Deze edelsteen komt op uw ring, miss Morgan,' zei Riker. Hij haalde een leren etui uit zijn zak, en haalde er een opgevouwen vel papier uit. Hij liet op een met wit fluweel bekleed paneel een smaragd glijden: gloedvol en volmaakt geslepen.

Solomon Barlowe hapte naar adem.

Isaac Bell dacht dat de steen gloeide als een groene vlam.

Marion Morgan zei: 'Dat is wel een heel heldere steen.'

'Barlowe heeft voorgesteld deze smaragd in een eenvoudige art nouveau-ring te monteren,' zei Erhard Riker.

'Ik heb al een paar schetsen gemaakt,' zei Barlowe.

Isaac Bell zag Marion naar de edelsteen kijken. 'Ik krijg de indruk dat je deze smaragd niet mooi vindt.'

'Lieveling, ik draag elk sieraad dat jij mooi vindt.'

'Maar je hebt liever iets anders.'

'Het is een prachtige steen. Maar nu je het vraagt, ik heb liever een zachtere tint groen. Rustiger, zoals de groene loden jas van meneer Riker. Bestaan zulke edelstenen?'

'In Brazilië wordt een blauwgrijze toermalijn gedolven, maar dat is erg zeldzaam. En bijzonder moeilijk te snijden.'

Marion lachte naar Bell. 'Het is goedkoper om zo'n loden jas voor mij te kopen...' Haar stem stierf weg. Ze wilde aan Isaac vragen wat er was, maar ze ging instinctief dichter bij hem staan.

Bell staarde naar Rikers jas. 'Een dure groene jas,' zei hij zacht. 'Een oude man in een dure groene jas, met ringen aan zijn vingers.' Hij keek strak naar de met edelstenen bezette wandelstok van Riker.

'Ik vind uw wandelstok erg fraai, herr Riker.'

'Die heb ik van mijn vader gekregen.'

'Laat eens zien.'

Riker gooide de wandelstok naar Bell, die het voorwerp op zijn hand liet balanceren. Hij sloot zijn ene hand om de gouden knop bezet met edelstenen, draaide aan de knop met een polsbeweging en trok een glanzend zwaard.

Erhard Riker haalde zijn schouders op. 'In mijn beroep kun je niet voorzichtig genoeg zijn.'

Bell hield het blad in het licht en hij zag dat het zwaard vlijmscherp was geslepen. Hij hield de holle wandelstok omhoog. 'Behoorlijk zwaar. Je hebt geen zwaard nodig, want hiermee kan een man al gevloerd worden.'

Bell zag Riker hem aankeek alsof hij zich afvroeg of hij de woorden goed had verstaan. Riker zei uiteindelijk: ' Twee man, als het snel gebeurt.'

'Maar dan moeten die mannen wel dronken zijn,' reageerde Bell en hij ging snel voor Marion staan om haar te beschermen. Beide mannen beseften tegelijk dat ze over de avond spraken toen Eyes O'Shay en Billy Collins hadden geprobeerde de vader van Erhard Riker te beroven.

Riker antwoordde nonchalant, al keek hij met een kille blik strak naar Bell.

'Ik werd wakker in een eersteklashut aan boord van een schip op volle zee. Ik werd goed behandeld door de oude man, en ik kreeg heerlijk te eten. Biefstuk, oesters, geroosterde eend, wijn werd geserveerd in kristallen glazen. Het leek alsof ik in de hemel was. Uiteraard vroeg ik me af wat er van mij verwacht werd. Maar het enige wat me gevraagd werd was dat ik naar school ging en leerde me als een heer te gedragen. Hij stuurde me naar een kostschool in Engeland, en later naar de beste universiteiten in Duitsland.'

'Waarom liet Riker je niet achter in de goot, met Billy Collins?'

'Heb je Billy gesproken? Hoe is het met hem?'

'Nog altijd in de goot. Waarom liet Riker je daar niet achter?'

'Hij treurde nog altijd over de dood van zijn eigen zoon, die aan influenza was gestorven. Hij wilde weer een zoon.'

'En jij was beschikbaar.'

'Ik was afgedankt. Ik kon amper lezen. Maar hij zag iets in mij wat niemand anders zag.'

'En jij beloonde hem door een moordenaar en een spion te worden?'

'Ik heb gedaan wat hij wilde,' zei Riker met opgeheven hoofd.

'Je bent er trots op dat je een moordenaar en een spion werd?' vroeg Isaac Bell verontwaardigd.

'Jij bent een bevoorrecht mens, Isaac Bell. Er zijn dingen die je nooit zult begrijpen. Ik ben trots op wat ik voor hem kon doen.'

'En ik ben even trots dat ik je arresteer op verdenking van moord, Brian O'Shay.'

Op dat moment kwam Katherine Dee door een gordijn voor de

achterkamer en ze was met een sprong bij Marion. Ze sloeg haar arm om Marions hals en drukte haar duim in haar oog.

50

'Brian heeft me deze truc geleerd, op mijn twaalfde verjaardag. Hij gaf me zelfs een eigen priem. Gemaakt van puur goud, zie je?' Het geslepen metaal paste als een klauw om haar vinger.

'Blijf heel stil staan,' zei Bell tegen Marion. 'Verzet je niet. O'Shay staat nu sterk.'

'Gehoorzaam je verloofde,' zei Katherine Dee.

Eyes O'Shay zei: 'Om je vraag te beantwoorden, Bell, een van mijn manieren om de oude man terug te betalen voor zijn goedheid was dat ik Katherine redde, zoals hij mij gered had. Katherine is welopgevoed, ontwikkeld en ze is zelfstandig. Niemand kan haar iets aandoen.'

'Welopgevoed, ontwikkeld, zelfstandig en moordlustig,' zei Bell.

Met haar andere hand trok Katherine een pistool.

'Ook een verjaardagscadeau?'

'Geef dat zwaard aan Brian, Bell, voordat je verloofde blind is en ik je neerschiet.'

Bell gooide de schede naar O'Shay. Zoals hij verwachtte was de spion te ervaren om zich te laten afleiden. O'Shay ving de wandelstok op, zonder zijn ogen ook maar even af te wenden van Bell. Maar toen hij het zwaard weer in de schede wilde steken keek hij naar de scherpe punt om te voorkomen dat hij in zijn hand zou prikken. Bell had op dat moment gewacht en hij kwam razendsnel in actie.

Met de punt van zijn laars trapte hij tegen de elleboog van Katherine Dee. Ze schreeuwde het uit van pijn en moest onwillekeurig haar hand wel openen. Haar duim bewoog weg van Marions oog.

Maar het scherpe gouden mes bleef om haar duim.

Marion probeerde weg te komen van de kleinere vrouw. Katherine bewoog het mes weer naar Marions gezicht. Bell had zijn derringer in de hand hij spande de trekker. O'Shay schreeuwde schril: 'Nee!' en hij sloeg met de wandelstok naar Bell. Het pistoolschot klonk oorverdovend in de kleine ruimte. Solomon Barlowe dook naar de vloer. Marion gilde en Bell dacht even dat hij haar geraakt had. Maar Katherine Dee zakte in elkaar.

O'Shay greep haar met een arm en smeet de deur open. Bell sprong achter hen aan. Hij struikelde over Soloman Barlowe. Toen hij overeind gekrabbeld was en naar buiten stormde zag hij dat O'Shay en Katherine in een Packard stapten, met een geüniformeerde chauffeur achter het stuur. Gewapende kerels kwamen achter de auto vandaan en richtten hun pistolen.

'Marion! Ga liggen!' brulde Bell. De lijfwachten van Riker vuurden een salvo schoten af.

Kogels verbrijzelden de winkelruit en sloegen gaten in de muren. Voorbijgangers op het trottoir lieten zich vallen. Bell schoot terug, zo snel hij kon. Hij hoorde de Packard met brullende motor wegrijden. Hij vuurde weer, tot het magazijn van zijn Browning leeg was. De grote auto scheurde de hoek om en botste ergens tegenaan. Toen er geen kogels meer rondvlogen draafde Bell naar de hoek en zag dat de Packard tegen een lantaarnpaal was gebotst. O'Shay, Katherine Dee en hun lijfwachten waren verdwenen. Bell rende terug naar de juwelierswinkel, en zijn hart bonsde in zijn keel. Solomon Barlowe greep kreunend naar zijn been. Marion lag met open ogen op de vloer bij de toonbank.

Ze leefde.

Hij knielde naast haar. 'Ben je geraakt?'

Ze streek met haar hand over haar gezicht. Ze was doodsbleek. 'Ik geloof het niet,' zei ze zwakjes.

'Is alles in orde?'

'Waar zijn ze?'

'Verdwenen. Maak je niet druk. Ze komen niet ver.'

Ze klemde iets in haar vuist en drukte het tegen haar borst.

'Wat heb je daar?'

Langzaam opende ze haar vingers. In haar handpalm lag de smaragd, groen en mysterieus als het oog van een kat.

'Ik dacht dat je deze edelsteen niet mooi vond,' zei Bell.

Marion keek met haar mooie ogen naar het verbrijzelde glas en de kogelgaten in de wanden. 'Ik heb geen schrammetje. En jij ook niet. Deze smaragd is onze talisman.'

* * *

'De hele juwelenindustrie in Newark is in shock,' zei Morris Weintraub, de grijze patriarch en eigenaar van de grootste gespenfabriek. 'Ik koop al edelstenen van Riker & Riker sinds de burgeroorlog. Toen er nog maar één Riker was.'

'Wist je dat Erhard Riker geadopteerd was?'

'Je meent het? Nee, dat wist ik niet.' Weintraub keek naar de rijen werkbanken waar edelsmeden werkten in het daglicht dat door vensters op het noorden naar binnen viel. Een begrijpende glimlach verscheen om zijn lippen en hij streek over zijn kin. 'Dat verklaart veel.'

'Wat bedoel je?' vroeg Bell.

'Hij was zo'n aimabele man.'

'De vader?'

'Nee. Zijn vader was een kille schurk.'

Bell wisselde een ongelovige blik met Archie Abbott.

De fabrieksdirecteur zag het. 'Ik ben een jood,' verduidelijkte hij. 'En ik weet het als iemand mij niet mag omdat ik jood ben. De vader hield zijn haat verborgen om zaken te doen. Maar haat sijpelt altijd naar buiten. Hij kon dat niet verhinderen. De zoon haatte mij niet. Hij was ook niet zo Europees als de vader.'

Bell en Archie wisselden weer een veelbetekenende blik. Weintraub zei: 'Ik bedoel dat hij zich aardig gedroeg. In zaken was hij een heer en als persoon vriendelijk. Hij is een van de weinige mensen waar ik zaken mee doe die ik thuis zou uitnodigen. Zeker niet het type dat gaat schieten in een juwelierszaak in Maiden Lane. Geen schurk zoals zijn vader.'

Archie zei: 'Dus u was niet echt geschokt toen de vader werd vermoord in Zuid-Afrika?'

'En ook niet verbaasd.'

'Hoezo?' vroeg Archie en Isaac Bell voegde eraan toe: 'Wat bedoelt u daarmee?'

'Ik zei vaak voor de grap tegen mijn vrouw: "Herr Riker is een Duitse spion".'

'Waarom dacht u dat?'

'Hij wilde altijd opscheppen over zijn vele reizen. Maar in de loop der jaren viel het mij op dat hij altijd reisde naar een gebied waar Duitsland conflicten had. In 1870 was hij in Elzas-Lotharingen, toen de Frans-Pruisische oorlog uitbrak. Hij was op het eiland Samoa in '81, toen de Verenigde Staten, Engeland en Duitsland een burgeroorlog veroorzaakten. Hij was in Zanzibar toen Duitsland daar een Oost-Afrikaanse protectoraat claimde. Hij was in China toen Tsingtao door Duitsland bezet werd en hij was in Zuid-Afrika toen de Kaiser zich bemoeide met de Boerenoorlog.'

'En daar werd hij ook gedood,' merkte Archie op.

'In een gevecht dat aangevoerd werd door generaal Smuts in eigen persoon,' zei Isaac Bell. 'Als hij toen geen Duitse spion was, dan was hij wel een meester in toevallig aanwezig zijn. Bedankt, meneer Weintraub. Dat was heel verhelderend.'

Onderweg terug naar New York zei Bell tegen Archie: 'Toen ik O'Shay beschuldigde dat hij de man die hem geadopteerd had beloonde door een moordenaar en een spion te worden, antwoordde hij dat het bevrijden van Katherine Dee uit Hell's Kitchen een van de manieren was. Hij zei ook dat hij daar trots op was. Nu besef ik dat hij vooral trots is dat hij in de voetsporen van zijn vader trad.'

'Als de man die hem adopteerde een spion was, zou Riker-O'Shay dan ook een spion voor Duitsland zijn? Hij is in Amerika geboren. Hij werd geadopteerd door een Duitse pleegvader. Hij ging naar school in Engeland en naar de universiteit in Duitsland. Met welk land kan hij dan loyaal zijn?'

'Hij is een gangster,' zei Bell. 'En hij weet niet wat loyaliteit is.'

'Waar kan hij heen, nu zijn ware identiteit bekend is?'

'Dat maakt hem niet uit. Maar hij zal eerst nog een laatste sabotage-daad plegen, ten gunste van het land dat hem bescherming biedt.'

'Door die torpedo's te gebruiken,' zei Archie.

'Tegen welk doelwit?' vroeg Bell zich hardop af.

* * *

Ted Whitmark wachtte in de hal van Van Dorn's kantoor toen Bell terugkeerde in het Knickerbocker Hotel. Hij had zijn hoed op zijn knieën gelegd en keek niet op toen hij aan Bell vroeg: 'Kunnen we er-gens onder vier ogen praten?'

'Kom mee,' zei Bell. Hij zag dat de Whitmarks collegedas scheef zat, zijn schoenen waren dof en zijn broek moest geperst worden. Hij ging hem voor naar zijn bureau en schoof een stoel dichterbij, zodat ze zacht konden praten. Whitmark ging zitten, handenwringend en op zijn lip bijtend.

'Hoe is het met Dorothy?' vroeg Bell om hem op zijn gemak te stellen.

'Dat is een van de dingen waar ik over wil praten. Maar eerst het be-langrijkste, als je dat goed vindt.'

'Geen probleem.'

'Kijk, ik hou van kaartspelen. Dat doe ik vaak…'

'Je bent een gokker.'

'Inderdaad, ik ben een gokker. En soms doe ik dat te veel. Ik ver-lies wel eens, en voor ik het weet ben ik blut. Uiteraard doe ik alles om het verlies weer goed te maken, maar soms wordt het alleen maar erger.'

'Is dit een periode van verliezen?' vroeg Bell.

'Daar lijkt het wel op. Ja, dat is inderdaad het geval.' Whitmark zweeg.

'Mag ik aannemen dat Dorothy daar ongerust over is?'

'Ja, maar dat is niet zo belangrijk. Ik ben nogal dom geweest. Ik heb echt een paar domme dingen gedaan. Ik dacht dat ik mijn lesje wel geleerd had in San Francisco.'

'Wat is er in San Francisco gebeurd?

'Dankzij jou kon ik een kogel ontwijken.'

'Wat bedoel je?' vroeg Bell, opeens alert dat de situatie ernstiger was dan hij eerst vermoedde.

'Toen jij verhinderde dat het munitiedepot op Mare Island werd opgeblazen heb je mijn leven gered. Er zouden veel onschuldige mensen gedood zijn door een explosie, en dat zou dan mijn schuld zijn.'

'Leg eens uit,' zei Bell gespannen.

'Ik gaf ze een toegangspas en de documenten om op de marinewerf van Mare Island te komen.'

'Waarom?'

'Ik had zulke grote speelschulden. Ze zouden me anders vermoorden.'

'Wie?'

'Nou, Commodore Tommy Thompson als eerste. Hier in New York. Maar hij verkocht mijn schuld aan een kerel die eigenaar is van een casino bij Barbary Coast, en daar verloor ik nog meer. Die man wilde mij ook doden. Hij dreigde met een langzame en pijnlijke dood, tenzij ik een toegangspas en een factuur van mijn bedrijf gaf, en vertelde wat de procedure was om op het eiland te komen. Ik weet wat je denkt: dat ik een saboteur hielp naar die marinewerf te gaan, maar ik besefte toen niet wat hun plannen waren. Ik dacht dat ze daar ook zaken wilden doen, en dat het alleen om geld ging.'

'Je hóópte dat ze het voor geld deden,' verbeterde Isaac Bell zijn woorden.

Ted Whitmark liet zijn hoofd hangen. Toen hij na enige tijd weer opkeek blonken tranen in zijn ogen. 'Dat hoopte ik nu weer, maar ik vrees dat het anders is. En erger.'

De telefoon op het bureau van Bell rinkelde. Hij griste de hoorn van de haak. 'Ja?'

'Er is een dame die u en de heer bij u wil spreken. Miss Dorothy Langner. Kan ze naar uw kamer komen?'

'Nee. Zeg haar dat ik dadelijk kom.' Bell verbrak de verbinding. 'Ga door, Ted. Wat is er nu dan gebeurd?'

'Ze willen dat ik een van mijn trucks die veel naar de Brooklyn marinewerf rijdt aan hen afsta.'

'Wie vraagt dat?'

'O'Shay, die gladde kerel. Ik hoorde dat iemand hem Eyes noemde. Dat moet wel zijn bijnaam zijn. Weet je wie ik bedoel?'

'Wanneer willen ze die truck hebben?' vroeg Bell, de vraag van Whitmark negerend.

'Morgen. Als de New Hampshire geladen wordt met proviand en munitie. Het schip zal een regiment mariniers naar Panama vervoeren, om de verkiezing bij de Kanaalzone ordelijk te laten verlopen. Mijn vestiging in New York mag de voorraden leveren.'

'Hoe groot moet die truck zijn?'

'De grootste die ik heb.'

'Groot genoeg voor het vervoer van torpedo's?'

Whitmark beet op zijn lip. 'O, god, is dat wat ze willen?'

De deur naar de ontvangstruimte zwaaide open en Harry Warren kwam binnen. Bell richtte zich weer naar Ted Whitmark, maar een beweging bij de deur trok zijn aandacht en hij zag Dorothy Langner in een zwarte jurk en met een zwarte hoed met veren achter Harry Warren naar binnen komen. 'Kan ik u helpen, dame?' zei Harry.

'Ik zoek Isaac Bell,' zei ze met haar heldere stem. 'O, ik zie hem al.' Ze kwam snel naar Bells bureau en zocht in haar handtas.

Whitmark sprong overeind. 'Hallo, Dorothy. Ik zei toch dat ik met Bell zou praten. Dit is verhelderend, nietwaar?'

Dorothy Langner keek hem aan, en dan naar Bell. 'Dag Isaac. Kan ik ergens even alleen met Ted praten?' Haar mooie ogen waren flets, en Bell kreeg de griezelige indruk dat ze blind was. Maar dat was on- mogelijk, want ze was kordaat recht naar hem toe gelopen.

'Ik geloof dat de werkkamer van Van Dorn vrij is. Hij zal het geen probleem vinden.'

Bell leidde het tweetal naar Van Dorns kamer, sloot de deur en bleef luisteren. Hij hoorde Whitmark herhalen: 'Dit is toch verhelde- rend, nietwaar?'

'Niets is verhelderend.'

'Dorothy?' vroeg Ted. 'Wat doe je?'

Het antwoord was een pistoolschot. Bell smeet de deur open. Ted Whitmark lag op zijn rug, bloed stroomde langs zijn schedel. Dorothy

Langner liet het glanzende pistool dat ze op Whitmarks borst gericht hield vallen en zei tegen Bell: 'Hij heeft mijn vader vermoord.'

'Yamamoto Kenta heeft jouw vader vermoord.'

'Ted heeft die bom niet geplaatst, maar wel informatie doorgegeven over het werk van mijn vader en Hull 44.'

'Heeft Ted dat aan jou verteld?'

'Hij probeerde zijn schuldgevoel kwijt te raken door het aan mij op te biechten.'

Harry Warren stormde met een pistool in de aanslag de kamer in. Hij knielde naast Ted Whitmark. Daarna pakte hij de hoorn van Van Dorns telefoon. 'Ze heeft hem niet vol geraakt,' zei hij tegen Bell, en tegen de telefonist: 'Laat een dokter komen.'

'Is hij ernstig gewond?' vroeg Bell.

'Het was een schampschot, daarom bloedt hij veel.'

'Dus hij gaat niet dood?'

'Niet aan deze wond. Ik geloof dat hij al weer bij kennis komt.'

'Ze heeft hem niet neergeschoten,' zei Bell.

'Wat?'

'Ted Whitmark probeerde zelfmoord te plegen, maar zij greep het pistool en redde zijn leven.'

Harry Warren keek Bell vragend aan. 'Vertel mij eens waarom hij zelfmoord wilde plegen, Isaac.'

'Hij is een verrader. Hij had mij juist verteld dat hij informatie doorspeelde aan de spion.'

Harry Warren knikte bedachtzaam. 'Zo te zien heeft miss Langner het leven van deze wandluis gered.'

De arts van het Knickerbocker Hotel kwam haastig de kamer in en opende zijn koffertje. Twee piccolo's volgden hem met een brancard. 'Achteruit, allemaal. Maak plaats.'

Bell leidde Dorothy terug naar zijn kamer. 'Ga zitten.' Hij wenkte een leerling. 'Haal alsjeblieft een glas water voor mevrouw.'

'Waarom zei je dat?' fluisterde Dorothy.

'Ik had het niet gezegd als je hem wel gedood had. Maar aangezien dat mislukte en je al genoeg moet doorstaan wil ik niet dat je gearresteerd wordt wegens poging tot moord.'

'Zal de politie dat geloven?'

'Als Ted meewerkt. En ik denk dat hij dat zal doen. Vertel me nu wat hij tegen jou gezegd heeft.'

'Hij verloor het vorige najaar veel geld met gokken in Washington. Een van de andere spelers bood hem een lening aan. En in ruil daarvoor praatte hij met Yamamoto.' Ze schudde boos en verbitterd haar hoofd. 'Hij beseft nog altijd niet dat het opzet was om hem te laten verliezen.'

'Hij dacht dat het gewoon pech was,' zei Bell. 'Maar vertel verder.'

'Hetzelfde gebeurde dit voorjaar in New York en later in San Francisco. En nu ook weer, al begreep hij eindelijk hoe ongelooflijk dom hij bezig was. Althans, dat beweerde hij. Ik denk dat hij probeerde mij weer voor zich te winnen. Maar ik zei dat het voorbij was. Hij had ook ontdekt dat ik iemand anders ontmoette.'

'Farley Kent.'

'Uiteraard weet jij dat al,' zei ze berustend. 'De Van Dorns weten alles. Toen Ted het ontdekt had van Farley besefte hij kennelijk dat niets in zijn leven waarachtig was. Hij hoopte misschien dat ik op hem zou wachten tot hij weer uit de gevangenis kwam. Of dat ik zou huilen als ze hem ophingen wegens hoogverraad.'

'Hem neerschieten zou hem ook niet op andere gedachten brengen,' merkte Bell op.

Dorothy glimlachte. 'Ik weet niet wat ik ervan moet denken dat ik hem niet gedood heb. Het was wel mijn bedoeling. Ik kan amper geloven dat ik miste. Ik stond zo dichtbij.'

'Mijn ervaring is dat mensen die ernaast schieten dat ook wilden,' zei Bell. 'De meeste mensen vinden het niet zo gemakkelijk om iemand te vermoorden.'

'Had ik hem maar vermoord.'

'Daar kun je doodstraf voor krijgen.'

'Dat kan me niet schelen.'

'En Farley Kent?'

'Farley zou...' Dorothy zweeg abrupt.

Bell glimlachte toegeeflijk. 'Je wilde zeggen dat Farley het zou begrijpen, maar je besefte dat het niet zo is.'

Ze boog haar hoofd. 'Farley zou ontroostbaar zijn.'

'Ik heb Farley aan het werk gezien. Hij lijkt me wel jouw type man. Hij houdt van zijn werk. Hou jij ook van hem?'

'Ja, echt.'

'Kan iemand mij vergezellen naar de Brooklyn marinewerf?' Dorothy ging staan. 'Bedankt. Ik weet de weg.'

Bell begeleidde haar naar de deur. 'Jij begon deze zaak, Dorothy, toen je bezwoer dat je de naam van je vader wilde zuiveren. Niemand heeft meer gedaan voor zijn en Farleys werk aan Hull 44. Dank zij jou hebben we de spion ontmaskerd en je kunt er zeker van zijn dat we hem grijpen.'

'Heeft Ted nog iets gezegd waar je wat aan hebt?'

Bell koos zijn woorden zorgvuldig. 'Hij is er zelf van overtuigd dat het zinvol was. Vertel mij eens hoe Ted het ontdekte van Farley?'

'Door een brief van een bemoeial, ondertekend met "Een Vriend". Waarom lach je, Isaac?'

'De spion wordt radeloos,' was het enige wat Bell zei, maar hij had een sterk vermoeden dat O'Shay zo sluw geweest was dat hij Ted Whitmark valse informatie gaf. De spion wilde Bell in de waan brengen dat hij vanaf het land zou aanvallen, terwijl hij in werkelijkheid op de een of manier vanaf het water wilde toeslaan.

Dorothy kuste Bell op zijn wang en daalde haastig de brede trappen af.

'Meneer Bell,' zei de receptionist. 'Telefoon voor u.'

51

'Er staan een paar groezelige kerels bij de voordeur,' meldde de huisdetective van het Knickerbocker Hotel. 'Ze zeggen dat ze u willen spreken, meneer Bell.'

'Hoe heten de heren?' vroeg Bell.

'Een van hen is oud en beweert dat hij geen naam heeft. Ik ben geneigd hem te geloven. De twee jongere figuren noemen zich Jimmy Richards en Marv Gordon.'

'Laat ze naar boven komen.'

'Ze leken me niet bepaald toonbaar in de hal, als u begrijpt wat ik bedoel.'

'Ja, dat is duidelijk. Maar het zijn neven van Eddie Tobin, dus ze mogen via de voordeur naar binnen. Zeg maar dat ik toestemming geef. Loop met ze mee, zodat de dames niet schrikken.'

'Dat is goed, meneer Bell,' antwoordde de huisdetective aarzelend.

De twee jonge zeelui Richards en Gordon uit Staten Island stelden hun oudere metgezel, een man met sluik grijs haar en kraaienpootjes rond zijn ogen na een leven op zee, voor als 'Oom Donny Darbee, die ons overgevaren heeft'.

'Wat willen jullie?'

'Zoekt u nog naar die torpedo's?'

'Wie heeft dat gezegd?'

'De marine, de kustwacht en de havenpolitie zoemen rond als muskieten,' zei Richards.

'Ze zoeken bij elke pier in de haven,' voegde Gordon eraan toe.

'En dat maakt ons werk moeilijk,' bromde oom Donny.

'Hebben jullie de torpedo's gezien?' vroeg Bell.

'Nee.'

'Wat weet je ervan?'

'Niets,' zei Richards.

'Alleen dat u die dingen zoekt,' zei Gordon.

'Je weet niets? Waarom kom je dan hier?'

'We vroegen ons af of u belangstelling voor de Holland heeft.'

'Welke Holland?'

'De grootste Holland die we ooit gezien hebben.'

'Je bedoelt een Holland-onderzeeboot?'

'Juist,' zeiden de drie in koor.

'Waar is die boot?'

'Bij de Kill Van Kull.'

'Aan de kant van Bayonne.'

'Wacht even jongens. Als jullie een onderzeeboot zagen dan moet die van de marine zijn.'

'Die onderzeeboot is verborgen onder een platte schuit.'

'Oom Donny zag het gisterenavond toen hij opgejaagd werd door de politie.'

'Ik hield die schuit al dagen in de gaten,' zei oom Donny Darbee.

Isaac Bell vuurde een aantal vragen af op de oude zeeman.

De havenpolitie die jacht maakte op kolenrovers had gezien dat oom Donny en zijn twee maten een kolenschuit volgden met een visserspraam. Oom Donny verbood de politie aan boord te komen voor inspectie. Er werden schoten gewisseld en de politie kwam toch aan boord. Oom Donny en de twee jonge kerels waren in het water gesprongen en naar de kant gezwommen.

Darbees maten werden opgepakt, maar de oude man zwom naar de platte schuit die hij al dagen observeerde omdat er niemand aan boord was en er enkele treinwagons op het dek stonden, mogelijk met lading. Donny werd moe in het koude water, toen hij zich schuilhield onder de overhangende boeg en hij zakte dieper in het water. Hij voelde onder zijn voeten iets stevigs, terwijl het daar te diep zou moeten zijn

385

om te kunnen staan. Toen de politie de speurtocht opgaf kwamen Jimmy en Marv, die vanaf Staten Island toegekeken hadden, met een andere visserspraam Donny oppikken. Ze keken onder de platte schuit en zagen het silhouet van een onderzeeboot.

'Groter dan de Holland van de marine. Dezelfde romp, maar het leek wel of aan beide kanten een stuk was toegevoegd.'

'Oom Donny kent de Holland,' verduidelijkte Jimmy Richards. 'Hij nam ons mee naar Brooklyn om naar de proefvaarten te kijken. Wanneer was dat?'

'In 1903. Die onderzeeboot haalde een snelheid van vijftien knopen met de toren boven water, en zes knopen onder water.'

Bell pakte de hoorn van de telefoon. 'Dus jullie zijn ervan overtuigd dat je een onderzeeboot hebt gezien.'

'Wilt u zelf kijken?' vroeg Marv Gordon.

'Ja.'

'Dat zei ik toch,' merkte oom Donny op.

Isaac Bell telefoneerde met de havenpolitie van New York, riep Archie Abbott en Harry Warren en hij pakte een tas. Met de Ninth Avenue trein reden de detectives en de vissers in tien minuten naar de Battery, op de zuidelijke punt van Manhattan. Een twaalf meter lange sloep van de havenpolitie lag gereed aan Pier A.

'Nergens aankomen,' waarschuwde de kapitein toen de mannen aan boord stapten. Hij wilde de praam van Donald Darbee niet op sleeptouw nemen, hoewel het kleine vaartuig dichtbij lag afgemeerd. Maar Bell drong aan en stopte hem twintig dollar toe "voor de bemanning".

'Nooit gedacht dat ik nog eens op een boot als deze zou komen,' bromde de oude Darbee, toen ze wegvoeren van de kade.

Een agent van de havenpolitie antwoordde: 'Behalve dan met handboeien om.'

Bell zei tegen Archie en Harry: 'Als er geen onderzeeboot in de Kill Van Kull ligt, dan eindigt dit nog in een vuurgevecht.'

'Denk je werkelijk dat we die boot vinden, Isaac?'

'Ik vermoed dat ze dénken dat ze een onderzeeboot hebben gezien. En die torpedo's zijn een nog veel dodelijker wapen in combinatie met een onderzeeboot dan met een gewoon marineschip. Maar ik geloof het pas als ik die onderzeeboot met eigen ogen zie.'

De sloep ploegde door het water van Upper Bay en koerste tussen de veerponten, sleepboten, vrachtschuiten en zeegaande schoeners en stoomschepen. Een oorverdovend gillende stoomfluit kondigde de nadering van een Atlantisch passagiersschip aan, varend door de Verrazano Narrows. Sleepboten antwoordden met hun eigen stoomfluiten. Een reeks spoorponten bracht wagons van en naar New Jersey, Manhattan, Brooklyn en de East River.

De politieboot stuurde naar de vaargeul tussen Staten Island en New Jersey die Kill Van Kull wordt genoemd. Bell schatte dat het vaarwater driehonderd meter breed was, ongeveer even breed als de smalle arm van de Carquinez Strait, waar hij Louis Loh had opgepakt toen die van Mare Island wegzwom. Links van Bell rezen de heuvels van Staten Island op. De stad Bayonne strekte zich rechts van hem uit. Kades, pakhuizen, scheepswerven en woningen verrezen langs de oever. Zes kilometer verder zeiden Richards en Gordon tegelijk: 'Kijk, daar is het!'

De platte schuit lag afgemeerd langs de oever waar een groen gazon zich uitstrekte naar een groot vrijstaand huis. De brede schuit was een ouderwets type spoorpont, met drie sporen op het dek. Op de sporen aan de zijkant stonden goederenwagons. Het middelste spoor leek vrij, al kon dat vanaf de politieboot niet gezien worden.

'Waar is die onderzeeboot?' vroeg de kapitein van de sloep.

'Onder water,' gromde Donald Darbee. 'Ze hebben een bun in die platte schuit gemaakt, zodat de commandotoren omhoog steekt.'

'Heb je dat gezien?'

'Nee, maar hoe kunnen ze anders aan boord komen?'

De kapitein keek verwijtend naar Isaac Bell. 'Meneer Bell, ik denk dat mijn baas met uw chef gaat praten, en dat wij daar geen van beiden blij mee zijn.'

'Vaar eens dichterbij.'

'Er is te weinig diepgang voor een onderzeeboot van de Holland-klasse.'

'Het is hier diep genoeg,' zei Donald Darbee. 'Door de getijstroom schuurt de bodem uit.'

De roerganger voer langzaam vooruit en ze naderden de spoorpont tot vijftien meter.

De detectives van Van Dorn, de vissers en de agenten van de havenpolitie tuurden naar het troebele water. Langzaam dreef de sloep dichterbij.

'Er wordt veel modder opgewerveld,' merkte Darbee op.

'Dat komt door onze draaiende schroef,' zei de kapitein. 'Ik zei toch dat het hier ondiep is?' Hij wendde zich naar de roerganger en commandeerde: 'Achteruit, anders lopen we aan de grond.'

Darbee zei: 'Het is hier zeker tien meter diep. Dus waardoor wordt die modder opgeworpen?'

'Dat vraag ik me ook af.'

'En ik ook,' zei Bell, turend naar het water. Luchtbellen borrelden omhoog en kwamen sissend aan de oppervlakte.

52

'Achteruit!' riep Isaac Bell. 'Volle kracht achteruit!'
De roerganger en de machinist reageerden kordaat. De stoom-
machine werd meteen in achteruit geschakeld. De schroef maalde in
de andere richting en de stompe schoorsteen braakte rook en stoom
uit. De sloep kwam tot stilstand, maar voordat het vaartuig achteruit
begon te varen rees een grauwe dreigende vorm in het water omhoog.

'Hou je vast!'

Bell zag een pijp recht voor de sloep oprijzen – de periscoop van de
onderzeeboot. Een plompe ronde koepel kwam aan de oppervlakte:
de commandotoren met aan de buitenkant handgrepen. Op dat moment volgde een zware dreun tegen de kiel van de politieboot en het
vaartuig werd omhoog gedrukt. De kiel brak krakend en toch rees de
boot verder, opgeheven door de grote metalen romp die als een dolle
walvis boven water kwam.

De politieboot kantelde opzij, zodat de detectives, de agenten en de
vissers in het water vielen.

Bell sprong op de stalen romp en waadde door het water naar de
commandotoren. Hij klampte zich vast aan de handgrepen en probeerde bij het wiel te komen waarmee het luik geopend kon worden.

'Pas op, Isaac!' waarschuwde Archie. 'Die boot duikt weer!'

Bell negeerde de opmerking en het snel stijgende water dat al tot
zijn borst reikte. Met zijn volle gewicht stortte hij zich op het wiel.
Eerst kwam er geen beweging. Maar toen voelde Bell het wiel draaien.

Zout water spoelde over zijn schouders, in zijn mond, ogen en neus. Opeens schoot de onderzeeboot naar voren. Bell hield het wiel zo lang hij kon vast en bleef proberen het open te draaien, maar de kracht van het langsstromende water werd te sterk en hij moest loslaten. De romp schoot onder hem door en hij besefte te laat dat de draaiende schroef hem elk moment in stukken kon malen.

Met beide voeten zette hij zich hard mogelijk af en zwom uit alle macht weg. Het water langs de romp zoog hem terug en hij schuurde langs de metalen beplating, tot hij door iets hards werd geraakt. De turbulentie in het water trok hem naar de diepte. Bell besefte dat hij tegen een beschermende steun van de scheepsschroef was geslagen en daardoor niet vermalen werd door de schroefbladen.

Hij worstelde zich naar de oppervlakte en zag de commandotoren snel bewegen door het water van de Kill Van Kull. Bell begon in dezelfde richting te zwemmen. Archie was achter hem en hielp Harry Warren op de modderige oever. Richards en Gordon en de machinist van de sloep hielden touwen van de platte schuit vast en de kapitein van de politiesloep zat op de romp van zijn gekapseisde boot. 'Telefoneer om hulp!' riep de kapitein en twee agenten liepen wankelend naar het huis achter het gazon.

Donald Darbee klauterde in zijn visserspraam die losgebroken was van de zinkende politieboot.

'Donny!' riep Bell over zijn schouder, terwijl hij achter de onderzeeboot aan zwom. 'Pik me op!'

De benzinemotor in Darbees boot sputterde en blies blauwe rookwolken uit.

De onderzeeboot bleef duiken. Alleen de top van de commandotoren en de periscoop staken nog boven het water uit en veroorzaakten met de reling en het wiel dat Bell tevergeefs wilde openen een kolkend spoor in het water.

Darbees vissersspraam kwam langszij en Bell klom aan boord. 'Doorvaren!' commandeerde Bell.

Darbee duwde de gashendel naar voren. De motor maakte meer lawaai en de houten boot sidderde. De oude man mompelde: 'En wat doen we als we die boot inhalen?'

Bell hoorde pistoolschoten knallen. De agenten die naar het huis renden om telefonisch hulp te vragen doken achter de struiken. Uit alle vensters van het huis werd over het gazon geschoten.

'Daar wonen vervalsers,' wist Darbee.

'Sneller!' zei Bell.

Hij sprong naar het voordek.

'Vaar langszij die commandotoren.'

De Holland-klasse onderzeeboot voer grotendeels onder water in de richting van Upper Bay, met een snelheid van zes knopen. Darbee prutste aan de motor en geronk zwol aan. De praam voer even later twee keer zo snel. De afstand naar de onderzeeboot halveerde en de sterke stroom achter de enorme scheepsschroef werd getrotseerd. Bell zette zich schrap om naar de commandotoren te springen. De houten vissersboot kwam langszij. Bell kon de romp onder water amper zien, maar hij voelde de aanwezigheid. Hij hoopte dat de periscoop sterk genoeg was als hij die vastgreep tot hij de handreling kon pakken.

De Holland-duikboot verdween opeens.

Het ene moment was de toren nog voor Bell, en een ogenblik later onder water verdwenen. Bell zag de luchtbellen en het onrustige water achter de scheepsschroef, maar hij kon nergens naartoe springen: geen commandotoren, geen reling, geen periscoop.

'Langzamer!' riep hij naar Darbee. 'Volg het kielzog.'

Darbee nam gas terug om even snel als de onderzeeboot te varen.

Bell stond op het voordek en keek naar het kielzog. Hij gebaarde naar de oude man dat hij naar rechts of naar links moest sturen. Hoe genavigeerd werd aan boord van de onderzeeboot was een mysterie, tot een kilometer verder, voor een bocht in het vaarwater, de periscoop opeens weer boven water stak. De onderzeeboot veranderde van koers.

De spion had de route uit de Kill Van Kull uitgezet door de tijd te noteren tussen elke bocht in het vaarwater. Bell zag weer een koerswijziging en de vissersspraam volgde het spoor. De periscoop bleef boven water en werd gedraaid, tot de lens op Bell gericht was.

'Stop de motor!' riep Bell.

De kleine boot verloor vaart. Bell keek naar een aanwijzing dat de onderzeeboot achteruit zou varen of keren om de vissersboot te rammen. Maar de koers werd niet verlegd, al bleef de periscoop naar achteren gericht.

'Darbee, had de Holland onderzeeboot die getest werd een torpedobuis in het achterschip?'

'Nee,' antwoordde Darbee tot opluchting van Bell, tot eraan toegevoegd werd: 'Maar ik hoorde dat die nog wel toegevoegd zou worden.'

'Ik kan me niet voorstellen dat ze een torpedo verspelen door op ons te schieten.'

'Dat lijkt me ook niet.'

'Vaar wat sneller om dichterbij te komen.'

Een eind voor hen maakte de Kill een scherpe bocht. De periscoop draaide weer rond en de onzichtbare roerganger van de onderzeeboot stuurde door de bocht. Bell gebaarde dat de vissersboot sneller moest varen. De afstand verminderde tot twintig meter van de periscoop en het borrelende water achter de malende schroef. Maar het vaarwater werd ruwer naarmate de Kill overging in Upper Bay.

Staten Island en Bayonne werden kleiner achter de vissersboot. Een kille zeebries sneed door Bells natte kleren en de golven krulden over de periscoop. Grote luchtbellen borrelden naar de oppervlakte en Bell begreep dat de ballasttanks werden leeggeblazen zodat de onderzeeboot dieper kon duiken. De periscoop verdween onder water, en door de vlagerige wind was het kielzog niet meer te volgen.

'Die boot is verdwenen,' zei Darbee.

Bell tuurde tevergeefs om zich heen. Drie mijl verder waren de dokken van Brooklyn te zien, en daarachter de lage groene heuvels. Links van Bell, ongeveer vijf mijl in westelijke richting verrezen de hoge gebouwen van Manhattan en het sierlijke silhouet van Brooklyn Bridge over East River.

'Weet je waar de Catherine-sleephelling is?' vroeg Bell.

'Waarom wil je daar heen?' vroeg Darbee.

'Daar ligt de Dyname,' antwoordde Bell. Dat was het snelste schip in New York, uitgerust met een telefoon en radiotelegraaf. De kapitein was een hooggeplaatste marineman die snel toestemming kon krijgen van de marine om de onderzeeboot te achtervolgen en opdracht te geven aan de New Hampshire om snel torpedonetten uit te zetten.

Darbee gaf Bell een oliejas die muf rook. Bell trok zijn natte jas uit en goot het water uit zijn laarzen. De visserspraam voer in twintig minuten naar Brooklyn Bridge, maar toen ze onder de brug doorvoeren zonk Bell de moed in de schoenen. De New Hampshire was al afgemeerd, aan de pier die dicht bij de sleephelling was waar Hull 44 werd gebouwd. Als dat het doelwit van O'Shay was, dan vormde het duo een gemakkelijk doelwit. Explosies op het marineschp zouden de hele werf in lichterlaaie zetten.

*   *   *

Opgelucht zag Isaac Bell dat de Dyname bij de Catherine-sleephelling lag.

Hij sprong van de visserspraam op een ladder langs de kade en klauterde omhoog. Snel liep hij over de loopplank van de Dyname en klopte aan bij de kapiteinshut. Kapitein Falconer zat op een groene leren bank, in gezelschap van twee bemanningsleden.

'Falconer, ze hebben een onderzeeboot.'

'Dat heb ik al gehoord,' antwoordde de Held van Santiago met een grimmige hoofdknik naar de drie mannen van Riker & Riker die de hut beschermden met pistolen en een geweer met afgezaagde loop. Bell herkende de lijfwacht Plimpton die bij herr Riker was in de 20th Century Limited. Plimpton zei: 'U bent doorweekt, meneer Bell. En u verloor uw hoed.'

53

'Hallo Plimpton.'
'Handen omhoog!'
'Waar is O'Shay?'
'Ik zei: Handen omhoog!'
'Zeg tegen je baas dat ik hem nog moet betalen voor een schitterende smaragd en dat ik het graag persoonlijk doe.'
'Nu!'
'Doe wat hij zegt, Bell,' zei Falconer. 'Ze hebben mijn stuurman en mijn machinist al neergeschoten.'

Isaac Bell stak zijn handen omhoog, omdat hij besefte dat zijn tegenstander sterker stond. Plimpton hield een halfautomatische Duitse Luger in de aanslag, en kennelijk wist hij ermee om te gaan. De twee kerels die Plimpton flankeerden pasten niet in het tafereel. De oudste, met een Remington-geweer met afgezaagde loop kon ook bewaker van een bankgebouw zijn, en de jongste leek eerder een uitsmijter bij een vestiging van de YMCA. Bell veronderstelde dat deze kerels niet aan boord van Falconers jacht waren met een vooropgezet plan. Er was iets verkeerd gegaan.

Waarom waren ze op het laatste moment aan boord van de Dyname gestapt? Ontsnappen met de snelst varende boot, nadat O'Shay zijn torpedo's had afgevuurd? Maar de Dyname had niet de actieradius om de Atlantische Oceaan over te steken. O'Shay was zeker van plan om met een passagiersschip naar Europa te reizen, samen met Katherine Dee onder een valse naam. Of hij had passage geboekt op een vrachtschip.

Door Katherine was het misgelopen, begreep Bell. Katherine was gewond.

'Is het meisje aan boord?' vroeg Falconer.

'Ze heeft een dokter nodig!' zei de knaap met het geweer.

'Kop dicht, Bruce!' gromde Plimpton.

'Ik ben ook aan boord,' zei Katherine Dee. Ze kwam wankelend aanlopen uit Falconers hut. Ze was bleek en leek koortsig, als een kind dat uit een diepe slaap is gewekt. Maar op haar gezicht was haat te lezen. 'Het is jouw schuld,' zei ze bitter tegen Bell. 'Jij bederft alles.' Ze had haar pistool stevig vastgehouden toen hij in de juwelierszaak op haar schoot. Nu richtte ze het wapen met trillende hand op Bell.

'Miss Dee!' zei Bruce. 'U moet niet uit bed komen!'

'Ze heeft een dokter nodig,' zei Bell.

'Dat zei ik ook al meneer Plimpton. Een arts moet haar behandelen.'

'Kop dicht, Bruce,' zei Plimpton. 'Zodra dit achter de rug is laat ik een dokter komen.'

Met zijn handen omhoog en geflankeerd door de schutters van O'Shay keek Bell naar Katherine, zoekend naar een kans, terwijl hij een kogel verwachtte. Hij zag geen genade in haar ogen, geen aarzeling. Ze was duidelijk heel ernstig gewond, maar ze wilde Bell doden voordat ze stierf. Zoals ze Grover Lakewood en pastoor Jack gedood had, en wie weet hoeveel anderen in opdracht van O'Shay. Hoelang zou het duren voordat ze bewusteloos raakte. Waar was haar goddelijke vonk?

'Weet je dat vader Jack vroeger voor je gebeden heeft?' vroeg Bell.

'Dan hebben die gebeden niets uitgehaald. Brian O'Shay heeft mij gered.'

'Waartoe heeft Brian jou gered? Om Grover Lakewood in het ravijn te storten? Om die pastoor dood te schieten?'

'Zoals jij op mij schoot.'

'Nee, ik schoot om de vrouw die ik bemin te beschermen.'

'En ik hou van Brian. Ik doe alles voor hem.'

Bell herinnerde zich de woorden van treinconducteur Dilbert in de

20th Century Limited. *Riker en zijn verzorgster hebben altijd twee aparte cabines.*

En O'Shay zelf had, sprekend als Riker, gezegd: 'Dat meisje bracht licht in de duisternis van mijn leven.'

'En wat betekent Brian voor jou?'

'Hij heeft mij gered.'

'Ja, vijftien jaar geleden. Maar wat kan hij verder in jouw leven doen, Katherine? Je onschuld bewaren?'

Haar hand beefde heftig. 'Jij...' Haar stem klonk schor.

'Jij moordt om hem een plezier te doen? Is dat onschuld? Is dat het? Vader Jack heeft terecht voor jou gebeden.'

'Waarom?' jammerde ze.

'Omdat hij in zijn hart wist dat Brian O'Shay jou niet kon redden.'

'En God wel?'

'Dat geloofde die pastoor. Met heel zijn hart.'

Katherine liet het pistool zakken. Ze rolde met haar ogen. Het wapen gleed uit haar hand en ze zakte in elkaar, als een marionet waarvan de touwtjes doorgeknipt worden.

'Plimpton! Ze zal sterven als er geen dokter komt!' schreeuwde Bruce. Hij zwaaide vertwijfeld met zijn pistool.

Als in een reflex reagerend op de beweging van het pistool vuurde Plimpton een kogel af en raakte Bruce tussen zijn ogen. In een flits zag hij dat Isaac Bell bewoog. Bell vuurde zijn Browning twee keer af: eerst op Plimpton en daarna op de andere gewapende man. Toen die naar voren tuimelde ging zijn geweer af en het schot klonk oorverdovend in de benauwde ruimte. Een kogelregen volgde en raakte Lowell Falconer en zijn bemanningsleden.

Bell bond Falconers knie af toen Donald Darbee voorzichtig zijn hoofd om de deur stak. 'Ik wil even melden dat de Holland nu onder de Brooklyn Bridge doorvaart, meneer Bell.'

54

'Naar de oppervlakte!' schreeuwde Dick Condon, de eerste stuurman, die het commando had gekregen van O'Shay, nadat kapitein Hatch van de Holland-onderzeeboot was vermoord.

'Nee!' protesteerde O'Shay. 'Blijf onder water. Ze zullen ons zien.'

'Maar de getijstroom is levensgevaarlijk,' riep de Ierse rebel terug. 'De stroom is vier knopen en elektrisch varend is de maximale snelheid zes knopen! We moeten naar de oppervlakte en de dieselmotor starten.'

O'Shay greep Condons schouder. De paniek in zijn stem maakte de andere bemanningsleden die de vulling van de ballasttanks regelden en de torpedo gereedmaakten angstig. En die torpedo was de reden om te varen met de onderzeeboot. Iemand moest nuchter blijven. 'Zes? Vier? Wat maakt dat uit? We zijn toch twee knopen sneller?'

'Nee, O'Shay. Dat is alleen zo als we recht tegen de stroom invaren. Als ik dwars op de stroom lig om die torpedo te richten, dan drijven we af.'

'Probeer het toch!' commandeerde O'Shay. 'Neem het risico.'

Dick Condon schakelde het hoogteroer over op handbediening en stuurde voorzichtig bij. Het dek helde onder hun voeten. Toen greep de stroming in de East River de dertig meter lange onderzeeboot met de felheid van een haai die een argeloze zwemmer aanvalt. De mannen in de benauwde donkere romp werden tegen de wanden, buizen en ventielen gesmeten toen het vaartuig heftig schommelde.

'Naar boven!' Condons stem klonk hysterisch.

'Nee!'

'Ik moet de commandotoren boven water hebben. Dat kunnen we beter richten. De eerste torpedo is al geladen. We kunnen vuren, dan duiken en met de stroom meedrijven terwijl we herladen en dan weer aan de oppervlakte komen. Dan gaat het lukken. En als iemand ons opmerkt, dan ziet hij een Britse onderzeeboot. Precies wat wij willen. Wees nu verstandig, anders is alles verloren.'

O'Shay duwde hem weg bij de periscoop en keek zelf.

De rivier was woelig en de korte golven braken overal. Buiswater sloeg tegen de lens van de periscoop. Een golf brak en vertroebelde het zicht. Weer schommelde het vaartuig heftig en opeens was de periscoop boven het woelige water. O'Shay zag dat ze bijna dwars voor de marinewerf waren.

De New Hampshire lag precies op de goede plek afgemeerd. O'Shay kon zich geen betere positie wensen voor de grote witte romp. Maar de onderzeeboot dreef naar achteren, hoewel de scheepsschroef op volle snelheid draaide. De elektromotor verspreidde een schroeilucht.

'Goed, dan vallen we vanaf de oppervlakte aan,' besloot O'Shay.

'Halve kracht!' commandeerde Condon. De motor maakte minder toeren en de onderzeeboot sidderde niet meer. Hij keek door de periscoop en stuurde het afdrijven bij door de behendig de horizontale en verticale roerbladen te bedienen. 'Gereedmaken voor boven water!'

'Wat is dat voor geluid?'

De mannen keken elkaar vragend aan.

'Is er iets mis met de motor?' vroeg O'Shay.

'Nee, nee, dat geluid komt ergens uit het water.'

De bemanning luisterde scherp en ze hoorden een aanzwellende hoge janktoon.

'Is dat een schip?'

Condon draaide de periscoop en keek rond over de rivier. De machinist zei hardop wat de anderen dachten.

'Ik heb nooit zo'n geluid van een schip gehoord.'

'Duiken!' beval Condon. 'Naar beneden!'

* * *

398

'Waar is die boot gebleven?' vroeg Lowell Falconer hijgend. Verbaasd zag Isaac Bell dat de gewonde kapitein zich naar boven had gewerkt, waar Bell de Dyname met een vaart van dertig knopen naar de Brooklyn Bridge stuurde.

'Recht voor ons,' antwoordde Bell. Zijn ene hand was om de hendel voor de stoomtoevoer geklemd, en met zijn andere hand hield hij het stuurwiel stevig vast. 'Is de afbinding van je been nog goed?' vroeg hij, zonder zijn blik af te wenden van de rivier.

'Als het niet goed was zou ik al dood zijn,' antwoordde Falconer tussen zijn opeengeklemde tanden. Hij was bleek door het bloedverlies en betwijfelde of hij lang bij kennis zou blijven. Falconers inspanning om de treden naar de brug te beklimmen moest heel groot zijn. 'Wie is er in de machinekamer?'

'Darbee zei dat hij vroeger stoker was op een Staten Island-veerboot,' antwoordde Bell. 'En ook assistent-machinist als de machinist dronken was.'

'Maar de Dyname stookt op olie.

'Dat begreep hij ook, toen hij nergens een kolenschop zag. We hebben stoomdruk genoeg.'

'Ik zie de Holland nergens.'

'Die boot gaat op en neer. Zojuist zag ik de periscoop nog. Kijk, daar!'

De ronde commandotoren kwam boven water en de hele romp werd ook even zichtbaar om dan weer onder de golven te verdwijnen.

'De getijstroom heeft vat op de boot,' mompelde Falconer. 'Het is eb en bovendien volle maan.'

'Mooi zo,' oordeelde Bell. 'We kunnen alle hulp gebruiken.'

De Dyname stoof door het water, maar de onderzeeboot was nergens te zien. Falconer trok aan Bells mouw en hij fluisterde gejaagd: 'Het is een soort A-klasse Holland, van de Britse marine. Drie keer zo groot als deze boot. Kijk uit als die onderzeeboot naar de oppervlakte komt. Met de hoofdmotor ingeschakeld kunnen ze nog veel sneller varen.'

Na die waarschuwing zakte de kapitein bewusteloos op het dek. Bell minderde vaart en keerde het snelvarende stoomjacht tot het weer recht tegen de stroom lag. Hij was nu enkele honderden meters voorbij Brooklyn Bridge en keek in de schemering speurend over het water.

Een veerpont voer opeens weg van de Pine Street Pier en kruiste de route van een Pennsylvania spoorpont. De snelvarende boten veroorzaakten boeggolven die het water zo woelig maakten dat Bell de periscoop niet meer kon onderscheiden in de brekende golven. Hij voer in cirkels en opeens zag hij de periscoop in de verte. De onderzeeboot had de veerponten gevolgd en was nu ter hoogte van de marinewerf.

De onderzeeboot kwam naar de oppervlakte zodat behalve de commandotoren ook de hele romp zichtbaar was. Bell zag blauwe rookwolken en hij begreep dat de sterke dieselmotor het vaartuig nu voortstuwde. Aan de oppervlakte varend was het nu een snelle en wendbare torpedoboot.

Maar wel kwetsbaar.

Bell duwde de stoomhendel naar voren omdat er een kans was de onderzeeboot te rammen. Maar terwijl de snelheid toenam beschreef de onderzeeboot opeens een scherpe bocht en de voorsteven wees recht naar de Dyname. De boeg zwenkte even en Bell zag de donkere opening van een open lanceerbuis. Uit de buis gleed een Mark 14 Wheeler torpedo.

55

De torpedo dook onder water.

Isaac Bell kon alleen gokken of hij naar links of naar rechts moest sturen. Hij kon de torpedo niet zien onder de golven, en ook niet of het projectiel naar links of rechts zwenkte. Als de torpedo al een kielzog veroorzaakte, dan werd dat meteen uitgewist door de venijnige golven. De Dyname was dertig meter lang en drie meter breed. Zodra Bell het vaartuig liet wenden werd het een groter doelwit voor de torpedo. Als Bell verkeerd gokte zou de exploderende lading TNT het stoomjacht vernielen. En O'Shay kon dan weer duiken om een tweede torpedo te laden en de aanval te hervatten.

Bell stuurde recht vooruit.

De bemanning in de Holland zag hem naderen en liet de onderzeeboot weer duiken. Maar dat gebeurde te langzaam om aan de scherpe stalen boeg die met een vaart van bijna veertig knopen naderde te ontsnappen. De onderzeeboot draaide scherp naar rechts, voor Isaac Bell links. Hij zag nog steeds geen kielzog of bellen aan de oppervlakte.

'Hou je vast, Danny!' riep hij door de spreekbuis en stuurde naar links om de Holland te rammen.

Een lichtflits en een explosie achter hem maakte Bell duidelijk dat hij goed gegokt had. Als hij zich vergist had zou de torpedo de Dyname vol geraakt hebben. Maar het projectiel was tegen een stenen pyloon van de Brooklyn Bridge gebotst. Bell was zo dicht bij de Holland dat hij de klinknagels kon onderscheiden. Met de hoge snelheid van de Dyname verwachtte Bell dat het vaartuig dwars door de romp van de onderzeet zou snijden, maar hij vergiste zich. De boeg van de Dyname rees boven het water en met de negen scheepsschroeven rondmalend schoot het vaartuig over de romp van de Holland, met een ijselijk geknars van metaal op metaal en afbrekende klinknagels.

De schroeven van de Dyname tolden nog rond en stuwden het stoomjacht honderden meters verder, voordat Bell de aandrijving kon uitschakelen. De Holland was verdwenen: ondergedoken of gezonken, dat wist Bell niet. Donny stak zijn hoofd om de kajuitdeur en meldde: 'We maken water!'

'Kun je meer stoomdruk geven?'

'Ja, maar niet heel lang,' antwoordde de oude man. Bell voer in een cirkel om de plek van de aanvaring. Hij merkte dat de Dyname trager reageerde door het binnenstromende water.

Zeven minuten later dook de Holland een eindje verder weer op.

Bell stuurde naar de onderzeeboot om het schip een tweede keer te rammen, maar het stoomjacht reageerde nauwelijks op het roer. Opeens werd het luik in de commandotoren geopend. Vier mannen klauterden naar buiten en sprongen in de rivier. Door de sterke getij-stroom werden ze meegevoerd onder de brug. Eyes O'Shay was niet bij het viertal. De Holland beschreef een bocht en langzaam werd de boeg gericht op de honderdvijftig meter lange romp van de New Hampshire. Op een afstand van minder dan een paar honderd meter kon de spion zijn doelwit niet missen.

Bell worstelde met het stuurwiel en dwong het stoomjacht op ram-koers. Hij duwde de stoomhendel maximaal naar voren. Er gebeurde niets. Hij schreeuwde door de spreekbuis: 'Volle kracht vooruit! En kom aan dek voordat we zinken!'

Het stoomjacht draaide traag en Bell stuurde naar de Holland, die stil lag, diep in het water want de golven van de East River reikten tot de rand van het geopende luik in de commandotoren. De draaiende scheepsschroef hield de onderzeeboot op zijn plaats, tegen de eb-stroom in. De boeg draaide langzaam verder en de torpedobuis werd op de New Hampshire gericht.

Isaac Bell stuurde de Dyname tegen de onderzeeboot. De schepen raakten elkaar, als wankelende worstelaars die bezig zijn met de laatste ronde in de strijd. Het stoomjacht drukte de onderzeeboot opzij en schuurde langs de romp. Toen Bell even door het geopende luik naar binnen kon kijken zag hij dat Eyes O'Shay driftig aan de stuurwielen draaide om de torpedo weer op het doel te richten.

Bell sprong van de Dyname op de Holland en hij verdween door het open luik naar binnen.

56

Isaac Bell sprong het geopende luik en zijn laarzen raakten O'Shays schouders. De spion verloor zijn greep op de stuurwielen, tuimelde naar de controleruimte en belandde languit op de vloer. Bell stond even later naast hem.

Een scherpe chloorlucht – giftig chloorgas dat gevormd werd door zoutwater vermengd met accuzuur – drong in zijn neusgaten en prikte in zijn ogen. Half verblind zag hij vaag iets in de benauwde ruimte en hij moest zich bukken om niet tegen de buizen, leidingen en ventielen te stoten.

O'Shay krabbelde overeind en viel Bell aan.

Isaac Bell haalde uit met zijn vuist, maar de spion blokkeerde de stoot en sloeg de detective met een harde klap die Bell opzij deed wankelen. Bell sloeg tegen een wand, schroeide zijn arm aan een gloeiend hete leiding en hij raakte de scherpe rand van een roerstandaanwijzer. Met zijn hoofd stootte hij hard tegen het kompas dat aan het plafond was bevestigd. Weer haalde hij uit met zijn vuist.

De spion blokkeerde de aanval behendig met zijn linkerarm, en gaf Bell een nog hardere vuistslag tegen zijn ribben. Door de kracht van de aanval werd Bell tegen te hete leidingen geduwd. Zijn zolen gleden weg op de natte vloer en hij viel.

De chloorlucht was veel intenser laag boven de vloer, omdat het gas zwaarder dan lucht is. Als Bell inademde voelde hij een brandende pijn in zijn keel en het was alsof hij stikte. Hij hoorde

O'Shay kreunen van inspanning. De spion trapte naar zijn hoofd.

Bell dook weg maar werd nog geraakt door de hiel van O'Shay, voordat hij weer snel overeind kwam. Naar adem happend in de iets schonere lucht, cirkelde hij rond de spion. De twee waren aan elkaar gewaagd: Bell was groter, maar O'Shay was even sterk en hij reageerde snel. Bells lengte was een nadeel in de benauwde ruimte.

Weer haalde hij uit met een rechtse hoek, maar het was een schijnbeweging en toen O'Shay daarop reageerde met een bliksemsnelle beweging kon Bell hem vol raken met een dreunende linkse die het hoofd van de spion achterover deed slaan.

'Goed raak,' zei O'Shay tartend.

'Blokkeren is het enige wat jij geleerd hebt in Hell's Kitchen,' kaatste Bell.

'Nee, niet het enige,' zei O'Shay. Hij stak zijn duim in zijn vestzak en haalde die weer tevoorschijn, voorzien van een vlijmscherp stalen mesje.

Bell viel aan met een regen combinaties. De meeste slagen waren raak, maar het was alsof hij tegen een boksbal beukte. O'Shay wankelde niet, maar absorbeerde de harde slagen terwijl hij wachtte op zijn kans. Toen die zich voordeed raakte hij Bell met een vernietigende stoot.

De detective sloeg dubbel. Voordat Bell zich kon herstellen kwam O'Shay dichterbij en sloeg zijn gespierde rechterarm om de nek van zijn tegenstander.

Isaac Bell voelde dat hij in de houdgreep was genomen. Zijn linkerarm zat klem tussen beide lichamen. Met zijn rechterhand probeerde hij het mes uit zijn laars te grijpen. Maar O'Shays duim bewoog al naar Bells oog. Bell gaf het op zijn mes te trekken en hij klemde zijn hand om O'Shays pols.

Hij besefte dat hij nooit met een sterkere tegenstander had geworsteld. Terwijl Bell de pols met als zijn kracht vasthield wist O'Shay het vlijmscherpe mes aan zijn duim steeds dichter bij Bells gezicht te brengen, tot het metaal de huid raakte en een dunne snee veroorzaakte in de richting van Bells oog. Tegelijk klemde O'Shay met zijn andere arm steeds knellender om Bells keel, zodat zijn luchtpijp werd dichtgeknepen. Zijn longen werden branderig en zijn hoofd bonkte. Witte flitsen schoten voor zijn ogen. Alles werd wazig en zijn greep om de pols van O'Shay verslapte.

Hij probeerde zijn linkerarm vrij te krijgen. O'Shay bewoog iets om de arm vastgeklemd te houden. Bell kon zich amper verroeren maar hij zag dat hij nu deels achter O'Shay was. Met zijn knie stootte hij tegen de achterkant van O'Shays knie, die meteen knikte. O'Shay viel voorover en Bell werkte zich omhoog.

Met al zijn kracht trok hij O'Shay omhoog en smeet hem meteen weer tegen de vloer. De sterke O'Shay hield Bells hoofd vast, haalde diep adem en trok de detective naar beneden, waar het verstikkende chloorgas meer geconcentreerd was. Maar Bells linkerarm werd niet langer vastgeklemd. Hij beukte met zijn elleboog tegen O'Shays neus, en kraakte het bot. Nog steeds probeerde O'Shay hem te wurgen, en nog steeds dreigde het kleine mes zijn oog te raken.

Opeens stroomde koud water over de vechtende mannen en dat veroorzaakte meer chloorgas toen het water in contact kwam met de accu's. De onderzeeboot helde over en het rivierwater spoelde door het geopende luik. Bell zette zich af en vond steun voor zijn voeten. Hij drukte O'Shays hoofd tegen de wand met de hete leidingen. O'Shay probeerde zich los te wringen, maar Bell hield hem in bedwang. Nog scherper dan de chloorlucht was de stank van schroeiend haar en even later verslapte de greep van O'Shay. Bell deinsde achteruit en ontweek de uithaal met het scherpe mes. Terwijl het water naar binnen stroomde beukte hij met zijn vuisten op O'Shay.

Bell wist buiten bereik van O'Shays graaiende handen te blijven en hij klauterde door het luik naar buiten. Hij zag lichtjes naderen. Sloepen voeren weg van de Brooklyn marinewerf en werden neergelaten van de New Hampshire. De onderzeeboot zonk langzaam, maar de scheepsmotor raasde nog en de schroef maalde tegen de stroom in. Een golf sloeg over het open luik en spoelde Bell naar het achterschip. Hij kon zich nog net afzetten tegen een steun en ontsnapte aan de malende schroefbladen. Door de sterke waterstroom werd hij weggeduwd van de boot.

O'Shay klom door het luik, kokhalzend van de chloordampen. Hij dook achter Bell aan en zijn gezicht was een masker van haat. 'Ik maak je dood.'

De schroef van de Holland zoog O'Shay naar de draaiende bladen. De stroming in de rivier spoelde O'Shays romp langs Bell, gevolgd door het hoofd van de gangster, met verstarde glazige ogen. Even later verdween het hoofd onder de oppervlakte.

De onderzeeboot helde onverwacht opzij en verdween onder de golven. Isaac Bell dacht dat hem hetzelfde lot wachtte. Hij worstelde om boven water te blijven, maar hij was verzwakt door de kou en de chloordampen. Een golf sloeg over hem heen en in zijn herinnering doemde opeens de dag op dat hij Marion voor het eerst had ontmoet. Zijn ogen moesten hem bedriegen. Hij zag haar dikke weelderige haar hoog opgestoken op haar hoofd. Een lange lok viel bijna tot haar middel. Ze strekte haar armen naar hem uit.

Ze greep zijn hand. Hij werd omhooggetrokken en keek recht in het grijnzende gezicht van een bebaarde zeeman.

* * *

Het volgende wat Isaac Bell besefte was dat hij languit op zijn rug op de bodem van een houten boot lag. Naast hem lag kapitein Lowell Falconer. De Held van Santiago zag er uit zoals Bell zich voelde, maar zijn ogen waren helder.

'Het komt goed, Bell. Ze brengen ons naar de ziekenboeg.'

Spreken was pijnlijk en ademen ging moeizaam. Zijn keel brandde. 'Waarschuw die redders dat er nog een Wheeler Mark 14 op scherp staat in de lanceerbuis van de Holland.'

'Ja, die torpedo is dankzij jou nog in de lanceerbuis.'

De sloep stootte zachtjes tegen de kade.

'Wat zijn dat voor lichtjes?' vroeg Bell. De weerschijn was tegen de bewolkte hemel te zien.

'Er wordt nu dag en nacht gewerkt aan Hull 44.'

'Mooi.'

'Mooi?' herhaalde Falconer. 'Is dat het enige wat je te zeggen hebt?'

Isaac Bell dacht even na. Toen grinnikte hij. 'En het spijt me van je stoomjacht.'

57

Mist verhinderde het zicht van de Duitse soldaten die op de Amerikaanse spion jacht maakten.

De nevel rees op van de veengebieden in Oost-Friesland in de morgenlucht en spreidde zich uit onder de bomen en over de vlakke grond. De mist zou pas halverwege de ochtend verdwijnen als de zon meer kracht kreeg. Maar de nevels werden al eerder dunner toen een zilte zeewind vanaf de Noordzee over het land streek.

Isaac Bell zag het zonlicht doorbreken, zodat akkers en sloten zichtbaar werden. In de verte was een rij bomen en een botenhuis bij een kanaal. Een boot zou nu goed van pas komen.

Bell zag zijn eigen portret afgebeeld op een opsporingsbevel dat aan het botenhuis was bevestigd. De oproep was hem over te dragen aan de militaire inlichtingendienst van de Kaiser. Drie dagen nadat hij aan land was gekomen had het Duitse leger op elke boom en schuur tussen Berlijn en de kust Bells portret aangeplakt. Er werd een beloning uitgeloofd van 1000 mark, of 5500 dollar: een fortuin aan beide zijden van de Atlantische Oceaan. De grimmig kijkende voortvluchtige op de de Steckbrief leek op Bell. Hoewel ze geen foto hadden, alleen de beschrijving van een bewaker bij de U-bootmarinebasis Wilhelmshaven, had de tekenaar de gelaatstrekken goed getroffen, met de vorm van de kin en mond: het gezicht van een geharde en gespierde man. In de beschrijving werden blond haar, blauwe ogen en een snor genoemd, maar dat gold voor zoveel mannen in Duitsland. Alleen de lengte was meer dan normaal.

Nu de Verenigde Staten betrokken waren in de Wereldoorlog tegen Duitsland, zou Bell – gekleed in een samengeraapt uniform en met een kruk die hij als gewonde veteraan gebruikte – zeker gefusilleerd worden als spion, wanneer hij opgepakt werd. En hij kon ook niet op genade rekenen als bij fouillering de plattegrond werd gevonden van de nieuwe U-boot werf waar de nieuwste onderzeeboten werden onderhouden. Deze boten waren veel krachtiger dan de oude Holland-klasse en zwaarder bewapend, waarmee Duitsland opeens aan de winnende hand was in de strijd,. De plattegrond was nutteloos, tot hij die aan het opstomende Amerikaanse Zesde Eskader had gegeven.

Het kanaal was smal en het riet langs beide oevers om de golfslag te dempen hield de nevel vast. Hij roeide twee mijl in de richting van Wilhelmshaven en liet de boot achter, om de wachtposten bij de werf te ontwijken. Een eind verder vond hij een andere boot. De mist werkte nog steeds in zijn voordeel bij de havens, af en toe dunner en dan weer dikker door de rookwolken uit de schoorstenen van wel honderd oorlogsbodems.

Het was eb. De ingang van de haven was ondiep en in Wilhelmshaven was een woud van masten en schoorstenen van slagschepen, kruisers en dreadnoughts wachtend op hoog water. Maar de torpedoboten met geringe diepgang konden wel uitvaren. Bells ontsnappingsvaartuig moest klein genoeg zijn om eigenhandig te bemannen en sneller varen dan de sleepboten, sloepen en vissersschuiten.

Informatie van een detective van Van Dorn die ondergedoken was toen het kantoor in Berlijn gesloten werd na het uitbreken van de oorlog leidde naar een in Italië gebouwde achttien meter lange MAS motorboot. Bell had het vaartuig al gezien op de heenweg en hij zag de boot nog steeds in de grauwe schaduw van een groot marineschip liggen.

Hij deed een schietgebedje dat de mist dichter zou worden en zijn gebed werd zo snel verhoord dat hij meteen een peiling met het kompas moest doen, voordat alle schepen in de haven weer in de nevels verdwenen. Hij roeide verder, telkens even kijkend naar het kompas op de doft naast hem, en hij probeerde de invloed van de stroom in te schatten. Maar het was onmogelijk precies naar zijn doel te varen op een halve kilometer afstand, tot hij tegen de gepantserde romp van de dreadnought stootte.

Boven hem waren de 25cm-kanonnen vaag zichtbaar en dat was een teken dat hij dichter bij de boeg was. Hij peddelde langs de grote romp tot hij bij de MAS kwam. Hij stapte aan boord, controleerde of er niemand aanwezig was en maakte de trossen op één na los. Daarna inspecteerde hij de twee motoren: het waren compacte dieselmotoren, zoals hij op een Italiaanse boot al verwachtte. Bell begreep hoe de motoren gestart moesten worden en hij maakte het laatste meertouw los. Door peddelen dreef de MAS langzaam weg van de oorlogsbodem en een eind verder wachtte hij tot de zon de mist zou verdrijven. Op het moment dat hij de schepen kon zien en zelf ook gezien kon worden startte hij de motoren, die elk evenveel kabaal maakten als zijn Locomobile.

Toen hij bij de smalle havenmond was beseften de Duitsers dat er iets gebeurde, al wisten ze niet wat het was. De verwarring en de mistflarden boven de haven gaven hem een kostbare voorsprong, en toen er met geweren in zijn richting werd geschoten voer hij al met een snelheid van dertig knopen over het water. Hij passeerde enkele wachtschepen, en vanaf het dek werd er ook op hem geschoten, soms sloegen de kogels gevaarlijk dichtbij in het water. Vier mijl voorbij de boei voor de haven keek hij om. De mist werd dunner, het was alleen nog heiig. In de verte zag hij rookpluimen en hij begreep dat enkele torpedojagers de achtervolging hadden ingezet. De schepen waren uitgerust met 10cm-kanonnen op het voordek.

Naarmate Bell verder op open zee kwam werd de deining hoger en daardoor kon hij minder snel varen. De torpedojagers kwamen dichterbij. Het vuur werd geopend vanaf de achtervolgende schepen, en dat hij niet geraakt werd was alleen omdat de MAS een klein doelwit was op grote afstand. Maar toen de afstand was verkleind kwamen de projectielen akelig dichtbij en Bell begon te zigzaggen, waardoor de MAS moeilijk gericht beschoten kon worden, al verloor hij daardoor nog sneller zijn voorsprong. Het duurde niet lang voordat hij schutters op het voordek kon zien bij de kanonnen.

Hij tuurde voor zich uit, speurend naar een rookpluim of het wazige silhouet van een kooimast.

Een projectiel zoemde voorbij en viel voor de MAS in zee. De mist was nu helemaal verdwenen. De hemel kleurde blauw en Bell zag de voorste torpedojager duidelijk, gevolgd door nog twee jagers. Weer kwam een projectiel snerpend voorbij, om even later op het water te ketsen als een platte steen.

De hemel boven de horizon werd ook helder en opeens zag Bell een verticale rookpluim. Hij hoorde het snelle ratelen van een machinegeweer. Een salvo van kogels vloog boven hem in de richting van de torpedojagers en overal rond de voorste boot plonsden de projectielen in het water. De achtervolgers keerden meteen om en voeren terug naar de kust.

Nu zag Bell het reddende schip opstomen in zijn richting. Door de snelheid van beide elkaar naderende schepen duurde het maar enkele minuten voordat hij de bekende kooimasten, de radioantennes en de de 30cm-kanonnen van de 27.000 ton metende USS New York herkende.

Even later werd Bell aan dek gehesen. Matrozen vergezelden hem naar de basis van de kooimast. Hij overhandigde de kaart aan de commandant van het Zesde Eskader, de breed grijzende Vice-Admiraal Lowell Falconer, die de kaart meteen nieuwsgierig bekeek en enkele orders gaf aan zijn bemanning.

Bell zei: 'Ik kan helpen met de afstand bepalen door enkele herkeningspunten aan te wijzen.'

Een jonge matroos bood aan te helpen bij het beklimmen van de mast.

'Bedankt,' zei Bell, 'maar ik ben al eens in zo'n mast geklommen.'

De 30cm-kanonnen van de New York waren ontworpen door Arthur Langner en gemonteerd in speciale geschutskoepels die later verbeterd waren door zijn opvolgers. De loop kon zo hoog gericht worden dat het bereik nog veel groter werd. Een vuurgeleidingssysteem dat door Grover Lakewoods team was ontwikkeld berekende de afstand tot de U-bootwerf. Donderende salvo's werden gelost. Hoogexplosieve projectielen schoten naar de verre kust.

Het was inmiddels vloed geworden en Duitse oorlogsbodems kwamen uit de haven. Het waren snelle en zwaarbewapende schepen, maar hun bepantsering was niet opgewassen tegen de New York. De vijandelijke schepen bleven op afstand, tot een vloot Duitse slagschepen aan de horizon verscheen. Bell en de mannen boven in de kooimast wisselden bezorgde blikken.

De Duitse oorlogsbodems kwamen dichterbij. Vanaf het Amerikaanse schip werd onophoudelijk gevuurd.

Rookwolken boven het land waren een teken dat de U-bootwerf vernietigd was. Falconer gaf het bevel tot 'tactisch terugtrekken'.

De Duitse schepen vuurden van grote afstand, maar de projectielen reikten niet ver genoeg en het was al te laat. Dankzij de modernste MacDonald turbines die de oude motoren in de New York hadden vervangen kon het schip veel sneller varen dan de Duitse boten.

Toen het grote Amerikaanse oorlogsschip naar de haven Scapa Flow op de Orkney-eilanden ten noorden van Schotland stoomde, werd Bell door admiraal Falconer uitgenodigd in zijn hut onder de brug. Aan boord van Amerikaanse marineschepen was alcohol verboden, maar Bell had een heupflacon en de twee mannen hieven het glas op de overwinning.

'Dit is een actie die niet in de geschiedenisboeken komt,' zei Falconer, en hij voegde er lachend aan toe dat jaloerse Britse admiraals zouden willen dat Bell voor een vuurpeloton kwam.

'Maak de heren maar duidelijk dat privédetectives niet onder het militaire tuchtrecht vallen.'

Een scheepstimmerman klopte op de deur van de hut. De man had gereedschap bij zich.

Faloner wees naar de wand met het bord van de scheepswerf:

USS NEW YORK
Brooklyn Navy Yard

'Maak dat bord los.'

'Jawel, admiraal.'

De timmerman werkte met een beitel en toen het bord bijna los van

413

de wand was stuurde Falconer de man weg. Zodra hij weer alleen met Isaac Bell was, haalde hij het bord weg. Eronder was in op het staal gelaste letters te lezen:

HULL 44

* * *

Een week later arriveerde Isaac Bell met de trein uit Schotland op Euston Station en hij liep door de straten van Londen. De rijzige detective wendde zijn gezicht af toen een filmcamera op hem gericht werd en hij sprong net op tijd weg voor een postwagen die door paarden getrokken werd. Hij bleef staan om een rode Rolls Royce Lawton 1911 limousine te bewonderen. De elegante lijnen van de auto werden bedorven door een lelijke gashouder op het dak. De limousine was aangepast voor het rijden op houtskoolgas, vanwege de schaarste aan benzine die veroorzaakt werd doordat U-boten de olietankers tot zinken brachten.

De Rolls-Royce stopte voor Bell.

De chauffeur, te oud om te vechten in de loopgraven bij het slagveld, stapte uit en salueerde voor Isaac Bell. Hij opende het portier van het passagierscompartiment. Een beeldschone vrouw met lichtblond haar, een elegante gestalte en zeegroene ogen keek Bell aan en ze zei met een stem klinkend van opluchting en vreugde: 'We zijn zo blij dat je weer veilig terug bent.'

Ze gebaarde naar de plaats naast haar op de achterbank.

Een smaragd schitterde aan haar ringvinger, mysterieus als het oog van een kat.